英语单词追根溯源

崔校平　著

山东大学出版社

图书在版编目(CIP)数据

英语单词追根溯源/崔校平著. —济南:山东大学出版社,2019.9

ISBN 978-7-5607-6457-3

Ⅰ.①英… Ⅱ.①崔… Ⅲ.①英语—词汇—自学参考资料 Ⅳ.①H313

中国版本图书馆 CIP 数据核字(2019)第 220333 号

责任编辑:张申华

封面设计:牛 钧

出版发行:山东大学出版社

社 址 山东省济南市山大南路 20 号

邮 编 250100

电 话 市场部(0531)88363008

经 销:新华书店

印 刷:山东和平商务有限公司

规 格:720 毫米×1000 毫米 1/16

20.25 印张 383 千字

版 次:2020 年 3 月第 1 版

印 次:2020 年 3 月第 1 次印刷

定 价:58.00 元

前　言

《英语单词追根溯源》一书从词源学和构词法着手，以词素理论为基础，旨在探索英语单词的词源和构词规律，帮助英语学习者更快地掌握复杂的英语词汇。

本书主要包括以下两部分内容：(1)词素理论、英语单词词源及构成的基本知识；(2)英语单词追根溯源及词根分析。此外，本书还设置了大量的配套练习题，帮助学习者巩固所学，学以致用。与同类书籍相比，本书的不同之处在于：它提供的是一个基于词素理论、对英语单词词根进行分组的追根溯源式的记忆方法。它除在词后标出单词构成成分或简单地注明词源或简洁的文化元素外，既不墨守古训、繁琐考证，也不硬拆乱释、牵强附会。

该书列举的词根较同类书籍对英语单词词源的探索更系统、全面，解析更简洁、易懂，方法更新颖、得当，尤其是"英语单词词根分析记忆"部分以词根和词干为中心，把由同一词源转化而来的若干单词系统地串连起来，形成族群，把属于每个族群的单词的共同之处和不同之处加以比较，同时又以族群为单位进行分组，依次循环记忆，将追根溯源和循环式记忆融为一体。这样，同一词根、词干、前缀或后缀的重复出现，可以加深印象、巩固记忆，同时又由于前缀、后缀的不同使词义发生变化，可以彼此进行对照、比较，这样就把分解记忆与循环记忆这两种方法结合起来，使读者对每一组同根词从词形、词义和拼写上都能找出它们之间的共同点和相互之间的联系，从而做到举一反三、触类旁通，把有相互联系的单词系统、高效地记忆下来。此外，本书将由同一词根派生而来的单词尽可能放在同一词条内，并且在某些高频词后配有同义词、反义词、联想、比较等，从而帮助记忆，以激发读者的学习兴趣，真正达到迅速扩大词汇量的目的。

崔校平

2019 年 6 月于山东大学

几种符号的说明

1. 内是词缀或词根及其含义。
2. 后面带有“-”的词素(如 pro-,re-等)表示前缀。
3. 前面带有“-”的词素(如-ism,-ion 等)表示后缀。
4. 顺箭头“→”表示“转成……;参照……”。
5. 逆箭头“←”表示“源自……”。
6. 〈〉内是构词部件或词源解释。
7. [反]表示反义词。
8. [同]表示同义词。
9. [联]表示对与该词有关的词进行联想记忆。
10. ‖ 表示后面是与该词有关的短语或词组。

目　录

第一章　英语单词的基本知识

第一节　英语词汇的发展及语源

一、英语词汇的发展简史

当今世界，英语是第一国际性语言。在世界上使用最广泛的10种语言中，英语居首位。虽然讲汉语的人数最多，但讲英语的人在世界上分布最广。英语作为国际性社交语言，取得的成功是史无前例的。很多非英语母语国家的人学习外语时大都首选英语。英语起源于欧洲西部，到了近代，逐渐发展成一种世界语言。世界上以英语为母语的国家有美国、加拿大、英国、爱尔兰、澳大利亚、新西兰、南非、加勒比海诸国（巴哈马、牙买加、巴巴多斯、格林纳达、特立尼达和多巴哥共和国）以及南美的圭亚那。还有一些国家如印度、马来西亚、新加坡、尼日利亚、加纳、塞拉利昂、喀麦隆等把英语作为官方语言。全世界大约有3亿人在讲英语，另外有20亿人在一定程度上懂英语。英语分布在世界的各个角落、各个民族，在这一点上其他语言是望尘莫及的。据统计，世界上的5651种语言中英语的词汇量最大。英语的词汇量为什么如此庞大？英语中的外来词为什么如此多？英语单词的拼写为什么如此纷乱？……

因此，我们在学习英语词汇时简单地了解一下英语的发展过程，可以对英语词汇的全貌有更为清晰的认识，对其许多令人困惑的问题可以更容易地找到答案。

英语的历史始于公元449年盎格鲁—撒克逊人对英格兰的占领与统治。此前，不列颠群岛上的居民是凯尔特人（Celts或Kelts），亦称“不列颠人”（Britons），他们讲的是凯尔特语（Celtic），其中也含有一些拉丁语词汇。公元前55年8月，朱利乌斯·恺撒（Julius Caesar）率领罗马军队近一万人入侵了不列颠群岛。第一次远征期间，罗马人在不列颠群岛的活动范围未超出Kentim（肯提姆,即今天英格兰东南部的肯特郡)的沿海地区。公元前 54 年,经过一个冬季的准备,恺撒率领 25000 名精悍的罗马战士卷土重来,把战火一路烧到了不列颠尼亚大国卡图维勒尼王国(Catuvellauni)的行政中心——塔梅希斯河(River Tamesis,即今天的泰晤士河)的北部地区。第二次远征期间,卡图维勒尼王国一直和罗马人保持着良好的外交关系和贸易往来。而从古罗马传入的各种文明,也对铁器时代末期的不列颠产生了重要的影响。由于罗马军队的入侵,大多数凯尔特人逃到了威尔士和苏格兰的深山老林之中。公元前 12 年,不列颠成为罗马帝国的主要商品供给国之一,丰富的金、银、锡、铁等珍贵矿产资源和发展兴旺的奴隶贸易使得这个海岛逐渐成了支撑罗马帝国经济体系的重要组成部分。随着罗马帝国和不列颠尼亚外交关系的不断发展,双方的统治阶级都从商贸往来中获利匪浅。在这一时期,不列颠尼亚的贵族阶级可以享受从罗马帝国进口的黄金、白银、奴隶以及猎犬;罗马统治者则从国王们手里得到大量的玉米、兽皮、牲口和铁器等可以增强军事力量的重要商品,还能按照大陆被征服地区的税收标准在不列颠尼亚征收动产税和人头税。公元 43 年,罗马皇帝克劳狄(Claudius)一世率领 4 万精兵踏上不列颠的土地,直捣卡图维勒尼王国的首都卡姆罗敦诺姆,并势如破竹一举征服了整个不列颠。这标志着罗马帝国统治不列颠近 400 年的时代正式开始。此后,英语经历了古英语(Old English)、中古英语(Middle English)和现代英语(Modern English)三个发展阶段。

古英语(公元 449～1150),亦称“盎格鲁—撒克逊英语”(Anglo-Saxon English),是由盎格鲁—撒克逊人、朱特人等日耳曼部落从欧洲大陆带到不列颠的若干日耳曼方言组合成的语言。古英语受拉丁语和北欧语言(丹麦语)的影响很大。日耳曼部落的语言是一种口头语言,他们的文化很少有文字记录。他们的文字被称为“如尼文”(Runes,亦称“北欧秘符”)。随着基督教在不列颠群岛的传播,盎格鲁—撒克逊入侵者逐渐皈依基督教,最后放弃了如尼字符,接受了拉丁字母。古英语的词汇量约有五六万,其主体是统治者使用的盎格鲁—撒克逊语(Anglo-Saxon),其词汇属于西日耳曼语支的日耳曼词(Germanic)。这部分词汇构成今天人们所称的本族语词的主体。同拉丁语一样,古英语单词的性、数、格主要依靠单词末尾的不同拼写形式来表示。

中古英语(公元 1150～1500 年),亦称“中世纪英语”(Medieval English)。中古英语的语法在形态变化方面发生了简化,名词逐渐失去了古英语复杂的数和格的变化,简化成了单数和复数两种形式,复数以词尾-s 表示。形容词则简化成了没有任何变化的词类。词在句子中的关系不再通过性、数、格的变化来表示,而是由其在句子中的位置来表示。中古英语时期的英国使用三种语言:

法语、拉丁语和英语，其中法语和拉丁语占主导地位。拉丁语是宗教界使用的语言，法语是上层社会使用的语言，而英语是下层社会普通百姓使用的语言。在这一时期，英语词汇发展的主要内容是引进了数以千计的拉丁词(Latin)和法语词(其中绝大部分属于拉丁语源)，因为这个时期使用法语与拉丁语的诺曼人统治着英国。大量法语词汇和拉丁语词汇进入英语，使用中世纪英语词汇的数量迅速增加。

现代英语(公元1500年至今)一般以1700年为界，分为早期现代英语与后期现代英语。到中古英语末期，英语已经确立了其作为国语的地位。乔叟(Chaucer)的作品证明，英语已成为一种成熟的文学语言。英语语法的简单化过程已大体完成，拼写走向固定，基本词汇也已形成。词汇方面的变化也是显著的。由于诺曼法语一度成为英国统治阶级的语言，大批法语词涌入英语。这在政治、宗教、法律、军事、社交、服饰、饮食等凡是与统治阶级有关的一切领域都有反映。法语词成了这些领域所用词语的主体。从此，英语改变了运用复合法创造新词的主要手段，向外来语敞开了大门，用直接借词的方法来满足对新词的需要。这一变化对英语词汇的发展影响深远，为日后大量借词——主要是希腊语词、拉丁语词——进入英语铺平了道路。随着众多的法语借词被吸收进英语，一些法语和拉丁语的词缀也被英语化了，成为英语构词的重要素材，如前缀 dis-, en-, inter-, mal-, non-, pre-, re-, semi-, sub-；后缀-able, -acy, -age, -al, -ancy/-ency, -ate, -ory, -ance, -ant/-ent, -ician, -ise。与此同时，有些英语本族语的词缀反而被废弃不用了。在复合词的构成格式方面，英语也吸收了法语的一些特色，例如“名词＋形容词”“副词＋过去分词”(如 by-gone)。这些现象，语言学史上称为“英语的罗曼语化”。这就是为什么从谱系关系上看，英语与德语同族，但现代英语的词汇和法语更相近的原因。

在这一时期，英语词汇的发展首先得力于欧洲的文艺复兴运动(14～16世纪)的影响。由于对古希腊、古罗马文化的重视与模仿，拉丁词再次涌入英语。同时，数以万计表示语言、哲学、文学、医学、化学等社会科学与自然科学的希腊词也开始直接或间接地进入英语。其次，工业革命使英语增加了更多的技术词汇(拉丁语和希腊语)。经过1640年英国资产阶级革命和其后的工业革命，英帝国开始向外扩张，与世界各地的交往日趋频繁，全球各地的语言都有词汇进入英语，例如：harem[波斯语]，bazaar[波斯语]，shawl[波斯语]，kiosk[土耳其语]，coffcc[土耳其语]，soy[日语]，orang-outang[马来语]，paddy[马来语]等。

二、英语词汇的语源

语源学是研究词语来源的一门学科，etymology 源自希腊文 etymos（词的真意）和 logos（科学）。通过判断语词的基本要素，研究语词声音和意义的演变，推求语词的最初的声音和意义，以及语词在其他语言中的同源词，并且重构语词的原始形态。其主要是揭示印欧语系语音的相互关联和意思的变化。我们现在所用的语言一部分从一种古代语言直接演变而来，一部分由几种古代语言混合而成，这些古代语言我们统称为“语源”。通过解读一些古代文本以及比较其他种类的语言，语源学研究一种语言的产生、变化和消亡，致力于揭示词语的历史。

英语起源于盎格鲁—撒克逊语，后者是一种西日耳曼方言（旧低地语），所以英语与德语同源。就普通词汇而言，虽然超过一半英语词汇要么来自法语，要么有法语的同源词，但绝大多数仍然是德语用法。同时，英语也吸收了许多外来词汇，如英语里的科学术语严重依赖于希腊语和拉丁语。英语中几乎每个单词都有自己的历史和故事。现代英语词汇主要源于凯尔特语、盎格鲁—撒克逊语、法语、拉丁语和希腊语。费尔南德·莫塞在《英语简史》一书中这样讲道，“在今日英语词典中，本族成分的词只不过占全部词汇的五分之一，而希腊、罗马来源的词汇却占了五分之三”。虽然具有日耳曼语源的盎格鲁—撒克逊语词汇在基础词汇中占的数量不算少，但大都是一些像 dog，cat，rain，wind 等这样使用频率极高的常用词，易于学习者记忆和掌握。而古典语源词一般词形较为复杂，多为抽象词，难学难记。

今天，拉丁词与希腊词被统称为“古典语词”（classical words）。在英语中，古典语词属于外来语词。到 17 世纪，这些外来语词对英语的影响特别严重，以致英国人提出必须“净化英语”。1604 年，Robert Cawdney 编写的《按字母顺序的英语词汇表》是英国第一部带有词典色彩的书籍。1775 年，Samuel Johnson 编写的第一部权威的、标准的《英语词典》（*A Dictionary of the English Language*）问世，标志着英语词汇系统的正式确立与稳定。18 世纪以后，英国开始了反对英语拉丁化的运动，但外来语词仍不断涌入英语，英语词汇继续发展。一方面，随着英国殖民主义的扩张和美国资本主义的发展，英语走向全世界，同时也吸收了世界各种语言的词汇，以至于今天英语中含有 50 多种外来语的成分。另一方面，随着社会经济与科学技术的发展，英语又以古典语的词素为原料，创造出大量表达新事物、新概念的词汇，即所谓的新古典词（new-classical words）。据统计，现在英语的总词汇量已经超过 100 万，而且还在不断增加中。

英语已成为世界上词汇量最大、语源成分最复杂的语言。

著名的英国语源学家沃尔特·斯基特(Walter W. Skeat)在《英语语源词典》(*An Etymological Dictionary of the English Language*)中把全书的主要词条按语源进行分类并附录于书后,从中得出的统计数字表明,各种语源的单词在词汇总量中占的百分比分别是:

拉丁与希腊语源(即古典语源)	56%
日耳曼语源(即本族语源)	33%
东方、非洲、美洲等语源	6%
混合语源	3%
凯尔特语源	2%

由此可见,古典语源的比例最高。拉丁语源、希腊语源和日耳曼语源三部分共占整个英语词汇语源的89%,其他语源共占11%。虽然来自其他语源的词汇占有一定的百分比,但是它们的使用频率很低。下面,让我们分析一下下面这段文字,以佐证古典语源单词学习的重要性。

We, the *people* of the *United States*, in *order* to *form* a more *perfect union*, *establish justice*, *insure domestic tranquility*, *provide* for the *common defense*, *promote* the *general* welfare, and *secure* the blessings of *liberty* to ourselves and our *posterity*, do *ordain* and *establish* this *constitution* for the *United States* of *America*.

[注:本文选自美国宪法的绪言,文中斜体单词是古典语源(即拉丁语和希腊语)单词,正体单词是日耳曼语等其他语源的单词。]

仔细阅读这段文字可以得出三点有意义的启发:

1. 全文共52个单词,除了重复使用的单词之外,实际用词为38个。其中属于古典语源的有23个,占单词总数的60%;日耳曼等其他语源的有15个,占单词总数的40%。

2. 从词汇学的角度来看,古典语源的单词词形较复杂、词义较生僻,是阅读这段文字所必须扫除的拦路虎。

3. 属于古典语源的23个单词都包括一个表达核心含义的词根。

显然,词根研究和学习的重点应该落到古典语源单词上。我们不妨再利用上面这段文字中的古典语源单词研究一下英语中古典语源词根的特点。

例词	词根
state, establish, constitution	*st*（站）
union, united	*un*（一）
order, ordain	*ord*（次序）
insure, secure	*cur*（关心）
form	*form*（形状）
perfect	*fect*（做）
domestic	*dom*（屋）
provide	*vid*（看）
common	*mun*（服务）
defense	*fens*（打）
promote	*mot*（动）
general	*gen*（种类）
liberty	*liber*（自由）
people	*popul*（人民）
justice	*jus*（法律）
posterity	*post*（后来）
tranquility	*tranquil*（静）
America	亚美利哥(意大利商人)

从以上单词的词根可以看出，23个古典语源单词中，除了America是源自人名的地名外，其他全部都有根可寻；而且这些词根的形态与意义简单明了，便于记忆。这一结论虽然只来自对有限语料的分析，却带有普遍意义。因为它反映了英语词汇中古典语源单词的基本特点：(1)在英语词汇中占有很大的比例的古典语源单词是靠以词根为基础而构成的；(2)这些词根都有一定的派生能力，可组成若干个自己的同族词；(3)各个词根的同族词数量不一，少则数以十计，多则数以百计。据统计，在一本8万词条的中型词典中可以找到st，fac，fect，gen的同族词各200个以上；un，vid的同族词各100个以上。因此，我们可以充分利用古典语词根数量有限、但派生能力强大这个特点，通过多快好省地掌握古典语源词汇的词根，迅速扩大词汇量，攻克英语词汇学习的难关。

第二节 英语单词的构成与词义的类型

一、英语单词的构成成分与构词

英语词汇的造词十分简单，它主要由“词根＋词缀”构成。不同“词根＋词缀”的组合可以很容易地形成新的单词，于是英语的词汇量非常庞大。

1. 传统的英语构词法与词素构词理论

传统的英语构词法主要有三种，即转化、合成与派生。转化只是单词词类的转变，不涉及词形的变化；合成是两个或两个以上单词合并组成新词；派生则是通过添加词缀从而由一个单词产生出新的单词。毫无疑问，传统的英语构词法是建立在单词的基础之上的，所以可称之为“单词构词理论”。但是，由于单词构词理论不能揭示出各种构词现象的本质，因此它在解决词汇记忆方面存在着一定的局限性和缺陷。而词素构词理论（李平武，2008）指的是一切单词都是由一个或多个词素构成的，因此一切单词均可被划分成若干个词素。词素是最低一级、有区别性的语法单位，即词素是最小的、不能再分割的、有意义的单位。词素按其独立性可分为自由词素和黏着词素两种。自由词素（free morpheme），是指能够独立存在，无须附于其他词素或词根的词素，即可以单独作为词使用的词素，如 apt，eat，work，do，go 等；黏附词素（bound morpheme），是指本身没有完整意义、不能单独使用、必须黏附在自由词素或其他形式上才能表达出意义的词素，如 ag，vise，-ible，-or，dis-，pro-等。自由词素和黏附词素又被分成若干类。其中，自由词素分为词干和单词，黏附词素分为词根和词缀。词干（stem）是指未添加任何屈折词缀（即语法性词尾）的原形单词；词根（root）是指携带着主要的词汇信息的一种黏附词素。词缀（affix）包括屈折词缀和构词词缀。屈折词缀（inflectional affix）只表示语法关系，包括名词属格 's，名词复数，动词单数第三人称一般现在时-s、-es，动词的过去式或过去分词-ed，动名词或现在分词-ing 及形容词、副词比较级和最高级-er 和-est 等；构词词缀（formative affix）包括原生词缀和构词词缀两种，只能黏附在词根上的构词词缀是原生词缀（primitive affix），能够黏附在单词上的构词词缀是派生词缀（derivational affix）。词基（base）是单词、词干和词根的统称。

哈特曼把词根看作一种词素，并认为词根是带有主要词汇信息的词素，这显然是与词缀词素相对而言的。换言之,词根与词缀两种词素都带有词汇信息或语义,词根语义为主,词缀语义为辅。为方便起见,我们可以把各种构词成分纳入"词素构词理论"的构架中来考虑,如下图所示:

- 缀合成分
  - 词基
    - 单词 } 自由词素 } 构词词素
    - 词干 } 自由词素 } 构词词素
    - 词根 } 粘附词素 } 构词词素
  - 词缀
    - 构词词缀 } 粘附词素 } 构词词素
    - 屈折词缀 } 粘附词素

语言包括句子、分句、词组、单词、词素等五个语法层次,其中词素是最小的、不能再分割的有意义的单词。词素构词理论的构词成分主要有词基和词缀两个部分。词素构词的方法主要有词缀法和非词缀法两种,其中除了单词词素与派生词缀的构词方式外,更重要的是词根词素与原生词缀的构词方式。

此外,词素构词理论还涉及英语词源学的相关知识,从构词起源上探讨英语单词的构词规律,从而使英语词汇记忆策略的研究更科学、合理。

2. **词根与单词含义之间的关系**

词根是英语单词构词的基本词素,每个单词都含有一个或几个词根。如果用词根的定义来分析英语单词,就会在数以十万计的英语单词中分析出数以百计的、构词能力大小不一的词根。词根是英语单词含义的主体,是"语言中不可分析的最小成分(本身不一定是单词,亦即通过添加前缀、后缀或其他修饰成分借以构成单词的基本成分)"。(《新牛津英语词典》,2001),是"词中带有主要词汇信息的词素(morpheme),它与语法词缀相对"(《语言与语言学词典》,1972)。

综上所述,一个单词的基本含义是由词根所决定的。学习者可以根据词根和词缀的含义理解、掌握一个单词的整体意思。请看以下例词中词根与单词含义之间的关系。

词根		单词
vis 看	→	visible 看得见的
log 言	→	dialogue 对话
ling 语言	→	linguist 语言学家
later 边	→	bilateral 双边的
flor 花	→	florist 花商
tract 拉	→	tractor 拖拉机
cord 心	→	cordial 衷心的

dent 牙齿	→	dentist 牙科医生
pend 悬	→	pending 未决的
nov 新	→	innovation 革新
pathy 感情	→	sympathy 同情
ann 年	→	annual 每年的
duc 引导	→	introducer 介绍人
frag 破碎	→	fragile 易碎的
ego 我	→	egoism 利己主义
simil 相同	→	assimilate 同化
paic 和平	→	pacific 平静的

从以上例词可以看出,词根是任何一个单词的核心部分,它包含着这个单词的基本含义。此外,词根是同族词中可以辨认得出的共同成分,是同族词之间含义相连的内在线索。在此基础上,单词可通过添加前缀或曲折词尾或通过语音变化衍生而得出。进一步说,词根是整个英语词汇的基础,是学习英语词汇的最佳途径。200 多年前,英国著名的作家和政治家 Lord Chesterfield 就提出,词根学习是迅速扩大英语词汇量的一条捷径。他在给准备进入外交界的儿子的一封信中这样写道:"The shortest and best way of learning a language is to know the roots of it; that is, those original primitive words of which other words are formed."(李平武,2008)

二、词根与单词词义的类型

词根是构词的基础,它在单词词义中占有核心支配地位。对于一个单词而言,只要辨认出其词根,整个单词的结构和基本含义就一目了然了。当然,英语词根的含义与英语单词词义之间的关系并非如此简单。大多数英语单词的词义并不是简单地对等于其各个构词成分含义累加的总和。这主要有两个方面的原因:(1)单词的本义除了包括构词成分的含义外,往往还内含着当初的造词意图,即根据特定的语言环境和思维逻辑对字面含义所进行的限定、补充或引申。这使得单词本义的内涵往往比字面含义更加丰富、细腻、复杂。(2)在使用过程中,单词的含义随着社会的发展而发展变化,由其本义产生出或多或少的转义。而且转义的作用往往超过其本义,这样单词的字面含义与实用意义之间的差距就更大了。如果再考虑到造词的意图与词义的发展和变化都受到社会生活的各种因素(包括历史、地理、政治、经济、军事、文化、语言、艺术、风俗习惯……等)的影响,我们就会更加理解单词词义问题的复杂性,而这种复杂性正是我们试图利用词根"以形说义"时要充分考虑到的。因此,为了便于理解、记忆英语单词,本书将英语词根的含义与英语单词词义之间的关系分为四种类型。

1. **望文生义型**

该类型的单词数量很大,其特点是:词根所决定的字面含义等于单词的本义或实用义。如:

①e-(出)+lect(选择)→elect 选出

②centr(中心)+-al(……的)→central 中心的

③pro-(向前)+ceed(走)→proceed 前进

④hom-(同)+-o-+nym(名字)→homonym 同名

⑤the(神)+-o-+-logy(……学科)→theology 神学

⑥ge(地球)+-o-+-graphy(描述)→biology 生物学

⑦un-(不)+equ(相等)+-al(……的)→unequal 不等的

⑧bi(生物)+-o-+-logy(……学科)→geography 地理学

⑨pro-(向前)+vid(看,查)+-ent(……的)→provident 有远见的

⑩tri-(三)+gon(角)+-o-+-metry(测量学)→trigonometry 三角学

以上例词的词义主要取决于词根的含义,只要把握了词根的含义,单词的意思便会不言自明。因此,最初接触词根记忆法时便可以从这类单词入手,通过一段时间的学习,就可以从这种"望文生义"型的单词记忆过程中得到乐趣,从而增强学习信心。

2. **引申生义型**

该类型的单词数量最大,其特点是:词根所决定的字面含义与单词的本义之间有些差距,需要领会其中的造词意图并加以引申,才能分析出单词的确切词义。如:

①perfect:per-(全部)+fect(做)→"全部做"→完美

②agriculture:agr(田野)+-i-+culture(耕耘)→"耕种土地"→农业

③concord:con-(共同)+cord(心)→"共同的心"→和谐

④increase:in-(向内)+creas(生长)+-e→"长出来"→增加

⑤concrete:con-(在一起)+cret(生长)+-e→"长在一起"→凝结物

⑥accurate:ac-(对着)+cur(关心)+-ate→"对……用心"→精确的

⑦predict:pre-(预先)+dict(说)→"预先说"→预告

⑧confer:con-(一起)+fer(带来)→"带到一起"→协商

⑨finish：fin-(结尾)＋-ish(导致，使)→“导致结束”→结束

⑩define：de-(在……之下)＋fin(界限)＋-e→“定下界限”→下定义

从以上例子可以看出，这类单词的含义与字面意思之间仿佛隔着一层薄纱，一捅即破。只要根据词根和词缀的基本含义加以引申，单词的含义便清晰明了了。

3. **词义变化型**

该类单词数量较少，与词汇的发展历史有关，其特点是：词根所决定的字面含义或本义在使用过程中发生了变化。有的词义扩大，有的缩小，有的扬升，有的贬降，有的则被引申或用于比喻意义。如：

①marshal 元帅。拉丁词根 mar＝mare，shal＝servant。该词的原义是“马夫”，后来专指在大典中为皇室引马的人，成了大人物。现在该词的意义已经扬升为“元帅、司仪、最高指挥官”。

②demagogue 蛊惑民心的政客。希腊词根 dem＝people，agogue＝lead。该词原义为“群众领袖”，现在词义贬降为“蛊惑民心的政客、煽动者”等。

③villain 恶棍，坏蛋。拉丁词根 vill＝village house。该词原本指一般“村民”，后来贬降为“农奴”，现贬降为“恶棍、坏蛋”等。

④specious 华而不实的，似是而非的。拉丁词根 spec＝look(外观)。该词的原义是“好看的”，现在贬降为“华而不实的、似是而非的”等。

⑤aviation 航空。拉丁词根 avi＝bird。该词原本指“放鸟、飞鸟”，现在引申为“航空”。

⑥circus 马戏团。拉丁词根 circ＝ring。该词原指“圆形的表演场地”，现在借代为常在这种场地表演的“马戏团”。

⑦mediocre 平庸的，低劣的。拉丁词根 medi＝middle，ocr＝rugged mountain。该词字面意思是“不高不低的山”，现转喻并贬降为“平庸的、低劣的”。

⑧butcher 屠户。拉丁词根 butch＝buck。该词的原义是“杀山羊的人”，现在词义扩大，泛指一般的“屠户”。

⑨animosity 憎恨。拉丁词根 anim＝spirit。该词原义泛指“强烈的感情”，现在词义缩小为“憎恨”。

⑩amour 桃色事件。拉丁词根 am＝to love。该词原指一般的“恋爱”，现在局限于指“不正当的男女关系、奸情”。

4. **词源典故型**

该类单词的数量不多，但每一个单词的背后都有一个复杂的故事，其特点是：词根所决定的字面含义与单词的实用义之间似乎相隔千山万水、毫不相干，

因而学习时需要了解其文化内涵，否则很难掌握其真正的含义。如：

①salary 工资，薪水。该词来自“拉丁语词根 sal(盐)＋名词后缀-ary(……的物)”。古罗马时期，盐是一种比较贵重的生活物资，以至于政府发给士兵的饷银名义上就是给士兵的“盐钱”。慢慢地，salarium(买盐的钱)一词被用来指代发给士兵的军饷以及发给罗马帝国所有官员的钱资，直至后来，用以统指“薪水、薪金”，英语写作 salary。

②candidate 报考者，候选人。该词源自拉丁语词根 cand(白色)，字面意思是“穿白衣服的人”，可是其实用词义是“候选人”，两者何以相通呢？这要靠历史知识才能把两者联系起来。原来，古罗马时寻求公职的人都穿着宽宽的白袍，以显示自己的廉洁、谦逊。

③mermaid 美人鱼。该词来自一个美丽的传说，mermaid 即传说中的美人鱼，有人的头和身体，但是长着一条鱼的尾巴。很多人都是从《安徒生童话》中认识了那个纯洁、美丽、善良的小美人鱼。而实际上，早在安徒生之前，就已经有了关于人鱼的传说，不过那时候人们心目中的美人鱼虽然同样有着超凡的美貌和魔力，但她们会诱惑在海上经过的海员而使航船触礁毁灭，所以人们将其称为“siren”(海妖)。mermaid 一词中的词根 mer 和 maid 分别指 mere(海洋)和 mayde(少女)。

④fascist 法西斯主义者(的)。古罗马时期，最高执政官出巡时会带着 24 名侍卫，侍卫官肩上扛着一束用皮带捆扎的笞棒，中间插着一把斧头，它们象征着国家最高长官的权力。这个笞棒束就叫 fascist(法西斯)，它是用来施行死刑的一种刑具。倘若有人犯了严重罪行，执政官便声若洪钟地宣判：“用 fascist 把他处以死刑！”侍卫官便立即从肩上解开笞棒束，用笞棒狠狠地抽打罪犯，直到打得皮开肉绽时，再拉他跪在地上，从 fascist 中抽出斧头，当场砍下他的头颅。这就是 fascist 一词的来历。

⑤scapegoat 替罪羊。该词是由 scape(逃脱)和 goat(山羊)两部分组成的，意思是“逃脱的山羊”，即“替罪羊”，比喻“代人受过的人”。根据《圣经》，为做赎罪祭，祭司亚伦从以色列人那里取来两只公山羊，一只归耶和华，一只归阿撒泻勒。归耶和华的那一只用作赎罪祭，杀掉后羊血被抹在祭坛的四角，归阿撒泻勒的那一只，要活着安置在耶和华面前，祭司把两手按在羊头上祈祷，然后派人把羊赶往旷野，表示全民族的一切恶行都已由这头羊承担了，而羊跑了，一切恶行也被随之带走。

第三节　英语单词词缀的作用及词根中的音变

一、词缀的作用

词缀是只能黏附在词根或词干上构成新词的语素，它本身不能独立成词。黏附在词根前面的词缀称为前缀(prefix)，黏附在词根后面的词缀称为后缀(suffix)，插入词根中间的词缀称为中缀(infix)。前缀、后缀与词根(或词干)是英语构词的三大要素。词缀虽然不能决定单词的基本含义，但从词根的角度来看，词缀的本质、作用及其在英语构词中的地位是十分重要的。前缀的主要作用是改变单词的意义，如 agree(同意)加上前缀 dis-构成新词 disagree(不同意)；后缀的主要作用是改变单词的词性，如 care(关心)可用作名词或动词，加上后缀-ful 后构成新词 careful，其词性变成了形容词，再加上后缀-ly 便构成新词 carefully，其词性变成了副词；中缀的主要作用是连接两个构词词素(词根＋词根、词根＋词缀、词缀＋词根或词缀＋词根＋词缀)，从而构成新词，如中缀-o-连接词根 gem 和后缀-logy 两部分构成新词 gemology；中缀-i-连接词根 carn 和 vor 两个部分构成新词 carnivore；中缀-i-连接词根 ver 和动词后缀-fy 两部分构成新词 verify；等等。当然，中缀的添加主要是为了发音方便或避免音变。

从历史上看，词缀(尤其是前缀)本身就是词根或单词，它们原有自己独立的形体、意义和词性。例如，前缀 ad-原本是个拉丁语介词，相当于英语的介词 to 或 toward，表示“向……”之义，见于拉丁语词源的单词；super-在拉丁语中为 supra，当副词或主格介词用，意思相当于英语的 above 或 beyond，表示“在……上，超过”之义；iso-源自希腊语的形容词 isos，相当于英语的 equal，表示“相等的，相同的”之义(元音前作 is-)；后缀-fy 原本是拉丁语词根 fac 的异体形式，意思相当于英语的 to make，表示“使成为……，使……化”(用于构成动词)。

但是，由于其自身的词法特点，作为词缀前身的那些单词(主要是介词和副词)不能单独出现在句子中，而是通过依附于其他单词(主要是名词和动词)，出现在这些中心词的前面或后面。这样，作为词缀前身的那些词根也就成了不能单独构词的词根，只能依附于其他单词或词根的前后，起配角的作用。久而久之，这类单词或词根就失去了其形体上的独立性，成为其他单词的一部分。尽管前缀和后缀失去了其“形”的独立性，却依然保留着其原先的词义和词性。所以，我们仍然可以用一个独立的英语对等词来表示它们，比如：circum-来自拉丁语 circum，相当于英语介词 round，表示“环绕，周围”等含义。这一点对我们了解单词的内涵是很重要的。

从词缀的构词作用来看，一部分词缀只依附于单词，另一部分词缀只依附于词根，而相当一部分词缀则兼有两种依附性，其对应的意义可能有所不同。

1. 依附于单词型

当一个词缀依附于某个单词时，它能改变这个单词的词义或词性，从而派生出另一个单词。例如，前缀 un-(不)依附于动词 do(做)之前，派生出词义相反的另一个动词 undo(解开，废除)；后缀-or(……者)依附于动词 sail(航行)之后，改变了这个单词的词义和词性，派生出名词 sailor(水手)。这就是一般语法书上说的词缀的派生作用。本书把这种派生作用称为词缀的“变词功能”。

2. 依附于词根型

当一个词缀依附于词根时，它就能改变词根的含义或词性，创造出新的单词。例如，前缀 de-(从……)依附于词根 riv(河)之前，再加上无含义的构词后缀-e，即可创造出动词 derive(源于)；后缀-fy 通过中缀-i-，依附于词根 un(一)之后，即可创造出动词 unify(统一)。这种把没有词法功能的词根词素造成独立单词的过程表现了词缀的另一种派生作用。

3. 依附于“词根＋词缀”型

一般读者对“派生词缀”比较熟悉，但由于不熟悉基于词根的“构词词缀”，他们对单词的分析往往仅到单词为止。例如，他们也许能把单词 invisible(不可见的)拆分成“派生词缀”in-和单词 visible 两个部分，如果再把后缀-ible 拿掉，只剩下 vis 三个字母，他们就不知道其真正含义了。可见，如果不懂得词根，就无法揭示词缀其非常重要的“构词功能”；如果撇开词根讲派生构词法，就必然贬低了词缀的实际作用。

二、词根与词缀之间的关系

英语单词中词根与词缀之间是主从关系，即，在构词三要素中词根是基本词素，前缀和后缀是辅助词素。词根是一个单词的核心，它包含着整个单词的基本意义。词缀则依附于词根这个核心，可以帮助其构成意义更加丰富、具体、复杂、细致的各种词类的单词。词根可以不需词缀而独立构词(通称为“根词”)，词缀离开词根却寸步难行。此外，词根与词缀的主从关系还表现在词根对词缀(尤其前缀)在形体上的影响力上。如，在 ad-，com-，dis-，ex-，in-，ob-，sub-，syn-等以辅音收尾的前缀后面，如果是一个以辅音开头的词根，那么词根首字母的发音就会同化前缀尾字母的发音，使前缀的形体发生相应的变化。现在按照上面8个前缀的顺序各举一个相应的例证[①]：a*c*cord，co*n*nect，di*f*fer，e*f*fect，i*r*rupt，o*p*press，su*g*gest，sy*l*lable。有些前缀特别容易受词根的影响而改变其形体，所以有许多变体。如，ad-的变体有ac-，af-，ag-，al-，an-，ap-，ar-，as-，at-等多种形式。不过，只要我们抓住某一个词缀所依附的词根的首字母，这些前缀变体立刻就会现出原形。

为方便起见，我们把构词词缀分为四类：介词或副词性构词词缀、修饰性构词词缀、名词性构词词缀和动词性构词词缀。

1. **介词或副词性构词词缀**

这种词缀的前身一般是介词，有的也可以作为副词使用。它们主要依附于动词性的词根，指示或限定这个动作的"时间、方向或方式"等。其主要形式有：

①a-＝from 从……，离开……［异体：ab-，abs-］，如 ab-＋solv(loose)＋-e→absolve 解除；

②ad-＝to，towards 向……［异体：ac-，af-，ag-，al-，an-，ap-，ar-，as-，at-］，如 af-＋fect(to act)→affect 影响；

③circum-＝around 在周围，如 circum-＋locut(speak)＋-ion→circumlocution 托词；

④com-＝together with 共同［异体：co-，col-，con-，cor-］，如 con-＋nect(join)→connect 连接；

⑤de-＝off，from 离开，从……，由……，如 de-＋duc(to lead)＋-e→deduce 推论；

⑥ob-＝in the way of，against 拦阻，对抗［异体：oc-，of-，op-］，如 of-＋fend(build)→offend 冒犯；

⑦se-＝aside 偏，离，如 se-＋duc(to lead)＋-e→seduce 勾引；

⑧super-＝above，beyond 在……之上，超越，如 super-＋vis(to see)＋-e→supervise 监督；

⑨syn-＝together with 与……一起，共［异体：syl-，sym-，sys-］，如 sym-＋phon(to sound)＋-y→symphony 交响乐；

⑩trans-＝across，through 越过，穿过，如 trans-＋port(to carry)→transport 运输。

---

① 斜体字母是受词根影响而改变了的前缀尾字母。

2. 修饰性构词词缀

这类词缀的前身多是表示“否定、数量、性质、状态”等含义的副词、数词或形容词。其主要形式有：

①a-＝not，without 不，无[异体：an-]，如 an-＋archy(rule)→anarchy 混乱；

②in-＝not 不[异体：ig-，il-，im-，ir-]，如 ig-＋nor(to know)＋-e→ignore 忽视；

③iso-＝equal 相等，如 iso-＋gon(angle)＋-ic→isogonic 等角的；

④male-＝ill，bad 恶的，坏的[异体：mal-]，如 male-＋dict(to speak)＋-ion→malediction 诅咒；

⑤bene-＝good 好的，如 bene-＋fact(to do)＋-ion→benefaction 善行；

⑥neo-＝new 新的，如 neo-＋log(to speak)＋-ism→neologism 新词；

⑦-ant＝being 表示性质状态的后缀[异体：-ent]，如 bell(war)＋-i-＋ger(to carry)＋-ent→belligerent 交战中的；

⑧-able＝able or able to be 能……的[异体：-ible，-ile]，如 aud(hear)＋-ible→audible 听得见的；

⑨-ac＝of，like……的，像……的[异体：-al，-ar，-ic，-ical，-id]，如 cardi(heart)＋-ac→cardiac 心脏的；

⑩-ive＝able(to do)有能力的，能……的，如 co-hes(to stick)＋-ive→cohesive 能黏合的。

3. 名词性构词词缀

这类词缀都是名词后缀，它们的前身多是一些表示“性质、状态、特征”的名词或词根，主要有-acy，-acity，-ance，-ence，-ion，-ment，-tude，-ty，-ity，-y，-ure 等。这些名词后缀的意义大致等于“state/act/condition/quality of (doing or being ...)”。准确的含义则依具体的单词而定。如：

①fall(to err)＋-acy→fallacy 谬误

②cap(to hold)＋-acity→capacity 容量

③sent(to feel)＋-i-＋-ment→sentiment 感情

④vis(to see)＋-ion→vision 视力

⑤cert(settled)＋-i-＋-tude→certitude 确信

⑥fract(to break)＋-ure→fracture 破碎

4. 动词性构词词缀

这类词缀的前身是动词性词根，它们依附在名词性或形容词性的词根上，使之动词化。这类词缀主要有三个：-ate，-fy 和-ish。它们的意思都相当于“to make,to have”或“to cause to be”。如:

①anim(life)+-ate→animate 使活跃

②un(one)+-i-+-fy→unify 统一

③ad-+mon(to remind)+-ish→admonish 告诫

三、英语单词中缀的来源及功能

英语中本族语单词的词缀数量不足百个,大多源自盎格鲁—撒克逊语,并无中缀现象。到中古英语时期,英语大量从拉丁语、法语和希腊语等语言中借词,一些外来语的词缀(包括中缀)也被英语吸收,如拉丁语前缀 aero-, anti-, auto-, bi-, co-, dis-, uni-等;拉丁语后缀-able, -ible, -ance, -or, -ify 等,拉丁语中缀-i-和希腊语中缀-o-等。这些借词中有的可能不是直接进入英语的,而是通过一种或两种其他语言进入英语中的。丹麦语言学家叶斯帕森(Jespersen)认为,被英语吸收的拉丁语单词并不一定全是拉丁语,更可能是希腊语。这些希腊语单词在进入英语之前先被引入到了拉丁语中,在拼写和词尾的屈折变化等方面可能都被拉丁语同化了。

根据其形式和功能,英语中缀可以分为无标记中缀和有标记中缀。

无标记中缀指那些常规的、单一的且具有黏附性的词素,在句法中不能单独使用的词缀,如-o-,-i-和-n-等。英语中这些无标记中缀的使用主要是基于词根在加了词缀(前缀或后缀)后读音可能发生变化,因此通过在词根和词缀之间添加连接字母以尽量保持词根的读音不变,如 runner 若不加中缀-n-,run 原来的读音就变了。总的来讲,无标记中缀具有以下两个特点:(1)一般是单个字母,常位于词根和前缀或后缀之间。(2)一般多是在以辅音结尾的词根和以辅音开头的后缀或另一个词干之间缀入一个元音起连接作用,如 ocean*o*logy 一词中的中缀-o-和 rat*i*cide 一词中的中缀-i-。当然,也有辅音接在元音与元音之间的情况,如 Plato*n*ic 一词中的中缀-n-等。

其实,英语构词中的无标记中缀主要是根据发音的需要而添加的,通常是 a, e, i, o, u 这五个元音字母,因此人们又把它叫作“连接元音”(connecting vowel,又称“联合元音”)。连接元音是指连接两个词根的元音,或连接词根与词首或词尾的元音。词首与词根之间有时有元音连接,有时无元音连接。连接元音多用-o-、-i-,有时也用-a-、-e-,偶尔也用-u-。连接元音本身只有形和音,没有含义,仅起连接两个构词词素的作用,如在单词 gastr*o*scopy 和 post*e*rior 中,-o-和-e-分别是连接元音(或称“无标记中缀”)。

这些无标记中缀有时会黏附在另一个词缀上出现,如中缀-o-常与后缀

-logy共现为-ology,或黏附于前缀 bi-后以 bio-的形式共现。掌握这一规律后,许多词就变得容易发音、便于记忆。如 gastr, nephr, cardi 等词根发音较涩,读起来较拗口,而加上连接元音-o-后,就很容易念出它们的发音 gastro, nephro, cardio。

在个别情况下,有些词根虽然以辅音收尾,却带有-io-两个连接字母,其原因还是为发音方便、悦耳。例如,gon+-io-+meter 构成了新词 goniometer(测角计),lun+-io-+-latry 构成了新词 luniolatry(对月亮的崇拜)。

有时,单词在构词上会发生字母的增减或字母变成另一个字母的情况(即发生音变)。由于这些情况的产生,同一词根会在不同的单词中以不同的形式出现。

有时,两个构词词素之间加连接元音的同时还要附加上一个辅音,这也是为读音方便或避免音变。例如,由 metal 和 cycle 两部分构成的新词 metal*la*cycle 中就添加了中缀-la-,由 metal 和 cene 两部分构成的新词 metal*lo*cene 中就添加了中缀-lo-。

有标记中缀(又称"准中缀")是指那些可以在句法中单独使用的、起构词作用的非单一词素或单词,如 handi*bloody*cap 和 Kanga*bloody*roo,al*bloody*mighty 中的 bloody, guran*friggin*tee 中的 friggin, abso*bloomin*lutely 中的 bloomin 和 unbe*fucking*lievable 中的 fucking 等都可以看作是有标记中缀。以上这些词中所插入的-bloody-(讨厌的),-friggin-(该死的),-bloomin(g)-(十足的),-fucking-(讨厌的)等成分在语言学家 Bauer 的 *English Word Formation* (Cambridge University Press, 1983)一书中被称为"准中缀"(quasi infix)。这种词缀的特点是,它既能独立作单词使用,表达一定的意义,又可以是插入一个词中间、改变该词的意义和作用的若干字母。其实,有标记中缀在英语中十分罕见,而且并不是任何单词中都可以插入的。通常,这类词缀多见于三个音节以上的多音节词中,且常出现在重读音节的前面。总之,有标记中缀一般具备以下三个特点:(1)多为副词或形容词,且通常限于口语。(2)一般插入在重读音节之前。(3)通常是为了加强语气或表达某种情感才插入使用的。

四、词根中元音和辅音的音变及脱落

1. 元音音变

音变	例词		例词
a→e	f*a*ctory 工厂	→	perf*e*ct 完善的
a→i	c*a*pture 捕获	→	partic*i*pate 参加

a→o	name 名字	→	nominal 名义上的
a→ie	gravity 沉重	→	grieve 使悲痛
ai→e	maintain 维持	→	maintenance 维持
e→i	suspect 怀疑	→	suspicion 怀疑
e→o	eld 年长	→	old 年老的
e→u	red 红的	→	ruddy 微红的
e→ea	repetition 重复	→	repeat 重复
i→o	gild 镀金	→	gold 金
i→u	fill 装满	→	full 充满
o→ea	hot 热	→	heat 热
o→oi	vocal 声音的	→	voice 声音
o→u	enclose 封进	→	inclusion 包含
oo→ee	blood 血	→	bleeding 出血
u→ow	fluid 流体	→	flow 流动
ue→y	dialogue 对话	→	apology 辩解

2. 辅音音变

音变	例词		例词
b→v	mobile 运动的	→	move 移动
c→k	vocal 有声的	→	evoke 唤起
c→s	defence 保卫	→	defense 保卫
c→n	vacant 空的	→	vanity 虚无
c→t	force 力量	→	effort 努力
d→s	defend 防御	→	defense 防御
d→t	tend 趋向	→	extent 广度
f→v	life 生命	→	live 生存
g→s	emerge 浮现	→	immerse 淹没
g→k	range 排列	→	rank 横列
l→s	fallacy 谬误	→	false 虚伪的
n→t	plenty 大量	→	complete 完全的
n→v	decline 下降	→	declivous 下坡的
r→s	adhcrc 黏着	→	adhesive 黏着的
s→d	visible 看得见的	→	video 电视
s→t	conversion 变换	→	convert 变换

t→v	mo*t*ive 动机	→	mo*v*e 移动
v→w	*v*ast 广阔的	→	*w*aste 荒芜的

3. **双辅音音变**

音变	例词		例词
ak→ech	spe*ak* 说	→	spe*ech* 言语
ct→nc	vi*ct*ory 胜利	→	convi*nc*e 使信服
ct→ng	stri*ct* 严格的	→	stri*ng*ent 严格的
ex→ic	compl*ex* 复杂	→	compl*ic*ate 使复杂
g→ct	fra*g*ment 碎片	→	fra*ct*ion 碎片
ic→os	cho*ic*e 选择	→	cho*os*e 选择
x→ct	fle*x* 弯曲	→	fle*ct*ion 弯曲

4. **元音和辅音的脱落**

元/辅音脱落	例词		例词
a 的脱落	cont*a*in 包含	→	continent 大陆
e 的脱落	proce*e*d 进行	→	procedure 过程
i 的脱落	expla*i*n 说明	→	explanation 说明
o 的脱落	f*o*undation 基础	→	fundamental 基本的
b 的脱落	num*b*er 数	→	numeral 可数的
t 的脱落	join*t* 接合的	→	join 结合
x 的脱落	flu*x* 流动	→	fluid 流体
l 的脱落	til*l* 耕作	→	tilth 耕作

第四节　英语单词的同源异形根与异源同形根

一、同源异形根

同源异形根现象主要出现于一些拉丁语动词词根中。来自拉丁语名词和希腊语名词词根的同源异形现象较少。实际上，拉丁语动词词根的异形现象是拉丁语动词复杂的变化形式在英语词汇中的遗迹。拉丁语是一种综合性语言。为了语法的需要，拉丁语动词有其各种不同的变化形式(conjugation)。为了构成这些变化形式，大多数拉丁语动词都有三种动词词干：不定式词干、动名词词干和完成时词干，比如：动词 ago（做）的不定式词干是 ag，动名词词干是 act，完成时词干是 eg。问题在于：三种词干的形体可能不大一致，而每种词干都可以组成一定数量的拉丁词，其中有些词直接被英语所借用和改造，变成英语单词。这样，同源异形词干的拉丁词就变成了含有同源异形根的英语单词。例如，由不定式词干 ag 构成的拉丁词 agilis，agendus 和 agens，分别变成英语的 agile，agenda和 agent；由动名词词干 act 构成的拉丁词 actum，actio，activus 和 actor 分别变成了英语单词 act，action，active 和 actor。不仅如此，英语还利用 ag 和 act 这两个同源异形词干为词根，按照自己的规则造出了更多的新词。现在，英语中有数以百计的以 ag 或 act 为词根的单词。它们都被认为是 ag 和 act 的同根词，而 ag 和 act 则是隐含在这一族同根词中的一对异形词根。拉丁动词异形根的数量多是两个，往往分别来自不定式词干和动名词词干。不过，有时由于某种原因，如词根的前身是完成时词干或不规则动词词干，或者词根是从法语引进的拉丁词干等，异形词根的数量可达两个以上，比如词根 fac（做）就有 fact，fect，fic 等三个异形体。那么，拉丁语动词的异形词干产生形体变化的原因是什么？是否有规律可循呢？

本书认为，对于拼音文字，应该主要从发音的需要去理解它的形体变化，并以语音这条线索去探讨、归纳形体变化的规则。分析的重点应该是拉丁不定式词干和动名词词干之间的形体变化，因为这两种词干是产生英语动词异形根的主要原因。这里不妨再以拉丁动词 ago 的不定式词干 ag 和动名词词干 act 为分析对象，因为 ag 向 act 的变化在拉丁动词词干的变化中很有代表性。ag 在拉丁语中的发音相当于/æg/，主要的音值在元音/æ/。如果直接在这个词干上添加动名词词尾-um/um/，就得出/ægum/的音。这个/gum/既拗口，又喧宾夺主压倒词干的主音/æ/。因此，只好采取措施，加强词干主音节，并弱化词尾附加音节。先是软化浊辅音/g/，将其变成对应的清辅音/k/，使尾音节轻些、顺些。根据拉丁语的发音规则，两个辅音字母前的元音字母发长音，为了使词干元音字母增加音值发成长音，添加了一个辅音/t/，因为/t/和硬腭清辅音/k/连起来最顺。于是，不理想的/ægum/变成了既能保证词干音节，又能照顾词尾音节的/ˈeɪpktum/。拉丁字母 c 发/k/的音。所以，把/ˈeɪktum/这个动名词写出来，就成了 actum。结果，不定式词干 ag 变成了动名词词干 act。

由此看来，英语借用了拉丁动词的词干，却按照自己的读音规则来发音，因而产生了一些读音上的变化。不过，这些变化还不至于影响我们理解拉丁语千变万化的语音学上的原因，也不影响我们顺着语音这条线索去分析、归纳英语中拉丁动词词根的异形体的变化规则，从而更好地识别这些异形根。通过分析主要的拉丁动词词干的变化方式，本书归纳出一条比较有概括力的规则。这条规则适用于拉丁动词词根的尾辅音的变化情况，其内容是：各种辅音都向齿龈爆破音/t/过渡，而/t/，/d/则变成破擦清辅音/s/。用公式可以表达如下：

F1：/b/，/p/，/k/，/g/...　→　/t/

F2：/t/，/d/　→　/s/

使用这条规则时，要记住在拉丁文中字母 c 发音为/k/，还得考虑到浊辅音/t/过渡时必要的添音与必然的语音同化现象。下面是以各种辅音字母收尾的（来自拉丁不定式词干的）词根，变成以 t 收尾的（来自拉丁动名词词干的）异形词根的例子。箭头表示这种尾辅音字母变化的方向；每对异形根后都列举一对相应的同族词，作为例证。

1. 词根尾辅音字母 b→pt

①scri*b* → scri*pt*=to write 写 ◇descri*b*e → descri*pt*ion

②sor*b* → sor*pt*=to suck in 吸收 ◇absor*b* → absor*pt*ion

2. 词根尾辅音字母 p→pt

①ca*p* → ca*pt*(take 取) ◇ca*p*acity → ca*pt*ure

②ra*p* → ra*pt*(to seize 抓) ◇ra*p*id → ra*pt*ure

3. 词根尾辅音字母 g→ct**(字母** c **发音为/k/)**

①au*g* → au*ct*=to increase ◇au*g*ment → au*ct*ion

②cin*g* → cin*ct*=to hind ◇cin*g*ulum → cin*ct*ure

③fi*g* → fi*ct*=to fashion ◇fi*g*ment → fi*ct*ion

④fli*g* → fli*ct*=to strike ◇profli*g*ate → confli*ct*

⑤fra*g* → fra*ct*=to break ◇fra*g*ile → fra*ct*ure

⑥fru*g* → fru*ct*=to bear fruit ◇fru*g*al → fru*ct*ify

⑦pi*g* → pi*ct*=to paint ◇pi*g*ment → pi*ct*ure

⑧pun*g* → pun*ct*=to prick ◇pun*g*ent → pun*ct*uation

⑨re*g* → re*ct*=to rule ◇re*g*iment → corre*ct*

⑩ta*g* → ta*ct*=to touch ◇conta*g*ious → conta*ct*

4. 词根尾辅音字母 c→ct**(字母** c **发音为/k/)**

①dic → dic*t*=to say ◇indicate → dic*t*ation

②doc → doc*t*=to teach ◇docile → doc*t*or

③duc → duc*t*=to lead ◇produce → produc*t*ion

④fac → fac*t*=to make ◇facility → fac*t*ory

⑤sec → sec*t*=to cut ◇secant → sec*t*ion

⑥spe*c* → spe*ct*=to look ◇specious → spe*ct*ator

⑦lo*qu* → lo*cut*=to speak ◇elo*qu*ent → elo*cu*tion

⑧se*qu* → se*cut*=to follow ◇conse*qu*ence → conse*cu*tive

⑨tor*que* → tor*t*=to twist ◇tor*que* → tor*t*ure

5. **词根尾辅音字母 v→(u)t**

①mo*v*e → mo*t*=to move ◇remo*v*e → remo*t*e

②sol*v* → sol*ut*=to loosen ◇resol*v*e → resol*ut*ion

③vol*v* → vol*ut*=to turn ◇revol*v*e → revol*ut*ion

6. **词根尾辅音字母 m→mpt**

①e*m* → e*mpt*=to buy ◇redee*m* → rede*mpt*ion

②su*m* → su*mpt*=take and use ◇presu*m*e → presu*mpt*ion

7. **以/s/收尾的词根尾辅音字母或字母组合→t**

①flu*x* → fluc*t*=to flow ◇flu*x*ion → fluc*t*uate

②na*sc* → na*t*=to be born ◇na*sc*ent → na*t*ive

③cre*sc* → cre*t*=to grow ◇cre*sc*ent → concre*t*e

8. **其他词根尾辅音字母→t**

①sa*l* → sul*t*=to leap ◇sa*l*ient → insul*t*

②cer*n* → cre*t*=to separate ◇concer*n* → secre*t*ary

③mo*n* → moni*t*=to remind ◇admo*n*ish → moni*t*or

④te*n* → ten*t*=to hold ◇te*n*ant → deten*t*ion

⑤ge*r* → ges*t*=carry ◇bellige*r*ent → diges*t*

⑥que*r* → ques*t*=to ask ◇conque*r* → conques*t*

上述词根变体归纳起来，便是以下六条规则：

①b，p → pt

②g，c → ct

③v → (u)t

④m → mpt

⑤[s] → [c]t

⑥其他 → t

下面是以 t，d 收尾，来自不定式词干的词根，变成以 s 收尾的来自动名词词干的词根的情况。

9. **词根尾辅音字母 t→s**

①fle*ct* → fle*x*=to bend ◇infle*ct*ion → fle*x*ible

②mit	→ miss=to send	◇commit	→	commission
③sent	→ sens=to feel	◇sentiment	→	sensation

10. **词根尾辅音字母** d→s

①cad	→ cas=to fall	◇decadent	→	occasion
②ced	→ cess=to go	◇procedure	→	procession
③cid	→ cis=to cut	◇decide	→	decision
④clud	→ clus=to shut	◇include	→	inclusion
⑤fend	→ fens=to hit	◇defend	→	defense
⑥pend	→ pens=to hang/pay	◇expend	→	expensive
⑦tend	→ tens=to stretch	◇extend	→	extensive
⑧vad	→ vas=to go	◇invade	→	invasion
⑨vid	→ vis=to see	◇provide	→	provision
⑩prehend	→ prehens=seize	◇comprehend	→	comprehension

从以上的异形词根中我们可以看出，在尾辅音发生变化时，词根中的元音和前辅音是很稳定的，即词根的主音节没有发生变化。所以，在主音节不变这个"大同"之下，异形根的"异"就显得不那么重要了。当然，也有少数例外的情况。有些词根的异体来自拉丁不规则动词的词干，或者是从法语等转引进来，它们的元音也发生了某些变化。一般发生变化的元音是/eɪ/，变化的规则是：/eɪ/→/æ/，/e/，/i/。元音发生变化时，尾辅音也可能同时变化，其变化情况一般依然符合上面介绍的规则。下面举几个元音发生变化的例子，请注意元音和尾辅音各自变化的特点。

①ascend	→ ascens=to climb	◇ascendant	→	ascension
②cad	→ cid=to fall	◇decadent	→	accident
③cap	→ cept,cip=to take	◇capacity	→	except,anticipate
④fac	→ fect,fic=to make	◇facility	→	effect,sufficient
⑤claim	→ clam=to cry	◇proclaim	→	proclamation
⑥grad	→ gress=to step	◇degrade	→	degression
⑦mand	→ mend=to order	◇command	→	recommend

二、异源同形根

英语中的异源同形根数量较少，但如果不加以区分，在分析和理解某些单词的词义时可能会造成混乱。例如，secretary(秘书)的词根 cret 与单词 concrete(混凝土)的词根 cret 同形。然而，这两个词根实际上是异源异义的。secretary 中的词根 cret 来自拉丁语动词 cernere 的动名词词干，意为“to separate”（区分）；而 concrete 中的词根 cret 来自拉丁动词 crescere 的动名词词干，意为“to grow”（生长）。要是不了解这种特殊情况，而一味地把它们看成同族词，以这个词根去分析词义，必然会造成意义理解的混乱。

异源同形根现象是“按照词干确定词根形体”这个原则在实际构词中所产生的副产品。异源同形根的前身在各自的母语中不会引起混乱，因为它们往往分属于不同的语种、不同的词类或不同的动词形式，都有其各自特写的形态环境、语义和功能。例如：

1. centipede（蜈蚣）的词根 ped 来自拉丁语名词 pedis＝foot，又如：pedal，uniped；pedagogy（教育学）的词根 ped 来自希腊语名词 paidos＝boy，又如：pedology，pedant。

[注]这两个词根原本来自不同的语种，词义也不同。

2. solitude（孤独）的词根 sol 来自拉丁语形容词 solus＝alone，又如：soliloquy，solo；solar（太阳的）的词根 sol 来自拉丁语名词 sol＝the sun，又如：insolate，parasol。

[注]这两个词根原本属于不同的词类，词义也不同。

3. elegant（优美的）的词根 leg 来自拉丁语动词 legere＝to choose；

legal（法律的）的词根 leg 来自拉丁语名词 legis＝law。

[注]这两个词根词源的词类、词义都不同。

4. territory（领土）中的词根 terr 来自拉丁语名语 terra＝earth；terrible（可怕的）中的词根 terr 来自拉丁语动词 terrere＝to frighten。

[注]这两个词根原本也分属于不同的词类，有不同着不同的词义。

5. recur（复发）中的 cur 来自拉丁语动词 currere＝to run；curious（好奇的）一词中的 cur 来自拉丁语名词 cura＝care。

[注]这两个词根也分别属于不同的词类，有着不同的含义。

6. decide（决定）中的 cid 来自拉丁语动词 cadere＝to cut；accident（事故）中的 cid 来自拉丁语动词 cadere 的异体 cidere＝to fall。

[注]这两个词根词源的词形不同，意义也不同。

7. confident（有信心的）的词根 fid 来自拉丁语动词＝confidence，又如：diffident；bifid（裂成两半的）中的词根 fid 来自拉丁语动词＝split，又如：trifid，multifid。

[注]这两个词根词源的词形不同，意义也不同。

异源同形根是英语词根中较为复杂的一部分，但在学习中只要我们根据单词所在的上下文,抓住含义不同这个要害,再辅以语种、词类等线索进行分析,就不难判断出它的归属,从而确定词根的基本含义。

三、英语同族词的同根现象

像汉语一样,英语也有一族单词共享同一词根的现象。例如:

dict(说):dictate,dictator,dictatorship,diction,dictionary,dictograph,dictophone,dictum,benediction,contradict,contradictory,edict(布告),jurisdiction,malediction,predict,predictive,predictor,indictment,indict,addict,interdict(禁止),valediction,valedictory,verdict,abdicate,dedicate,indicate,predicate,vindicate(辩护),vindictive...

从以上单词我们看到一个可以辨认得出的共同核心部分 dict;而 dict"言,说"的含义则寓于各个单词之中。所以,dict 是这组单词共有的词根,这组词则是 dict 的同族词。

vers/vert(旋转,转变):versus,version,versatile,diversion,versatility,adverse,adversary,adversity,anniversary,converse,conversant(熟悉的),diverse,diversify,diversity,inverse,inversion,inversive,reverse,reversing,reversion,revert,irreversible,transverse(横向的),transverter(换流器),universe,universal,university...

从以上单词我们看到一个可以辨认得出的共同核心部分 vers/vert;而 vers/vert"旋转,转变"含义则寓于各个单词之中。所以,vers/vert 是这组单词共有的词根,这组词则是 vers/vert 的同族词。

其实,词根和同根词现象是世界上各种语言(尤其是发达语言)的共有特点。不仅在一种语言内部有单词同根现象,而且在同一语系的不同语种之间也存在着这种现象。例如,印欧语的词根 pa(父),在印欧语系的各种语言中都能找到共根的对应词,如希腊语的 pater,拉丁语的 pater,波斯语的 piter,闪族语的 piter,以及由于辅音/p/移位而产生的德语中的 vater,荷兰语的 vader,瑞典语的 fader,哥特语的 fadar,冰岛语的 fathir,当然还有英语中的 father。

第五节　英语单词的同义词根与多义词根

一、同义词根现象

同义词根主要指异源同义词根。众所周知，英语词汇的三大源头是本族语、拉丁语和希腊语。不同语源都提供了自己的词根，而词根又是表达基本概念的。于是，在英语中存在着这样一个十分有趣的现象：许多基本概念都可以用两三种甚至更多的不同语源的词根来表达。从形态上看，几乎每种基本概念，都可能用根词（通常为本族语词）与黏附词根两种形式来表示。如：

含义	根词	黏附词根
天	sky	celest
地	earth	ge，terr
人	man	anthrop，vir，demo
日	sun	sol，helio
月	moon	lun，selen
星	star	astro，stell
生	life	bi，anim，viv
死	death	mort
想	think	put
说	say	log，loqu
做	do	act
头	head	cephal，capit
手	hand	manu，cheir
脚	foot	ped，pod
声	sound	phon，ton，son
光	light	phot，luc
力	powcr	dyn，sthen
热	heat	therm
金	gold	aur，chrys

木	wood	lign, xyl, arbor
水	water	hydr, aqu
火	fire	ign, pyr

通过进一步分析不同语源的黏附词根可以发现,拉丁语词根常构成一般用词,希腊语词根常构成科技术语。了解同义词根现象有助于学习者(或教材的编写者)识别不同语源单词的属性,从而根据各自的学习情况,确定学习的重点。初学者应该首先掌握本族语词根,中等水平的学习者应努力掌握拉丁语词根,进入某一专业学习阶段后,则要努力掌握该领域的希腊词根。

二、多义词根现象

与同义词根相反,有些词根一根多义。它们主要是一些拉丁语词根。拉丁语词根表达的多是基本的行为,一般情况下,它们的含义是单纯的。少数拉丁语动词词根的含义在用英语或汉语表达其含义时出现多义现象,这主要是由以下几个原因造成的。

(1)词根在拉丁语中有转义或引申义。这些含义不同的派生词都成为英语中的借词,并表现为词根的多义。例如,动词词根 pend, pens 的原意是“to hang”,由于把东西挂在天平上才能称重量,所以又有“to weigh”的含义,又因为用天平称量金银来付款,所以又有了“to pay”的含义。后来,这三个含义的派生词都进入英语。于是,就出现了以下单词:depend, dependent, independent, independence, suspend, suspension, pendulum; dispense, compensate; expend, spend...

(2)词根本身有不同的含义。例如,词根 ag, act 既有 to do 的意思,又有 to drive 的意思。在 react 一词中 act 的含义为“to do”;在 exact 一词中 act 的含义为“to drive”。

(3)词根的意思需要用不同的英语单词来表达。例如,词根 fer 表示“负重移动”的含义,在英语中用 to bear, to carry 或 to bring 等近义词才能较为准确地表达出它在派生词中的含义。在 suffer 一词中词根 fer 的含义是“to bear”,在 transfer 一词中 fer 的含义是“to carry”,在 confer 一词中 fer 的含义是“to bring”。

了解多义词根现象有助于把握单词的确切含义,掌握单词的用法,活学活用英语单词。

Exercise 1

Directions: *Read Chapter One carefully and then answer the following questions.*

1. What is a root? Please compare the English roots with the radicals(偏旁部首) of the Chinese characters.

2. Why do people say "If one recognize the root of a word, then he gets the meaning of it"? Exemplify it with some words.

3. What's the key point to analyze the cognate words of different spellings?

4. List the advantages of learning English roots with your own examples.

第二章 英语单词词根分析记忆

第一节 abil—ced

abil, abl＝to have, hold→ability 能力

[able 和 ability 与 habit 同源，均来源于拉丁语动词 habēre(have or hold)，通过古法语进入英语后不发音的 h 脱落了，词义也发生了变化"居住→拥有→能力"]

able *adj*. 能够的，有能力的　[反]unable 不能的，无能力的
enable *vt*. 使能够，使成为可能　〈en-＝make 使……〉
ability *n*. 能力，才能　[反]inability 无能
disable *vt*. 使无能力 ～d *adj*. 残废的　[联]disability 残疾，无能
ably *adv*. 能干地，巧妙地　[同]capably 能干地

ac, acid, acr, acu＝sharp, sour, needle 尖，酸，针

[acid(酸的)一词借自法语 acide，源自拉丁语 acidus，源自史前印欧语词根 ak-(sharp)]

acanthous *adj*. 多刺的，有刺的　〈anth＝flower 花→植物〉
acidfast *adj*. 抗酸的，耐酸的　[联]antacid 抗酸剂
acidproof *adj*. 耐酸的　[联]alkalifast 耐碱的
acidic *adj*. 酸性的　[联]acidity 酸性；尖刻
acidify *vi*. &*vt*. 使酸化，变酸　[联]acidification 变酸，成酸性
acidulous *adj*. 弱酸性的，锐利的　[同]acerbic 尖刻的
acidosis *n*. 酸中毒　〈-osis ……病或病态〉
hyperacid *adj*. (胃)酸过多的　[联]hyperacidity 胃酸过多症
hypoacid *adj*. 酸度过低的　[联]hypoacidity 酸过少
peracid *n*. 高酸，过酸　[联]peracidity 过酸性
hydracid *n*. 氢酸，卤酸　[联]oxyacid 含氧酸

monacid *adj*. 一酸的 *n*. 一元酸　[联]polyacid 多酸的
subacid *adj*. 稍酸的　[联]superacid 酸过多的
acrid *adj*. 辛辣的,狠毒的　[联]acridity 辛辣,狠毒
acrimony *n*. 尖刻,毒辣　[联]acrimonious 辛辣的,刻薄的
acrolein *n*. 丙烯醛　〈ole- 油的,油酰;-in ……素〉
acerose *adj*. 针状的,细长的　〈acer=acr;-ose 多……的〉
acute *adj*. 尖锐的,敏锐的,剧烈的　[联]acuity 尖锐,剧烈
aculeate *adj*. 有刺的,一针见血的　〈-le=small〉
acumen *n*. 敏锐,聪明　[同]keenness 敏锐
acupuncture *n*. 针刺疗法　[联]acupressure 针压止血法
acme *n*. 顶点,极盛时期　〈acm=acu 尖〉
acne *n*. 粉刺,青春痘　[同]pimple 粉刺

academ=learning 学术研究

[academy(学会)一词借自法语 academie,源自古希腊地名 Akademia,即 Plato 在雅典城讲学的地方]

academic *adj*. 学术的 ～ally *adv*. 学术上　[联]academician 院士,学会会员
academicals *n*. 大学制服,学位服　[联]academia 学术界,学术环境
academe *n*. 研究院,学会　[同]academy 学会,学院
academese *n*. 学术行话,学术文章的风格　〈-ese ……用语或风格〉

ach=a continuous pain 痛

[ache(疼痛)一词源自原始日耳曼语 akanan,源自史前印欧语词根 ages(fault,guilt)]

headache *n*. 头痛　[联]headage(动物的)头数
stomachache *n*. 胃痛,腹痛　〈stomach 胃〉
toothache *n*. 牙痛　[联]earache 耳朵痛

acou,acous,acoust=hear or listen 听觉,声学,声波

[acoustics(声学)一词源自希腊语 akoustikos,由"a+cous+-ics"三部分构成]

acouasm *n*. 幻听,幻觉,耳鸣　[同]acousma 幻听
acoubuoy *n*. 声监听仪　〈buoy 浮标,航标〉
acouesthesia *n*. 听觉　〈esthesia 感觉〉
acouophonia *n*. 听诊,音响诊断　〈-ia ……状况〉
acoustic *adj*. 听觉的,声学的 ～s *n*. 声学　[联]acoustician 声学家
acoustoelectric *adj*. 声电(学)的　[联]acoustooptics 声光学

acr=height, beginning, head 高,极,起首,端

[acrobat(杂技演员)一词借自法语 acrobate，源自希腊语 akrobatos(going on tiptoe)]

acrobat *n.* 杂技演员,杂耍艺人　[联]acrobatism 杂技
acrobatic *adj.* 杂技的 ～s *n.* 杂技　[同]gymnastic 体操的
acrocheir *n.* 手尖，指尖　〈cheir=hand 手〉
acrocinesis *n.* 运动过度　〈cine- 运动;-sis ……病〉
acrogen *n.* 顶生植物　〈gen=bear 生〉
acrodrome *adj.* 归向一端的　〈drome=run 跑〉
acrospire *n.* 种子的芽　〈spire 盘绕,螺旋〉
acrocephalia *n.* 尖头的，尖头畸形的　〈cephalic 头盖的;-a ……病〉
acrophobia *n.* 恐高症　〈phobia 恐惧,害怕〉
acropolis *n.* 卫城　〈polis=city 城市〉
acronym *n.* 首字母缩写词　〈nym=name 名字〉
acropathology *n.* (四)肢病理学　〈pathology 病理学〉
acropathy *n.* 四肢病　〈patho- 痛苦，疾病〉
acragnosis *n.* 肢感缺乏　〈gnosis 直觉,灵知〉
acroanesthesia *n.* 四肢麻木　〈anesthesia 感觉缺失〉
acroarthritis *n.* 肢关节炎　〈arthritis 关节炎〉

add=put to, join 加,增添

[add(增加)一词源自拉丁语 addere,由“ad-(to)+dare(to put)”两部分构成]

addend *n.* 加数　[联]addenda 附录,附加物
adder *n.* 加法器　[联]ladder 梯子
addible *adj.* 可添加的　[联]edible 可食用的
additive *adj.* 附加的 *n.* 添加剂　[联]aseptic 防腐剂
addition *n.* 增加,加法 ～al *adj.* 附加的　[同]computation 计算

aem=blood 血

[词根 aem 借自拉丁语，源自希腊语 haima,另有 em-，haem-，hem-，maemat，mae-，mato，hemat-等多个变体]

anaemia *n.* 贫血,贫血症　[联]anaemic(患)贫血的
uraemic *adj.* 尿毒症的　〈ur-=urine 尿〉
septicaemia *n.* 败血病　〈septic 腐败性的〉
leukaemia *n.* 白血病　[联]leukaemogenic 致白血病的

hyperaemia *n*. 充血 〈hyper-=over 超,高于〉
haemachrome *n*. 血红素,血色素 〈chrom-=colour 颜色〉
haemophilia *n*. 血友病 〈phil=love 喜爱〉
haematemesis *n*. 吐血,咯血 〈-sis ……病态〉
haematine *adj*. 血色的,红紫色的 [联]hematoid 血样的
hematoma *n*. 血肿 〈-oma=tumor 肿物,瘤〉
hemorrhage *n*. 出血 〈-rrhage 溢流,出血〉
hematoblast *n*. 血小板 〈-blast=cell 细胞〉
oligaemia *n*. 血量减少 〈olig-=scant 稀,寡〉
hyperglycemia *n*. 高血糖症 [反]hypoglycemia 低血糖症
sapremia *n*. 败血病 〈sapr-=rotten 腐败〉

aer,ar,air=air 空气

[aeroplane(飞机)一词借自法语 aeroplane,由希腊语"aero-+planus(level,flat)"构成]

aerial *adj*. 空气的 *n*. 天线 [联]antenna 天线
aeriform *adj*. 气体的,无形的 [联]physical 身体的
aerify *vt*. 使气体化 [同]gasify 使气化
aerate *vt*. 使充(通)气 ~ion *n*. 通风 [同]ventilate 通风
aerology *n*. 高空气象学,大气学 [同]meteorology 气象学
aeromarine *adj*. 海上飞行的 〈marine=sea 海〉
aerodrome *n*. 飞机场 [联]aeroshed 飞机库
aerobatic *adj*. 特技飞行的 [联]aerobatics 特技飞行术
aerogram *n*. 航空邮件 [同]airmail 航空邮件
aeronautics *n*. 航空学 [联]aerocamera 航空摄影机
aeromechanics *n*. 航空力学 [联]aerodynamics 空气动力学
aerohydroplane *n*. 水上飞机 [联]aerovan 运货飞机
aerolite *n*. 陨石 〈lite=stone 石头〉
aerospace *n*. 宇航空间 [联]airspace 领空
aerosphere *n*. 大气层 [联]underair 大气最下层
aerostatics *n*. 空气静力学 〈statics 静态,静力学〉
anaerobe *n*. 厌氧微生物 〈be=biology 生物〉
deaerate *vt*. 使除去气体 〈-atc-makc 使……〉
subaerial *adj*. 地面上的,接近地面的 〈-ial 属于……的〉
malaria *n*. 瘴气,疟疾 ~l *adj*. 毒气的 〈mal=bad 坏〉

airline *n*. 航线 ［联］airliner 班机
airport *n*. 飞机场，航空站 ［联］aircrew 空勤人员
airproof *adj*. 不通气的，密封的 ［同］airtight 不透气的
airsick *adj*. 晕机的 ［联］seasick 晕船的
airstrip *n*. 临时跑道 〈strip 带状地带〉
airy *adj*. 通风的，不实际的 ［联］airiness 轻快，通风
airborne *adj*. 空降的 〈borne 由……运载的〉
aerophagia *n*. 吞气症 〈-phagia 吞咽困难〉

(a)esthet,(a)esthes=feeling 感觉

［aesthetics（美学）一词源自希腊语 aisthetikos，由"aesthet+-ics"构成］

aesthetic *adj*. 美学的，审美的 *n*. 美感 ［同］exquisite 优美的
aesthetician *n*.（审）美学家 ［同］esthetician 美学家
anaesthesia *n*. 麻醉（术） 〈an-=without 无〉
anaesthetist *n*. 麻醉师 ［同］anesthesiologist 麻醉学者
anaesthetic *adj*. 麻醉的 ～s *n*. 麻醉学 〈-ic 与……有关的〉
anaesthetization *n*. 麻醉，麻木 〈-ation ……行为或状态〉
esthetic *adj*. 美学的 ～s *n*. 美学 ［联］esthetical 美的，美术的
estheticism *n*. 唯美主义 ［联］perfectism 完美主义
esthete *n*. 美学家 ［同］esthetician 美学家
esthesis *n*. 知觉，感觉 ［同］esthesia 感觉，感知，知觉

ag,act,ig=to do 做，干，行为

［词根 ag 来自拉丁语 agere 的词干部分，词根 act 来自 actum 的词干部分，词根 ig 是 ag 的变体］

actable *adj*. 能实行的，能演出的 ［反］unactable 不能上演的
acting *adj*. 代理的，起作用的 ［联］playacting 假装
action *n*. 行为，行动 ［反］inaction 不活跃
coact *vi*. 协作，共同合作 ～ion *n*. 合作 ［同］collaborate 合作，协作
active *adj*. 活动的，主动的 ［反］inactive 不活跃的
activity *n*. 活跃，能动性 ［联］inertia 不活泼，惰性
activate *vt*. 使活动，触发 ［同］actuate 驱使，开动
activator *n*. 催化剂，活化剂 ［同］catalyzer 催化剂
radioactive *adj*. 放射性的 ［联］radioactivity 放射（性）
actor *n*. 男演员 ［联］actress 女演员

actual *adj.* 实际的 ～ly *adv.* 实际上 [联]actualize 实现，实施
actuary *n.* (保险)统计学师，精算师 〈-ary ……的人〉
enact *vt.* 制定法律 ～ment *n.* 颁布 [联]enactive 有制定权的
exact *adj.* 精确的 ～ly *adv.* 精确地 [联]exactitude 正确，精确
exacting *adj.* 苛求的，严格的 [同]rigorous 严密的，严格的
counteract *vi.* 做得过分，演得过火 [联]counteraction 反动，抵抗
overact *vi.* 做得过分，演得过火 [联]overlap 重叠
react *vi.* 反应，反抗 ～ion *n.* 反应 [联]reactor 反应器，反应堆
interact *vi.* 相互作用 ～ion *n.* 互动 [联]retroact 回动，起反作用
retroactive 反动的，追溯的 [反]proactive 主动的
transact *vi.* &*vt.* 办理 ～ion *n.* 交易，业务 [联]transactor 处理者，办理人
agency *n.* 力量，代理，机构 〈-ency＝-ance ……性质或状况〉
agenda *n.* 议事日程，记事本 〈[单]-um→[复]-a〉
agent *n.* 代理人，动因，[化]剂 [联]counteragent 反作用剂，反抗力
agile *adj.* 灵活的，敏捷的 〈-ile 易于……的〉
agitate *vt.* 鼓动，使不安定 [同]provoke 激起
agitprop *n.* 宣传鼓动机关 〈prop＝propaganda 宣传〉
subagent *n.* 副代理人 [联]coagent 共事者，合作者
assay *n.* &*vt.* 化验，分析 〈ass-＝ex-＝outward 往外〉
essay *n.* 文章，尝试，企图 〈ess＝out→做出成品〉
exigent *adj.* 紧急的，迫切的 [联]exigency 急切的需要，危急

age＝duration of life 年龄

[age(年龄)一词出现于中古英语时期，借自古法语 aage，源自通俗拉丁语 aevum(age，era)]

ageless *adj.* 永恒的，不老的 [同]eternal，perpetual
aged *adj.* (年)老的，旧的 [联]overage 过老的
nonage *n.* 未成年，青年时期 [联]underage 未成年的
agelong *adj.* 持续很久的，久远的 [反]momentary 短暂的
ageing *n.* 成熟，老化 [同]preburning 老化

agog，agogue＝to lead 指导，领导

[pedagogue(教师)一词借自法语 pedagoge，源自拉丁语 paedagogus，源自希腊语 paidagogos，由“ped(boy)＋agog＋-ue”构成]

demagog *n.* 煽动家，群众领导者 [同]demagogue 煽动者
demagogic *adj.* 煽动的，蛊惑人心的 [同]demagogical 煽动的

pedagogy *n.* 教育学,教学法 〈ped＝boy→儿童〉
pedagogic *adj.* 教师的,教育学的 [同]pedagogical 教师的
demagoguery *n.* 群众煽动 〈dem(o)＝people 人民〉
galactagogue *n.* 催奶剂 *adj.* 催奶的 〈galact- 乳,乳液〉
mystagogue *n.* 秘法家,引人入神秘宗教者 〈myst-＝mysterious 神秘的〉
synagogue *n.* 犹太集会 [联]hydragogue 利尿剂

agon＝struggle,contest 挣扎,竞争

[agony(苦恼)一词借自法语 agonie,源自拉丁语 agonia,源自希腊语 agonia(struggle)]

agonist *n.* 兴奋剂,促效药 [联]agonistic 竞赛的,论争的
agonize *vt.* 使苦恼,折磨 [联]agonizing 使人苦恼的
antagonize *vt.* 反对,使对抗 [同]counteract 抵消
antagonist *n.* 敌手 ～ic *adj.* 敌对的 [联]antagonism 敌意,对立
protagonist *n.* 主角,主人公,领导者 [联]deuteragonist 配角

agr＝field,country 田地,乡村

[pilgrim(朝圣者)一词借自古法语 pelerin,源自拉丁语 peregrinus,由 pil(through)＋agri 构成]

agrarian *adj.* 土地的,农民的 [联]agrarianism 田地均分法
agrestic *adj.* 乡土的,粗野的 [同]rustic 粗鲁的
agricorporation *n.* 农业合作公司 [联]cooperative 合作社
agriculture *n.* 农业 ～al *adj.* 农业的 [联]agriculturist 农学家
agrimotor *n.* 农用拖拉机 〈motor 马达,发动机〉
agrometeorology *n.* 农业气象学 [联]agrochemicals 农药
agrotechnique *n.* 农业技术 [联]agrotechnical 农业技术的
agrology *n.* 农业土壤学 [联]agronomy 农(艺)学
agronomic *adj.* 农学的 [同]agronomist 农(艺)学家
agrotype *n.* 土壤型 〈type 类型〉
acre *n.* 田地,英亩 〈一天内耕的土地〉
acreage *n.* 英亩数 〈与 agro 同源〉

al,el,ol,ul＝to nourish 滋养,营养

[old 来源于原始日耳曼语 althaz,源自拉丁语 alere,源自印欧语词根 al(to grow,nourish)]

aliment *vt.* 提供营养物 ～ation *n.* 营养 〈-ment ……物〉
alimental *adj.* 食物的,富有养分的 [同]alimentary 营养的

alimony *n.* 赡养费,抚养费,生活费 〈-mony ……的状态或结果〉
coalesce *vi.* &*vt.* 合生,愈合,联合 [同]amalgamate 混合
elder *adj.* 年纪较大的,老练的 *n.* 长辈 [联]older 年长的
oldish *adj.* 稍老的,稍旧的 [联]oldness 年老,陈腐
adolescence *n.* 青春期,青年期 〈-escence ……状态或过程〉
adolescent *n.* 少年 *adj.* 青春期的 〈[拉]adolescere=grow〉
abolish *vt.* 废除 ~ment *n.* 废止,取消 [联]abolishable 可废止的
abolition *n.* 废除,取消 [同]abrogation 废除,取消
adult *n.* 成人 *adj.* 成年人,成熟的 〈[拉]adolescere 的过去分词〉

alb,albin,albid=white 白,白色

[Alps(阿尔卑斯山脉)与 albi 同源,意为“白色的”。Alps 海拔较高,峰顶常年积雪,呈白色,其主峰 Blanc(勃朗峰)的意思也是“白色”。字母 b 和 p 是浊辅音和清辅音的关系,在字母和英语单词拼写规则的发展史上,这两个字母发生过很多次互相替换的情况]

albescent *adj.* 带白色的 〈-escent 在……过程中〉
albi *adj.* 白色的 〈=[拉]albus〉
albicans *adj.* 白色的 [联]albidus 带白色的
albifaction *n.* 漂白 〈fact=do 做〉
Albion *n.* 阿尔比恩 〈英格兰或大不列颠的雅称〉
albinism *n.* [医]白化病,皮肤变白症 [联]albino 白化病者
albatross *n.* 信天翁,沉重的负担 〈←alcatras 大型水鸟〉
album *n.* 相册,集邮册 〈-um ……物〉
albumen *n.* 蛋白,[植]胚乳 [联]albumenize 涂蛋白于
albumin *n.* 清蛋白,白蛋白 [联]albuminate 清蛋白盐
albuminuria *n.* 蛋白尿 [联]albiduria 白尿
daub *vi.* &*vt.* 涂抹,乱画 〈d=de;aub=alb=white 白色〉
cisalpine *adj.* 阿尔卑斯山这一边的 〈cis-=on this side 在这边〉

alg=pain 痛;疼

[nostalgia (怀旧之情)一词借自法语 nostalgie,源自希腊语,由“nostos+algos(pain)+-ia”构成]

algophobia *n.* 疼痛恐怖 〈phobia=fear 害怕〉
analgesic *adj.* 止痛的 *n.* 止痛药 [同]antalgic 止痛的
neuralgia *n.* 神经痛 〈neur-神经〉
odontalgic *adj.* 牙痛的 〈odont-=tooth 牙齿〉

otalgic *adj*. 耳朵痛的 〈ot-＝ear 耳朵〉

nostalgia *n*. 怀旧，乡愁 〈nost-＝home 家〉

al，all＝all，the whole of 全部；加强语气

[all(全部)一词源自原始日耳曼语 alnaz，与荷兰语 al 和德语 all 有关，常用以加强语气]

almost *adv*. 几乎，差不多 [联]almighty 万能的

already *adv*. 早已，已经 〈←all＋ready〉

also *adv*. 也，同样 [同]likewise 同样地

although conj. 尽管，虽然 [同]though 虽然

altogether *adv*. 完全，总共 [同]wholly，entirely

always *adv*. 总是，始终 [同]forever，evermore

allheal *n*. 万灵草药(指夏枯草等) [同]elixir，panacea

all-around *adj*. 全面的，综合性的 [联]all-sided 全面的

all-inclusive *adj*. 包罗万象的 [联]all-pervasive 无孔不入的

all-powerful *adj*. 全能的 [联]all-purpose 多用途的

ali，alter，altru＝to make different，the other 改变，其他

[altruism(利他主义)借自法语 altruisme，源自拉丁语 alter(other)，1830 年由 Auguste Comte 创造]

alias *n*. 别名，化名，假名 [同]byname，nickname

alibi *n*. 辩解，不在犯罪现场 〈bi＝being→在别的地方〉

alien *n*. 外国人 *adj*. 外国人的，不相容的 [联]antialien 排外的

alienate *vt*. 使疏远 ～ion *n*. 疏远，离间 [同]estrange 使疏远

alienable *adj*. 可转让的，可分割的 [反]inalienable 不能转让的

alter *vt*. 改变，改动 [联]altar 祭坛

alterable *adj*. 可变的，可改的 [反]unalterable 不可改变的

alterant *adj*. 改变的 [联]alternant 交替的

alterability *n*. 可变更性，可更改性 [反]inalterability 不变化

alteration *n*. 变更，改造 [联]altercation 争论

alterative *adj*. (趋于)改变的，变质的 [联]alternative 二中择一的

alternate *adj*. 交替的，轮流的 *v*. 交替 [联]altercate 争论，争吵

alternator *n*. 交流发电机 [联]transformer 变压器

alter ego *n*. 第二个我，知己 〈ego 自我，自尊心〉

subaltern *n*. 副官，僚属 〈sub- 次的，副的〉

all＝different，other 不同的，其他的

［allegory（寓言）一词借自古法语 allegorie，源自希腊语 allegoria，由“allos＋agoria（speaking）”构成］

allegoric *adj*. 寓意的，寓言的　［同］allegorical 寓言的
allergy *n*. 过敏性反应，反感，厌恶　［联］allergic 过敏的，过敏症的
allergen *n*. 过敏原，变应原　［联］allergenic 引起变态反应的
allergist *n*. 变（态反）应症专科医师　〈-ist 精通……的专家〉
allomorph *n*. 同形异质体　〈morph 变种，形态〉
alloantibody *n*. 同种抗体　［联］alloantigen 同种抗原
alloantiserum *n*. 同种抗血清　〈serum 血清〉
allochrous *adj*. 变色的　［同］allochroic 变色的
allocinesia *n*. 对侧运动，异侧运动　〈cine-＝kine-运动〉
allogamy *n*. 异花授粉，异体受精　［联］allogamous 异花受粉的
allonym *n*. （作者）冒名，假托伪名　［联］allonymous 笔名的
allopathy *n*. 对抗疗法　［联］allopathic 对抗疗法的
allopatric *adj*. 在不同地区发生的　〈patri- 父亲→家乡〉
allopelagic *adj*. 生于不同深度的　〈pelagic 远洋的〉
allophone *n*. 音位变体　〈phone 单音，音素〉
alloplasm *n*. 异质　〈plasm 浆，血浆〉
allosaur *n*. 异龙　〈saur＝lizard 蜥蜴→恐龙〉
allosome *n*. 异染色体　〈some ……体，……躯体〉
allotheism *n*. 异神崇拜　〈theism 一神论〉
allotopia *n*. 异位，错位　［同］dystopia 异位
allotransplant *vt*. 同种异体移植　〈transplant 移植〉
allotropy *n*. 同素异形（现象）　〈tropy＝turn→manner 方式〉
allotropic *adj*. 同素异形的　〈-tropic 趋……的〉

alt，height＝altitude，high 高

［altar 一词源自拉丁语 altar，由“alt＋-ar（……物）”构成，意为“高出的东西”→祭坛］

exalt *vt*. 提高，赞扬 *n*. ～ation 得意扬扬　［联］exalted 高贵的，高尚的
altazimuth *n*. 经纬仪　〈azimuth 方位角〉
alto *n*. 男声最高音，中音部　〈-o 音乐术语〉
altocumulus *n*. 高积云　〈cumulus 积云〉
altofrequency *n*. 高频率　［联］multiband 多波段

altorelievo *n.* 高凸浮雕 〈relievo 浮雕〉
contralto *n.* 最低的女低音 [联]soprano 女高音
altigraph *n.* 高度测量器 〈graph=write 书写〉
altitude *n.* (垂直)高度 [联]latitude 纬度
altimetry *n.* 高度测量术 〈-metry 测量〉
enhance *vt.* 提高,抬高,增进 〈hanc=alt 高〉
haughty *adj.* 傲慢的,自大的 [联]haughtily 傲慢地

am,amat,em,im=love 爱,友爱

[enemy(敌人)一词借自法语 enemi,源自拉丁语 inimicus,由"in-(not)+amicus(friend)"构成,意为"不是朋友"→不能爱之人→敌人。另,词根 em,im 是 am 的变体]

amiable *adj.* 和蔼可亲的,温和的 [联]amiably 亲切地
amicable *adj.* 友好的,和睦的,温和的 [反]hostile 敌对的
amie *n.* 〈法〉女朋友,爱人 [联]lover 情人
amity *n.* 友好关系,和睦 [同]comity 礼让
amour *n.* 奸情,恋情 [同]affaire 风流韵事
amour-propre *n.* 自尊,虚荣心 〈propre [法]自己〉
inamorata *n.* 恋人,情妇 〈in-不→不该爱的人〉
enamour *vt.* 使倾心 ~ed *adj.* 迷恋的 〈en- 使……;amo(u)r 爱〉
paramour *n.* 情夫(妇) 〈par=side 旁边的〉
amateur *n.* 业余爱好者 ~ish *adj.* 外行的 〈-eur ……人〉
amative *adj.* 恋爱的,好色的 [同]amorous 多情的
amatorial *adj.* 恋爱的,好色的 [联]amatory 恋爱的,情人的
enmity *n.* 敌意,仇恨 〈en-=in 不;m=am 爱〉
archenemy *n.* 主要敌人 〈arch-主要的〉
inimical *adj.* 敌意的,有害的,不利的 〈in-=not;im=am 爱〉
animosity *n.* 憎恨,仇恨,敌意 [同]animus 仇恨

ambl,ambul=to walk 行走

[ambulance(救护车)一词借自法语 ambulant,源自拉丁语 ambulantem,源自 ambulare(walk)]

amble *vi.* (马)缓行,漫步 [联]gambol 蹦跳
ambulate *vi.* 行走,移动 [联]circumambulate 绕行
ambulatory *adj.* 步行的,可以移动的 [同]ambulant 走动的
perambulate *vt.* 徘徊,巡行 [联]perambulatory 巡视的

somnambulate *vi.* 梦游　　[联]somnambulism 梦游症
somnambulist *n.* 梦游者　　[同]noctambulist 梦行者
preamble *n.* 前言，序文　　〈pre-＝before 前〉
ramble *vi.* 闲逛，漫步 ～r *n.* 漫步者　　[联]rambling 闲逛的

ampl＝large，spacious 大的，宽的

[词根 ampl 有两个含义：①ampl＝large（大，宽阔）；②ampl＝take，prochure（拿，获得），参见 empt]

ample *adj.* 充分的，足够的　　[联]amply 充足地，详细地
amplify *vt.* 扩大，详述 ～ier *n.* 扩音器　　[联]amplification 扩大，发挥
ampliation *n.* 扩大，扩张　　[联]ampliative 扩大的，扩展的
amplitude *n.* 广阔，宽大　　[同]magnitude 广大

andr＝man，male 人，男人

[android（机器人）一词源自希腊语“andr（man）＋-oid（like）”。Android 操作系统由 Andy Rubin 开发]

polyandry *n.* 一妻多夫制　　[联]polyandrist 多夫妇女
androgen *n.* 雄激素　　[反]oestrogen 雌激素
androgyne *n.* 两性人，女化男子　　[同]sissy 娘娘腔男人
androgyny *n.* 雌雄同体，双性性格　　〈gyny＝woman 女性，雌性〉
andrology *n.* 男科学，男性医学　　〈-ology 学问，科学〉
andropause *n.* 男性更年期综合征　　〈pause＝stop 停止〉
androphobia *n.* 男性恐怖症，憎恶男性症　　〈phobia＝fear 恐怕〉
androsphinx *n.* 男面狮身像　　〈sphinx 狮身人面像〉
anandrous *adj.*（植物）无雄蕊的　　〈an-＝without 无〉

ang＝grief，fear，choke 悲伤，忧虑，哽咽

[anger（愤怒）一词借自古斯堪的那维亚语 angra，源自史前印欧语词根 angh（painful）]

angry *adj.* 生气的，发怒的　　[同]vexed 烦恼的
angina *n.* 心绞痛，咽痛　　〈-a ……病〉
angst *n.* 焦虑，担心，内疚　　[同]unease 忧虑
anguish *n.* 极度痛苦 *vt.* 使痛苦　　[同]angony 极大的痛苦
anxiety *n.* 忧虑，渴望　　〈anx＝ang 使痛苦〉
anxious *adj.* 焦急的，渴望的　　[同]apprehensive 忧虑的

angl,angul=angle 角

[angle(角)一词借自古法语 angle,源自拉丁语 angulus,源自史前印欧语词根 ang(to bend)]

angle *n*. 角 *vi*. 钓鱼 ～r *n*. 钓鱼者 [联]angular 有角的,笨拙的
equiangular *adj*. 等角的 [联]quadrangle 四边形,四合院
octangle *n*. 八边形 [联]octangular 八边形的
rectangle *n*. 矩形,长方形 [联]rectangular 矩形的
sexangle *n*. 六角形,六边形 [联]sexangular 六角形的
triangle *n*. 三角形 [联]triangular 三角形的
triangulate *vt*. 分成三角形 〈-ate=make 使成为……〉

anim=life,breathe,mind 生命,呼吸,精神

[animal(动物)一词借自拉丁语 animale,源自 anima(breath,soul)。古罗马人认为,动物死后就不再呼吸了,所以"灵魂"和"气息"被视作同等物]

animal *n*. 动物 ～ize *vt*. 使动物化 [联]animalization 动物化
animalism *n*. 动物特性,兽性 [同]animality 动物性,兽性
animate *vt*. 使有生气 ～d *adj*. 有生气的 [反]inanimate 无生气的,单调的
animation *n*. 活泼,卡通片,动画 [反]inanimation 不活泼
animating *adj*. 鼓舞生气的,启发的 [同]enlivening 活泼的
animism *n*. 泛灵论,万物有灵论 [联]atheism 无神论
animadvert *vt*. 批评,谴责 〈advert 留意,提到〉
animus *n*. 仇恨,敌意 [同]hatred 仇恨,敌意
equanimity *n*. 平静,沉着 〈equ-=equal 相等的〉
magnanimity *n*. 宽宏大量的行为,高尚 [联]pusillanimity 胆小,无气力
magnanimous *adj*. 气量大的,高尚的 [联]pusillanimous 胆小,无气力的
unanimity *n*. 全体一致,一致同意 [联]unanimous 无异议的

ann,enn=year 年

[词根 ann 在构词中常带有连接字母-u-或-i-,也可以把 annu 和 anni 作为词根的异体]

annals *n*. 年鉴,编年史 [联]annalist 编年史作者
annual *adj*. 每年的 *n*. 年鉴 [同]yearbook 年刊
anniversary *n*. 周年纪念 〈vers=turn 旋转〉
annuitant *n*. 领受年金的人 [联]annuity 年金
semiannual *adj*. 每半年的,半年的 [联]biannual 一年两次的

biennial *adj*. 两年一次的 [联]triennial 三年一次的
decennial *adj*. 十年间的 *n*. 十年纪念 [联]centennial 百年纪念的
millennial *adj*. 一千年的 [联]millennium 一千年
perennial *adj*. 永久的，四季常青的 〈per-=through 彻底〉
superannuate *vt*. 勒令退学 〈super-=beyond 超〉
centenarian *n*. 百岁(以上)老人 〈-arian 属于……人〉
perannum *adv*. 每年，按年计算 〈per=ervery 每〉

annul=ring 环

[annular(环形的)借自法语 annulaire，源自拉丁语 annularis，源自拉丁语 annulus(ring)]

annular *adj*. 环形的 ～ity *n*. 环状 [同]annulate 环状的
annule *n*. 环带 [联]annulet 小环，小轮
annuloid *adj*. 环形的，有环节的 [联]annulose 有环的
annulus *n*. 环面，环形物 〈-us ……物〉

ant,antiq,anc=before,old 从前，古旧

[antenna(触角)一词借自拉丁语 antenna，是 Aristotle 从希腊语 keraiai(horns)翻译的借词]

antic *adj*. 古怪的，滑稽的 [联]attic 阁楼
antique *adj*. 古代的 *n*. 古董，古物 [联]antiquity 古老，古人(物)
antiquate *vt*. 使古旧，使废弃 [联]antiquated 陈旧的，过时的
antiquarian *n*. 好古家 *adj*. 好古的 [联]antiquary 古董商人
ancient *adj*. 古代的 ～ry *n*. 古旧，古风 [反]modern 现代的
anterior *adj*. 以前的，在前面的(to) [联]antedate 先于

anth=flower 花

[anther(花药)一词借自法语 anthere，源自近代拉丁语 anthera，源自希腊语 anthos(flower)]

anthesis *n*. 开花期，开花 [同]florescence 开花，花期
anthology *n*. (诗、文等的)选集 [同]collectanea 文选，选集
anthophilous *adj*. (昆虫等)喜花的 [联]synanthous 花叶同时出现的
polyanthus *n*. 多花水仙 [同]narcissus 水仙花

anthrop=man 人类

[anthropology(人类学)一词借自近代拉丁语 anthropologia，源自希腊语"anthropo+-ology(study)"]

anthropologist *n*. 人类学家 [同]ethnologist 人种学家
philanthropist *n*. 慈善家 [联]misanthropist 厌恶人类者

philanthropy *n.* 博爱，慈善事业 [联]philanthropic 博爱的，慈善的
anthropoid *adj.* 似人的 *n.* 类人猿 [联]anthropogenesis 人类起源学
anthropotomy *n.* 人体解剖学 〈tomy 切开术〉
anthropophagous *adj.* 食人肉的 〈phag=eat 吃〉
anthropometry *n.* 人体测量学 〈metry=measure 测量〉
zoanthropy *n.* 变兽幻想 〈zo=animal 动物〉

apt，ept=fit，ability 适应，能力

[attitude(态度)一词借自法语 attitude，源自意大利语 attitudine，源自后期拉丁语 aptitudo，源自 aptus(fit)]

apt *adj.* 适当的 ～ly *adv.* 适当地 [反]inapt 不恰当的
adapt *vt.* 使适合，改写 ～ation *n.* 改编 [联]adopt 收养
adapter *n.* 改编者，适配器 [联]adopter 养父母
adaptive *adj.* 适合的，适应的 [联]adaptable 可改编的
aptitude *n.* 适应性，倾向，才能 [同]aptness 倾向，适合性
adept *n.* 熟练，老练 *adj.* 熟练的，老练的 〈ad-加强语气〉
inept *adj.* 无能的 ～ly *adv.* 不适当地 〈in-=not 不〉
ineptitude *n.* 不称职，不合适 [同]ineptness 不称职的

aqu=water 水

[词根 aqu 在构词中常带有连接字母-a-，-e-，-i-，所以 aqua，aque，aqui 通常被看作 aqu 的异体形式]

aqua *n.* 浅绿色，水绿色 [联]aquage 水路
aquanaut *n.* 潜水人，海底观察员 [联]aqualung 水中呼吸器
aquaboard *n.* 滑水板 [联]aquathenics 水上体操
aquacade *n.* 水中歌舞表演 [联]aquashow 水上技艺表演
aquaculture *n.* 水产业，水产养殖 [同]aquiculture 水产养殖
aquamarsh *n.* 水沼地，沼泽 〈marsh 沼泽〉
aquapolis *n.* 水上城市 [联]aquaplaner 滑水运动员
aquarelle *n.* 透明水彩画，水彩画法 [联]watercolour 水彩画
aquamarine *n.* 海蓝宝石 [反]emerald 绿宝石
aquatic *adj.* 水生的 *n.* 水生动植物 [联]aqueous 水的，水成的
aquarium *n.* 水族馆，养鱼缸 [联]aquarist 水族馆管理人
aquation *n.* 水合作用 〈-ation ……行为或状态〉
aquiclude *n.* 含水土层，隔水层 〈clude=close 关闭〉

aquifer *n.* 地下蓄水层 [联]aquiferous 含水的，蓄水的
aqueduct *n.* 导水管，导管 〈duct＝lead 引导〉
opaque *adj.* 不透明的，难理解的 〈op-＝not 不〉
subaqueous *adj.* 水下的 〈sub-＝below 在下面〉
terraqueous *adj.* 水陆的 〈terr＝land 土地〉

arbit，arbitr＝judge 判断

[arbitrate(仲裁)一词出现于 16 世纪中期，源自拉丁语 arbitratus，源自 arbiter(judge)]

arbiter *n.* 仲裁人，公断人 [同]critic 评论员
arbitrary *adj.* 武断的，专断的 [联]arbitrarily 武断地
arbitrable *adj.* 可裁决的 [反]nonarbitrable 不可裁决的
arbitrage *n.* 仲裁；套汇 〈-age ……动作〉
arbitral *adj.* 仲裁的 [同]arbitrational 仲裁的
arbitrament *n.* 仲裁，裁判，裁决 [同]arbitration 仲裁，公断

arc，arch＝bow 弓

[arch (弓形)一词借自古法语的 arche，源自拉丁语 arcus(a bow)]

arc *n.* 弓形物，弧 [联]ark 方舟，避难所
arcade *n.* 连拱廊 〈-ade ……的产物〉
archer *n.* 弓箭手 ～y *n.* 箭术 [联]marksman 神枪手

arch，archa(e)＝chief，rule 主要的，首领，统治

[architect(建筑师)一词借自中古法语 architecte，源自拉丁语 architectus，源自希腊语 arkhitekton]

architecture *n.* 建筑学，结构 [联]architectural 建筑上的
archbishop *n.* 大主教 〈bishop 主教〉
archives *n.* 档案(室) [联]archivism 归档
anarchic *adj.* 无政府主义的 〈an-＝without 无〉
anarchy *n.* 无政府，混乱 〈archy＝ruling 统治〉
anarchism *n.* 无政府主义 [联]anarchist 无政府主义者
hierarch *n.* 教主，高僧，掌权者 [联]hierarchy 等级制度
matriarch *n.* 女族长 ～al *adj.* 女族长的 [联]patriarch 家长，族长
matriarchy *n.* 母系制(社会) [联]patriarchy 父权制
monarch *n.* 君主 ～ic *adj.* 国王的 [联]monarchy 君主政治
oligarch *n.* 寡头政治的执政者 〈olig＝few 寡，少〉

archa, archae, arche＝ancient, primitive 古代的,原始的

[archaeology(考古学)一词借自法语 archaeologie,源自希腊语 arkhaiologia]

archaean *adj*. 太古代的 [同]archean 太古代的

archaeology *n*. 考古学,古迹 [联]archaeologist 考古学家

archaic *adj*. 古代的,已废的 [联]antiquated 陈旧的

archaism *n*. 古语,古风,拟古主义 [同]archaicism 古风

archetype *n*. 原型,典型 [联]prototype 原型,样机

ard,ars＝burn,glow 燃烧,灼热

[arson(纵火罪)一词借自古法语 arsion,源自后期拉丁语 arsionem,源自 ardere(to burn)]

ardent *adj*. 热心的 ～ly *adv*. 热烈地 [联]enthusiast 热心人

ardency *n*. 热心,激烈 [联]ardor 激情,热情

ardometer *n*. 表面温度计 〈meter ……计〉

arson *n*. 纵火(罪) *n*. ～ist 纵火犯 [联]arsonous 纵火的

arm＝weapon,to arm 武器,武装

[arm 一词有两个词源:①源自原始日耳曼语 armaz,与德语 arm 有关;②借自古法语 armes,源自拉丁语 arma]

armed *adj*. 武装的,有把手的 [反]unarmed 未武装的

army *n*. 陆军,军队 [联]navy 海军

armament *n*. 武器装备,[复]军队 [反]disarmament 裁军

armada *n*. 舰队 〈＝fleet of warship〉

armistice *n*. 休战,停战(条约) [同]truce 停战

armour *n*. 盔甲,甲胄 [联]armo(u)rer 军械官

armory *n*. 兵工厂,军械库 〈-ory＝place ……地方〉

alarm *n*. 警报,警告 *vt*. 使恐慌,戒严 〈All to arms! 准备战斗!〉

disarm *vt*. 缴械,裁军,解除武装 〈dis-＝away 去掉〉

art＝skill,art 技艺

[artist(艺术家)一词借自中古法语 artiste,源自意大利语 artista,源自拉丁语 art(skill)]

artful *adj*. 巧妙的,狡猾的,人工的 [反]artless 拙劣的

article *n*. 文章,物品 [联]essay 散文

articulate *vi*. 说话清楚 *adj*. 善于表达的 [反]inarticulate 嘴笨

artifact *n*. 人工制品,制造物 〈fact＝do,make 制作〉

artifice *n*. 技巧,诡计 〈fic＝do,make 制,做〉

artificial *adj.* 人工的，仿造的　　[同]factitious 人造的
art *n.* 艺术 ～less *adj.* 拙劣的　　[同]knack 窍门
artisan *n.* 工匠　　[同]craftsman 工匠，技工
artistic *adj.* 艺术的，有善感的　　[反]inartistic 非艺术的
artware *n.* [总称]工艺品　　[联]hardware 硬件

aster，astr，stell＝star 星

[astronomy(天文学)一词借自古法语 astrenomie，源自拉丁语 astronomia，源自希腊语 astronomia]

aster *n.* 天体，星体　　[联]asteroid 星状的
astral *adj.* 星形的，星际的　　[联]asterisk 星号，星状物
disaster *n.* 灾难，灾祸　　〈dis-＝not；星位不正〉
astrology *n.* 占星术(学)　　[联]astrologer 占星家
astrobiology *n.* 太空生物学　　[联]astrochemistry 太空化学
astronaut *n.* 宇宙航行员　　[联]astronomer 天文学家
astronomize *vt.* 研究(观察)天文　　〈-ize＝make 使……化〉
astronavigation *n.* 宇宙航行，天文导航　　[联]astrospace 宇宙空间
astrophysics *n.* 天体(太空)物理学　　[联]astrocompass 星象罗盘
stellar *adj.* 星的，星球的；主要的　　[联]interstellar 星际的
stellify *vt.* 使成星状　　〈-fy＝make 使……〉
constellate *vt.* 点缀，使(似)群集　　[联]constellation 星座，杰出人物
stellate *adj.* 星形的，放射状的　　〈-ate 有……特点的〉
stelliform *adj.* 星形的，放射状的　　[同]stellated 星形的

aud，audi，audit，ed＝hear 听

[obey(听从)一词借自古法语的 obeir，源自拉丁语的 obedire，源自“ob＋audire(hear)”]

audience *n.* 听众，观众，读者　　[同]spectator 观众
audible *adj.* 听得见的　　[反]inaudible 听不见的
audiphone *n.* 助听器　　[联]deaf-aid 助听器
audion *n.* 三极真空管　　〈-on ……装置〉
audiometry *n.* 测听术，听力测定　　〈metry＝measure 测量〉
audio *adj.* 听觉的，声音的　　[反]video 视频的
audiology *n.* 听力学　　〈-ology ……学〉
audiovisual *adj.* 视听的　　〈visual 视觉的〉
audit *vt.* 查账，审计 *n.* 查账　　[联]auditor 听者，查账员

audition *n.* 听力，试听，试音　［同］hearing 听力
auditory *adj.* 听觉的 *n.* 听众，礼堂　［同］auditorium 会厅，讲堂
obedient *adj.* 听话的，服从的　［联］obedience 遵守，服从

aug, auc, auth＝increase 增加

［auction（拍卖）一词借自拉丁语 auctionem，源自拉丁语 augere，源自史前印欧语词根 aug(increase)］

augment *vt.* 增强，增添，扩大　［同］enlarge, magnify
august *adj.* 尊严的，威严的　［联］August 八月
auction *n.* 拍卖 *vt.* 拍卖，竞卖　〈使物品的价格增长〉
author *n.* 作者 ～ship *n.* 作者身份　［联］authority 权力，权威
authoritative *adj.* 权威的，当局的　［反］questionable 可疑的
authorize *vt.* 授权，批准 ～ation *n.* 授权　［同］empower 授权，准许

aur＝ear 耳朵

［auricle（外耳）一词出现于中古英语时期，源自拉丁语 auricula，源自 auris(ear)］

aural *adj.* 听觉的　［联］oral 口头的
auricular *adj.* 耳的，耳状的　［联］auricularis 耳神经
auriculate *adj.* 有耳的　［联］aurinasal 耳鼻的
aurilave *n.* 洗耳器　〈lave 洗涤〉
auriphone *n.* 助听器　［联］headphones 耳机
auriscope *n.* 耳镜　［联］auriscopy 耳镜使用法
aurist *n.* 耳科医生　［联］auristics 耳科学
biaural *adj.* 有两耳的，两耳用的　〈bi-＝tow 二〉

av, avar＝desire, greedy 渴望，贪婪的

［avidity（贪婪）一词借自法语 avidite，源自拉丁语 aviditas，源自 avidus(greedy)］

avid *adj.* 渴望的，贪婪的 ～ness *n.* 热心　［同］esurient 贪婪的
avidin *n.* 抗生物素蛋白　〈-in ……素〉
avarice *n.* 贪婪（心）　〈-ice ……状态或性质〉
avaricious *adj.* 贪婪的　［同］covetous 贪婪的

avi, au, augur＝bird 鸟

［auguary（占卜术）一词借自古法语 augure，源自拉丁语 augurium，源自 augur，源自 avis(bird)］

avian *adj.* 鸟的，鸟类的　［联］aviary 鸟舍，大鸟笼

aviate *vi*. 飞行 *n*. ～ion 航空(学)　［联］aviator 飞行家,飞行员
aviculture *n*. 养鸟,饲养鸟类　〈cult＝till 耕种→饲养〉
avion *n*. 军用飞机　［联］avionics 航空电子学
avags *n*. 航空汽油　〈gs＝gas 汽油〉
auspex *n*. 预言者,鸟卜者　〈spex＝spect 看〉
auspicate *vt*. 卜得吉兆而开始　〈spic＝spect 看,观察〉
auspicious *adj*. 吉兆的,幸运的　〈spic＝see 看〉
augury *n*. 预兆,占卜术　［同］prophecy 预言
inaugurate *vt*. 使就职,开始　［联］inauguration 就职(典礼)
inaugural *adj*. 就职的 *n*. 就职演说　［反］exaugural 卸任演说

ax＝axle,pivot 轴,中枢

［ax(e)一词源自原始日耳曼语 akusjo,源自希腊语 axine,与拉丁语 axis 同源］

axis *n*. 轴,轴线　〈-is ……物〉
axle *n*. 轮轴,轴干　〈-le 重复,反反复复〉
biax *n*. 双轴 ～ial *adj*. 二轴的　〈bi-＝two 二〉
axial *adj*. 轴的,成轴的　［联］coaxial 同轴的

ball,bol＝to shake or dance 摇摆,舞蹈

［ball(舞会)一词借自古法语 baller,源自后期拉丁语 ballare,源自希腊语 ballizein(to dance)］

ballad *n*. 民谣,小调　〈-ad 表示集合名词〉
balladeer *n*. 民谣的编者(歌手)　［联］balladist 民谣作者
ballet *n*. 芭蕾舞 ～ic *adj*. 像芭蕾舞的　［联］ballroom 舞厅
balletomania *n*. 芭蕾舞迷　［联］ballerina 芭蕾舞女演员

bal(l),bol,bul＝ball,to throw 球,抛,投掷

［ballot(投票)一词借自意大利语 pallotte,源自西方人用“小石子”无记名投票的方式］

bale *n*. 包,捆　〈←ball〉
balloon *n*. 气球 *vt*. 膨胀　［联］ballonet 小气球
ballot *n*. /*vi*. 投票　〈-ot 来自投票的小球〉
ballistic *adj*. 弹道学的 ～s *n*. 弹道学　［联］ballistophobia 导弹恐怖
parabola *n*. 抛物线　〈para-＝beside 在……旁边〉
parabolic *adj*. 抛物线的,比喻的　［同］parabolical 比喻的
anabolism *n*. 组(合)成代谢　〈ana-向上,向后〉

metabolic *adj*. 新陈代谢的,变化的　〈meta-超过→超出→出〉
metabolism *n*. 新陈代谢　[联]symbolism 象征主义
symbol *n*. 符号,象征 ～ize *vt*. 象征　〈sym-＝together 一起〉
hyperbole *n*. 夸张　〈hyper-＝over 过度〉
emblem *n*. 标记,象征　〈blem＝bol 抛出〉
bullet *n*. 子弹,弹药　[联]bulletproof 防弹的
bullier *n*. 开球队员，争球队员　[联]rugby 橄榄球
bullous *adj*. 大疱的,大泡的　〈-ous 充满……的〉

ban＝prohibit 禁止

[ban(禁止)一词源自原始日耳曼语 bannan(forbid),源自史前印欧语词根 bha-(speak)]

banning *n*. 取缔,全面禁止　[同]barring 阻拦
banal *adj*. 平庸的,陈腐的　[同]commonplace 平凡的
banish *vt*. 驱逐(出境)　[同]deport,expel
abandon *vt*. 抛弃 ～ed *adj*. 被抛弃的　〈a-＝not 不〉
bandit *n*. 强盗,土匪　[联]banditry 盗贼行为,匪患

band,bound＝bind 捆扎,边界

[band(带)一词借自古斯堪的纳维亚语 band,源自原始日耳曼语 bindan,源自史前印欧语 bendh(bind)]

bandage *n*. 绷带　〈-age ……动作或结果〉
bandanna *n*. 大手帕　〈←葡萄牙语〉
bandeau *n*. 细带　〈←法语〉
banding *n*. 条带,针织带　[联]bonding 接合,黏合
bond *n*. 债券 ～s *n*. 镣铐,监禁　[联]bondage 奴役,束缚
bound *n*. 跃起,界限 ～less *adj*. 无限的　[联]boundary 边界,分界线
broadband *n*. 宽带　[反]narrowband 窄带
multiband *adj*. 多频带的　〈multi-＝many 许多〉

bar＝weight 重量

[isobar(等压线)一词源自希腊语 isobaros,由"isos (equal)＋baros(weight)"构成]

baric *adj*. 气压的　[联]caric 漫画
barometer *n*. 气压计　[联]tonometer 血压计
barometric *adj*. 气压的,气压计的　[同]barometrical 气压计的
barogram *n*. 气压图　〈gram＝write 写→图〉

bar,barr=stick,bar or rod 棒,横木,栅栏

[bar(棒)一词借自古法语 barre,源自通俗拉丁语 barra(bar,barrier)]

bar *vt.* 阻碍,排除 *n.* 棒,闩,酒吧 [反]unbar 打开,拔去门闩
debar *vt.* 禁止,排除 〈de-=away 离开〉
embar *vt.* 阻遏,囚禁 ~ment *n.* 囚禁 〈em-=into 进入〉
embargo *n.* &*vt.* 禁运,查封 [同]prohibition 禁令
embarrass *vt.* 使窘迫 ~ment *n.* 难堪 [联]embarrassed 为难的
barrage *n.* 阻塞,遮断,拦河坝 〈-age ……物品〉
barrel *n.* 大桶,枪管 〈-el ……物或地点〉
barricade *n.* 障碍物,阻碍 [同]barrier 栅栏,障碍
barrister *n.* 出庭律师 [同]solicitor 初级律师

bas=low,foundation 低的,基础

[base 一词借自古法语 bas,源自拉丁语 basis,源自希腊语 basis(step,pedestal)]

base *n.* 基础 *adj.* 低级的,贱的 [联]basis 根据,基准
basal *adj.* 基础的,在底部的 [同]nether 下面的
basement *n.* 地下室,地窖 [同]cellar 地下室
baseborn *adj.* 出生低微的,私生子的 〈born←bear 生〉
basic *adj.* 基本的 *n.* 基础,要素 [同]fundamental 基本的
basin *n.* 盆地,脸盆,流域 〈-in ……地方〉
abase *vt.* 贬低 ~ment *n.* 贬低,屈辱 [联]debase 降低,贬值
hyperbase *n.* 超基 [联]subbase 子基,底基层
prebase *n.* 前缀,词根前(要素) [反]postbase 派生后缀
bass *adj.* 低音的 *n.* 低音乐器 [联]mass 大量,群众

bat, bas=walk, beat, fight 走,打击

[combat(战斗)一词借自中古法语 combat,源自后期拉丁语 combattere,由"com-+battere(fight)"构成]

acrobatic *adj.* 杂技的 ~s *n.* 杂技 [联]aerobation 飞行特技
basograph *n.* 步态描记器 〈graph=write→描记器〉
basophobia *n.* 步行恐怖,直立恐怖 〈phobia=fear 恐惧〉
bat *n.* 球棒,蝙蝠 ~s *adj.* 怪异的 [联]batty 疯狂的,古怪的
baton *n.* 警棍,接力棒,指挥棒 〈-on……装置〉
battle *n.* 战斗 *vi.* 与……作战 [联]embattle 布阵,列阵

battalion *n.* 营,营部,大队 [联]regiment 团
abattoir *n.* 屠宰场 〈-oir 场所,地方〉
batter *n.* 连续猛击 [联]battery 电池
combative *adj.* 好斗的,斗志旺盛的 [同]belligerent 好战的
combatant *adj.* 好斗的,战斗的 [联]noncombatant 非战斗人员的
abate *vi.* 减少,减轻 [联]unabated 不衰的
debate *n.* &*vi.* 争论 ~able *adj.* 可争辩的 〈de-加强语气〉
rebate *vi.* 减少,折扣 〈re-=again 再→打折扣〉
fatuous *adj.* 愚昧的 〈fat=bat→任人打的〉

bear,birth,berth,burd=to carry,bear or load 承担,生育,运送

[bear 的词源有两个:①作动词时,源自日耳曼词根 ber,源自印欧词根 bher(carry);②作名词时,源自西日耳曼语 bero,源自印欧词根 bheros(棕色),与 brown 同源]

bearer *n.* 搬运工人,送信人,负荷者 [同]carrier 搬运人
bearing *n.* 轴承;态度,举止 [同]manner 举止
birth *n.* 分娩,出生 ~day *n.* 生日 [联]mirth 欢笑
burden *n.* 负担 *vt.* 使烦恼,担负 [联]burdensome 繁重的,累赘的
berth *vi.* 停泊 *n.* 卧铺 [联]dearth 稀少

bel(l),el=fight,war 战斗,战争

[词根 bell 来自罗马神话中的女战神 Bellona 贝娄娜(身材修长、容貌美艳),其丈夫是战神 Mars]

rebel *n.* 叛乱者 *adj.* 造反的 [同]insurgent 叛乱者
rebellion *n.* 反抗,叛乱 [联]rebellious 反抗的
bellicism *n.* 好战性 〈-ism ……行为或状态〉
belligerent *adj.* 好战的 *n.* 交战国 [联]belligency 交战状态
bellicose *adj.* 好斗的,好战的 [联]bellicosity 好战性
antebellum *adj.* 美国南北战争前的 〈ante-=before 在前〉
duel *n.* 决斗,竞争 〈du-=two 二〉

bene,ben(i)=good,well 好

[benefit(利益)一词借自法语 benfet,源自拉丁语 benefactum,源自 benefacere(bene+facere(do))]

benefactor *n.* 恩人,捐助人 [联]benefaction 恩惠,捐助
beneficent *adj.* 亲切的,慈善的 [联]beneficence 慈善,救济品

beneficial *adj*. 有利的　[联]beneficiary 惠施的；受益人
benevolent *adj*. 仁慈的，与人为善的　[联]benevolence 仁慈，捐赠
benediction *n*. 祝福，恩宠　[反]malediction 诅咒，咒骂
benign *adj*.（病）良性的，仁慈的　〈gn＝gen 生〉
benignant *adj*. 良性的，善良的　[反]malignant 恶意的

bibl(i), book＝book 书

[Bible 和 bibliography 源自希腊语 biblos（纸莎草的内皮）。另，book 源自 boc(beech)]

bible *n*. 圣经，有权威的书　[联]biblical 圣经的
bibliography *n*. 文献，书目　〈graph＝write→文献〉
bibliophile *n*. 爱书者，藏书家　[联]bibliomania 藏书癖
bibliomancy *n*. 圣经卦　〈mancy＝divination 占卦〉
bibliometrics *n*. 图书统计分析　〈metri＝measure 测量〉
booklet *n*. 小册子　[联]handbook 手册，指南
bookmark *n*. 书签　〈mark 记号，标志〉
bookshelf *n*. 书架，书橱　[同]bookcase 书架，书橱
bankbook *n*. 银行存折　[同]passbook 银行存折

bi, bio＝life 生命

[biography（传记）一词借自拉丁语 biographia，源自希腊语 biographia，由 bio＋graphia (record) 构成]

biography *n*. 传记，档案　〈graph＝write 写〉
biographic *adj*. 传记的，传记体的　[同]biographical 传记的
biographer *n*. 传记作者　[联]biographee 传记主人公
autobiographer *n*. 自传作者　[联]autobiography 自传（文学）
biognosis *n*. 生命论，生物论　〈gnosis＝know 知道〉
biology *n*. 生物学 ～ist *n*. 生物学家　[联]zoobiotism 生命学
biologic *adj*. 生物的，生物学的　[同]biological 生物（学）的
biolysis *n*. 生物分解（作用）　〈lysis＝loosen 分解〉
bionomy *n*. 生命学，生态学　〈-nomy＝science ……学科〉
bionic *adj*. 仿生学的 ～s *n*. 仿生学　〈←bio-＋electronics〉
biotic *adj*. 关于生命的，生物的　[联]antibiotic 抗生素
amphibian *adj*. &*n*. 水陆两栖的（生物）　[联]amphibious 两栖的
microbiology *n*. 微生物学　[联]microbe 微生物，细菌
macrobian *n*. 长寿的人　〈macro-＝long, big 长，大〉

biosphere *n.* 生物圈,生物层 〈sphere 范围，圈子〉
biocide *n.* 杀虫剂 [联]bioclean 无菌的
biochemistry *n.* 生物化学 [联]biophysics 生物物理学
biochip *n.* 生物芯片 〈chip 芯片〉
biochron *n.* 生物年代,生物时 〈chron＝time 时间〉
biochrome *n.* 生物色素 〈chrom＝colour 颜色〉
bioexperiment *n.* 生物实验 〈experiment 实验〉
anabiosis *n.* 复苏,回生 〈ana-＝back 向后〉
dysbiosis *n.* 生态失调 [反]eubiosis 生态平衡
hypobiosis *n.* 低生活力 〈hypo-＝low 低的〉
mixobiosis *n.* 混合共生 〈-osis ……病,……病态〉
oxybiosis *n.* 需氧生活现象 〈oxy＝oxygen 氧气〉
telobiosis *n.* 端并生 〈telo-＝end 端,末〉

blanc,blanch,blank＝white 白

[blanket(毛毯)一词借自古法语 blanchet,源自拉丁语 blanc(white)]

blanc *n.* 白色(的) [联]Mount blanc 勃朗峰
blancmange *n.* 牛奶冻,凉粉 〈mange＝eat 吃〉
blanch *vi.* 漂白 [联]launch 发射
blank *adj.* 空的 *n.* 填空处 [联]flank 侧面
blanket *n.* 羊毛毯 [联]blankness 空白,空虚

bon,boon,bount＝good 好的,慷慨的

[bonanza(财源)一词借自西班牙语 bonanza,源自拉丁语 bonus(good)]

bonus *n.* 奖金,红利 [联]bonism 世善说
bonny *adj.* 好的,快活的 [联]bony 骨的
boon *n.* 恩惠，实惠，福利 [联]coon 浣熊
bounteous *adj.* 宽宏大量的，慷慨的 〈-eous 具有……的〉
bounty *n.* 好施,慷慨 [联]bountiful 大方的

brace＝the two arms 两臂

[brace(支架)借自古法语 brace(two arms),源自拉丁语 bracchia,源自希腊语 brakhion]

bracelet *n.* 手镯,手铐 [联]handcuff 手铐
bracer *n.* 支持物,护腕 [联]braceman 井口把钩
embrace *vt.* 拥抱,包含 [联]embracive 无所不包的

brief,brev(i),bridg=short 简短

[Ars longa, vita brevis est. =Art is long, life is short. 人生有涯,艺术无涯]

brief *adj*. 简洁的 ~ness *n*. 简单,短促　　[联]briefing 简报,简要情况
briefcase *n*. 公文包　　[联]briefs 贴身的短内裤
breviate *adj*. 短缩的 *n*. 摘记, 节略　　[联]breve 短弱音符
brevipennate *adj*. 有短翅膀的　　[联]breviped 有矮脚的
brevity *n*. 简短,简洁　　[反]verbosity 烦冗
breviary *n*. 缩略,摘要　　〈-ary 与……有关的〉
brevirostrate *adj*. 短喙的　　〈rostr=beak 喙〉
abbreviate *vt*. 缩写,缩略 ~ion *n*. 缩写　　[联]abbreviatory 缩略的
bridge *n*. 桥 *vt*. 在……建桥　　[联]bridgehead 桥头堡
abridge *vi*. 缩短 ~ment *n*. 节略　　[反]lengthen,expand
abridged *adj*. 削减的, 删节的　　[联]unabridged 未删节的

cad, cas, cay, cus=fall 下落

[case 有两个词源:①借自古法语 cas,源自拉丁语 casus(chance);②借自古法语 chasse,源自拉丁语 capsa(hold),与 cash,cashier 同源]

cascade *n*. 小瀑布 *vi*. 成瀑布下落　　[联]cataract 大瀑布
cadence *n*. 音韵,韵律　　〈-ence ……行为或状态〉
casual *adj*. 偶然的 ~ly *adv*. 偶然地　　[联]casualty 事故,伤亡
accuse *vt*. 控告,谴责 ~r *n*. 原告　　[联]accusation 指责,控告
occasion *n*. 场合, 时机, 机会　　〈oc-=make 使……〉
occasional *adj*. 偶尔的 ~ity *n*. 偶然性　　[反]customary 通常的
decay *vi*. 衰退 *n*. 腐烂　　〈de-=down 向下〉
decadence *n*. 堕落,颓废　　[联]decadent 颓废的
casuist *n*. 决疑论者,诡辩家　　[同]sophist 诡辩家

calc=lime,stone 石灰,石头

[calculate(计算)一词源自拉丁语 calculatus,源自 calculare(compute),与 calx 同源]

calcium *n*. 钙　　〈-ium 元素名称〉
calcify *vi*. &*vt*. (使)钙化,(使)硬化　　〈-fy=make 使……〉
calculable *adj*. 可计算的,能预测的　　[同]computable 可计算的
recalcitrant *adj*. 倔强对抗的　　[同]defiant 目中无人的
calculate *vi*. &*vt*. 计算 ~or *n*. 计算器　　[联]calculation 计算,估计

calculus *n.* 微积分，结石 〈-ulus＝small 小〉
calx *n.* 矿灰，生石灰 〈←[希]khalix(pebble)〉
chalk *n.* 粉笔 *vi.* 用粉笔写 ‖ French chalk 滑石粉

cale，calor＝warm，heat 热量

[calorie(卡路里)一词借自法语 calorie，源自拉丁语 calor，源自史前印欧语词根 kele(warm)]

calefactive *adj.* 暖的，升温的 [联]calefacient 增温的，变暖的
calefactor *n.* 发暖器 [同]heater 加热器
calefy *vi.* &*vt.* (使)变暖 ～ier *n.* 热水器 [联]calorify 加热于，使热
calescence *n.* 渐增温 [联]calescent 变热的，增温的
caloric *adj.* 热量的 *n.* 热量 [反]noncaloric 无热量的
calorific *adj.* 生热的 ～s *n.* 热学 [联]calorifacient 发热的
calorigenic *adj.* 产生热量的 [同]calorific 生热的
caloricity *n.* 食物的热量 〈-ity ……性质或状态〉

camp，champ＝field，plain 场地，平原

[camp(野营地)一词借自法语 camp，源自意大利语 campo，源自拉丁语 campus(open field)]

camp *vi.* 宿营，露营 ～er *n.* 露营者 [联]campcraft 露营术
campestral *adj.* 田野的，乡间的 [同]geoponic 乡间的
campestris *adj.* 野生的，平原的 [同]agrestal 野生的
campfire *n.* 营火，营火晚会 [联]firefly 萤火虫
campground *n.* 野营地，露营场所 [同]campsite，encampment
campo *n.* (南美的)草原 [联]savanna 稀树大草原
campus *n.* 〈美〉校园，大学生活 [联]campound 〈英〉校园
campout *n.* 野营，露营生活 [同]bivouac 露营
encamp *vi.* 扎营 ～ment *n.* 露营，营地 [反]decamp 逃走
campaign *n.* 战役 *vi.* 参战 ～er *n.* 出征者 [联]champion 冠军，捍卫者

cac，caco＝bad，evil 不好，恶，丑

[cacography(拼写错误)一词源自希腊语 kakos，由 caco(bad)＋graphy(write)构成]

cacodaemon *n.* 恶鬼，恶人 〈daemon＝demon 守护神〉
cacodoxy *n.* (宗教)错误观念 〈doxy 教条，教义〉
cacogastric *adj.* 胃病的，消化不良的 〈gastric 胃的〉
cacogenics *n.* 劣生学 〈genic 基因的〉

cacology *n.* 措辞不当，发音不准　〈log＝speak 说话〉
caconym *n.* 不妥的名称，不雅的名称　〈nym＝name 名字〉
cacophony *n.* 不和谐的音调　〈phon＝sound 声音〉
cacotrophia *n.* 营养不良　〈trophy＝nutrition 营养〉

cand＝white, glow 白色，发光，纯洁的

[candle(蜡烛)一词借自拉丁语 candela，源自 candere(shine)。蜡烛最早出现于古埃及，当时古埃及人把芦苇插在融化的牛脂内制成蜡烛。直到中世纪，南欧及地中海沿岸的蜡烛仍由牛脂或羊脂制成]

candleholder *n.* 烛台　[同]candler，candlestick
candlestand *n.* 烛台架　[联]candlewood 蜡烛木
candlemas *n.* 圣烛节　〈mas 节日，狂欢节〉
candlewick *n.* 烛芯　〈wick 灯芯〉
cando *adj.* 热心的，诚挚的　[联]condo 公寓大楼
candent *adj.* 白热的，灼热的　[同]candescent 白热的
candescence *n.* 白热　[同]incandescence 白热
candour *n.* 坦率，公正　[同]candor 坦率，公正
candid *adj.* 坦白的，直率的　〈-id 似……的〉
candidate *n.* 候选人，报考者　[同]applicant 申请人
incense *vi.* 烧香 *vt.* 激怒　〈cens＝cand 白色〉

cant, chant, cent＝song, sing 歌，唱歌

[cant 的词源有两个：①借自古代法语 cant，源自通俗拉丁语 cantus(corner, side)，后来指"倾斜，斜面"；②借自古法语 canter，源自拉丁语 chantare(sing)，后来词义引申为"黑话，行话"]

cant *vt.* 使倾斜 *n.* 黑话　[联]cantor 领唱者
canticle *n.* 短歌，小歌　〈-cle＝small 小〉
descant *n.* 合唱，合奏，旋律　〈des-＝dis- 加强语气〉
incantation *n.* 咒语，妖术，口头禅　[同]conjuration，charm
recant *vt.* 撤销(声明)，放弃(信仰)　〈re-＝against 反→唱反调〉
chant *n.* 圣歌，赞美诗　[同]enchant 使心醉，使迷惑
accent *n.* 口音，重音　[联]accentuate 重读，强调
incentive *n.* 刺激，激励，诱因　[同]encouragement 激励

cap(t),capit=head,chief 头,首领,主要的

[cap 与 cattle 同源,古罗马时人们的财富资本,是以他家里 cattle(牛)的头数来计算的]

cabbage *n.* 洋白菜	〈cab←cap 头〉
cap *n.* 帽子,盖	‖ cap in hand 恭敬地
capsize *vi.* &*vt.* (使)船倾倒,弄翻	〈←sink a ship by head〉
caprice *n.* 反复无常,任性的想法	〈ric=hedgehog 刺猬〉
capricious *adj.* 反复无常的,任性的	[同]whimsical 反复无常的
captain *n.* 首领,船长,上尉	[同]chieftain,sheik
capitation *n.* 人头税,按人计算	[同]poll tax 人头税
decapitate *vt.* 斩首 ~ion *n.* 斩首	[同]behead 砍头
percapita *adj.* &*adv.* 按人计算(的)	〈=by heads〉
capitulate *vi.* (有条件)投降	[联]recapitulate 总结
precipitate *vi.* 投下,突发	〈pre-=before 前〉
capital *adj.* 资本的 ~ist *n.* 资本家	[联]capitol 国会大厦
capitalize *vt.* 以大写字母开始,资本化	[联]capitalization 资本化

cap(t),cas,cip,cupy,cept,ceipt,ceit,ceive,cup=to take,to hold 拿,容纳

[emancipate(解放)一词源自拉丁语 emancipare,由"e-(ex-)+mancipium(slave)"构成。按古罗马法律,买卖奴隶和解放奴隶都有一定的仪式:把奴隶买下时新主人要把手放在奴隶身上,以示占有]

cable *n.* 电缆,绳索	〈cab 是词根 cap 的变体〉
capable *adj.* 有能力的,能……的	[同]gifted 有天赋的
capacious *adj.* 广阔的,气度宏大的	〈-acious 以……为特征的〉
capacity *n.* 容量,能力	[同]volume 体积
carping *adj.* 吹毛求疵的	〈carp=cap;-ing ……的〉
capacitate *vt.* 使能够,赋予……能力	[反]incapacitate 使无能力
case *n.* 容器; *vt.* 把……装入箱	〈cas←capsa=hold 装〉
capsule *n.* 胶囊,航天舱	〈caps=case;-ule=small 小〉
captive *n.* 俘虏 *adj.* 被俘的	[同]prisoner,jailbird
captor *n.* 捕捉者,掠取者	[同]capturer 捕获者
captivate *vt.* 迷住,钩心夺魄	[联]captivity 囚禁
caption *n.* 标题,字幕,说明,捕捉	[联]headline 新闻标题
captious *adj.* 吹毛求疵的,强词夺理的	[同]censorious 吹毛求疵的
capture *n.* 捕获,战利品 *vt.* 捕,掠取	[反]release 释放

accept *vt.* (主观地)接受 ~ance *n.* 接受　[联]receive (客观)接受
concept *n.* 观念,概念 ~ual *adj.* 观念的　[联]conception 概念,受精
except *vt.* 把……除外 *prep.* 除……外　[联]exception 除外,反对
percept *n.* 知觉对象　[联]perception 认识,理解
recept *n.* 感觉,感受　[联]reception 接待,欢迎
deception *n.* 欺骗,骗局　[同]imposture 行骗
deceptive *adj.* 骗人的,容易使人上当的　[同]treacherous 骗人的
incept *vi.* &*vt.* 开始,摄取 ~ion *n.* 开始　[联]intercept 拦截,截击
precept *n.* 教训,格言　[同]axiom 格言
perceptive *adj.* 感知的,有理解力的　[同]discerning 有识别力的
receptible *adj.* 可接受的　[反]unacceptable 不能接受的
receptacle *n.* 容器,仓库　〈-cle=small 小〉
susceptive *adj.* 易感的,敏感的　[同]susceptible 善感的
conceive *vi.* &*vt.* 怀孕,想象　[联]conceivable 可想象的
deceive *vt.* 欺骗,误导　[联]deceivable 可骗的
perceive *vt.* 知觉,发觉,听见　[联]perceivable 可知觉的
conceit *n.* 自豪,自大,骄傲　[联]deceit 欺骗,欺诈
receipt *n.* 收据　[同]voucher 收据
anticipate *vi.* &*vt.* 预料 ~ion *n.* 预期　〈anti-=before 预先〉
emancipation *n.* 解放　[同]deliverance 解救
municipal *adj.* 都市的,市政的　〈muni=duty,service 责任,服务〉
participate *vi.* 参加 ~ion *n.* 参与　〈←take part in 参加〉
disciple *n.* 信徒　〈discip=learn 学习〉
discipline *n.* 训练,纪律　[同]drill,practice
participle *n.* 分词　[联]participial 分词的
principal *adj.* 主要的 *n.* 校长　[联]principle 原理,原则
recipe *n.* 处方,秘诀,食谱　[同]prescription 处方
incipience *n.* 开始,初期　[同]incipency 开始,早期
incipient *adj.* 开始的,初期的　[同]inceptive 开端的
recipient *n.* 接受者　[同]successor 继承人
occupy *vt.* 占领,使用　〈oc =upon 加强意义〉
occupation *n.* 职业,占领　[联]preoccupation 入神
occupant *n.* 占有者,居住者　[联]occupancy 占有,居住

car(r),char=to load,wagon 装载,车

[car 一词借自法语 carre,源自通俗拉丁语 carra,源自史前印欧语词根 kers-(run)]

careen *n.* 一生,履历,事业 [同]calling,vocation
cargo *n.* 船货,货物 [同]freight,shipment
cart *n.* 运货马车,手推车 *vt.* 用车运送 [联]carter 运货马车夫
carry *vt.* 搬运,带,传达 [联]carrier 搬运人
carriage *n.* 运输,火车客车车厢 [同]conveyance 运送
caricature *n.* 讽刺(画) [同]cartoon 漫画
charge *vt.* 装载,指责 ~r *n.* 充电器 [反]discharge 卸下,卸货
chariot *n.* 战车 *vi.* 乘马车 〈-ot ……物〉

car,char,cher=dear 关心,爱抚

[care(关心)一词源自原始日耳曼语 karo,源自史前印欧语 gar(call,cry out)]

care *vt.* 关心,喜欢 ~ful *adj.* 仔细的 [反]careless 粗心的
caring *adj.* 关心的,有同情心的 [同]affectionate 亲热的
caress *n.* 爱抚,拥抱 *vt.* 爱抚,亲吻 [同]fondle 爱抚
caressing *adj.* 亲切的 [同]caressive 亲热的
aftercare *n.* 安置,疾病治疗后的照顾调养 [联]aftermath 后果
charity *n.* 慈爱,慈善,施舍 [联]philanthropy 慈善事业
charitable *adj.* 慈善的,仁爱的 [同]merciful 仁慈的
cherish *vt.* 珍爱,抚育,怀抱 [同]treasure 珍惜

cardi=heart 心

[cardia(贲门)一词出现于 18 世纪后期,源自希腊语 kardia(heart)]

cardiac *adj.* 心脏的 *n.* 强心剂 〈-ac 属于……的〉
carditis *n.* 心肌炎 〈-itis 炎症〉
cardiogram *n.* 心电图,心动图 [同]cardiograph 心电图
bradycardia *n.* 心动过缓 [反]tachycardia 心动过速
cardioid *n.* 心形曲线,心脏线 〈-oid=like 类似……的〉
cardiology *n.* 心脏学 [联]cardiopathy 心脏病
cardiotonic *n.* 强心剂 *adj.* 强心剂的 〈ton 强〉
epicardium *n.* 心外膜 [联]endocardium 心内膜
pericardium *n.* 心包膜 〈peri- 周围,近〉

card,cart,chart=paper,paste board 纸,木板

[card 一词有两个词源:①借自古法语 carte,源自拉丁语 charta,源自希腊语 khartes(papyrus leaf);②借自古法语 carder,源自拉丁语 carere,源自史前印欧语词根 kars(scrape)]

discard *vt.* 放弃	[联]postcard 明信片
cartology *n.* 地图学,海图书	〈-ology ……学〉
chartaceous *adj.* 纸质的,纸制的	〈-ous 似……的〉
charter *n.* 许可证,宪章 ~ed *adj.* 特许的	[联]chart 图表;记录
chartography *n.* 绘图法	[联]chartographer 制图家

carn=flesh 肉

[carnival(嘉年华)一词借自法语 carnaval,源自意大利语 carnevale,由拉丁语"carni+val(farewell)"构成]

carnage *n.* 大屠杀,残杀	[同]massacre 大屠杀
carnal *adj.* 肉体的 ~ism *n.* 纵欲主义	[联]carnality 淫荡
carnation *n.* 淡红色,康乃馨	[联]incarnation 化身
carneous *adj.* 肉色的,似肉的	〈-eous 有……特性的〉
carnivore *n.* 食肉动物	[联]carnivorous 食肉的
incarnate *vt.* 化身 *adj.* 人体化的,肉色的	[反]discarnate 无形的
reincarnate *vi.* 转生 ~ion *n.* 转世	〈re-=again 再〉
carcass *n.* 尸体,残骸	〈carc=carn〉

cav,cag,jail=hollow,hole 空的,洞

[cave(洞穴)一词源自古法语 cave,源自拉丁语 cavus(hollow),源自史前印欧语词根 keue(cavity)]

caveman *n.* 粗鲁的人	[同]bounder 粗鲁的人
cavity *n.* 穴,腔	[联]levity 轻浮
cavern *n.* 大洞,岩窟 ~ous *adj.* 多孔的	〈-ern=place ……地方〉
concave *adj.* 中间凹的 *n.* 凹面物	[反]convex 凸的
encave *vt.* 把……藏于洞内	[同]encage 禁闭
excavate *vi.* 掘洞,挖空	[反]inter 埋,葬
incavation *n.* 空心的东西,洼地	〈in- 加强语气〉
cage *n.* 牢,笼	〈cave 的变体〉
gaol,jail *n.* 监狱 *vt.* 监禁 ~er *n.* 狱卒	〈gaol→cage→cave〉

ced,ceed,cess=to go 走

[succeed(成功)一词借自古法语 succeder,源自拉丁语 succedere,由“suc-(sub-)+cedere”构成]

cede *vt.* 割让,放弃	[联]concede 让步,承认
accede *vt.* 同意,答应	〈ac-=to〉
antecede *v.* 先行,先前	[同]precede 先于
antecedent *n.* 经历,祖先 *adj.* 在前的	[同]precedent 在前的
intercede *vi.* 仲裁,调停	[同]mediate 调停
precedented *adj.* 有先例的	[反]unprecedented 空前的
preceding *adj.* 先前的,上述的	[同]previous 先前的
precedence *n.* 倾先,优先权	[同]priority 优先权
recede *vi.* &*vt.* 后退,撤回,交还	[反]proceed 前进
procedure *n.* 程序,行动	[同]proce ss 过程
retrocede *vi.* &*vt.* 交还,退却	〈retro-=backward 向后〉
secede *vi.* 脱离,退出	〈se-=apart 离开〉
exceed *vt.* 超过,胜过(in)	[同]surpass 超过
ancestor *n.* 祖先,祖宗	〈an-=ante-=before〉
ancestral *adj.* 祖先的	[同]patrimonial 祖传的
ancestry *n.* 祖先,家谱,世家	[反]posterity 后代
cession *n.* (领土)割让,(财产)让与	[同]relinquishment 让渡
successive *adj.* 连续的 ~ly *adv.* 依次	[同]consecutive 连续的
success *n.* 成功 ~ion *n.* 继承人(权)	[反]failure 失败
successful *adj.* 成功的 ~ly *adv.* 成功地	[反]unsuccessful 失败的
access *vt.* 接近 *n.* 入口 ~ion *n.* 加入	〈ac-=close to 接近〉
accessory *n.* 附件,附加物	[同]extra 附加物
accessible *adj.* 能接近的,可理解的	[反]inaccessible 难见到的
accessibility *n.* 易接近,可达性	[反]inaccessibility 不易接近
excess *n.* 超过 *adj.* 额外的	〈ex-=out 出〉
excessive *adj.* 极度的,过多的	[同]surplus 多余的
predecessor *n.* 先辈,前任	[反]successor 继承人
recess *vi.* &*n.* 休会 ~ion *n.* 后退	[同]adjourn 休会
retrocession *n.* 交还,后退	〈retro-=back 向后〉
cease *vi.* 停止	〈ceas=cess→走到头〉

Exercise 2

Directions: *Study the following roots and example words, and then guess the meanings of the roots.*

Root	Word	Root Meaning
1. abl	ably	______
abili	ability	______
2. acid	acidiferous	______
3. acri	acrimony	______
acrid	acrid	______
4. act	actualize	______
5. aer	aerator	______
aeri	aeriform	______
aero	aerobatic	______
6. agon	antagonist	______
7. agr	agrarian	______
agro	agrobiology	______
egr	peregrinate	______
gr(im)	pilgrimage	______
8. alt	exalt	______
haug	haughty	______
9. alter	alternative	______
ali	alienate	______
10. angle	equiangular	______
11. anim	animalcule	______
12. ann	annuity	______
enn	millennial	______
13. annul	annulet	______
14. anti	antique	______
anc	ancient	______
15. ante	antemortem	______
anti	anticipate	______
16. ant	Antarctic	______
anti	antibody	______

17. apt	adapt	______
18. aqua	aquarium	______
19. atmo	atmospheric	______
20. arch	archaeology	______
21. arch	arch-enemy	______
22. arm	alarm	______
23. art	artifice	______
24. aud	auditory	______
25. auto	autocrat	______
26. ball	ballonet	______
bul	bullet	______
27. bas	basement	______
bas(e)	basis	______
28. bat	combat	______
29. bell	bellicose	______
30. bene	beneficent	______
31. bio	biography	______
32. cas	cascade	______
cay	decay	______
cid	coincide	______
33. camp	campus	______
34. cap	capital	______
35. cap	captious	______
capt	captivate	______
cept	accept	______
ceive	conceive	______
36. carn	incarnate	______
carni	carnival	______
37. ced	antecede	______
ceed	exceed	______
cess	success	______
38. calor	calorimeter	______
39. cardi	cardiograph	______
40. cav	concave	______

第二节　celer—demo

celer(o)＝quick，swift 快速

［accelerate(加速)源自拉丁语 acceleratus，源自 accelerare，由"ac-＋celerare(hasten)"构成］

celerity *n.* 迅速，敏捷　［同］quickness，rapidity
accelerate *v.* 加速，促进 *n.* ～or 加速器　［反］decelerate(使)减速
acceleration *n.* 加速，加速度　［反］deceleration 减速
accelerograph *n.* 加速器，油门　［联］accelerogram 加速度图
accelofilter *n.* 加速过滤器　〈filter 过滤器〉

cens＝value，judge 估价，断定

［census(人口普查)一词借自拉丁语 census，源自 censere(assess)，古罗马时用于市民和财产的登记］

censor *n.* 检查员～ship *n.* 审查制度　［联］censer 香炉
censorable *adj.* 需受检查的，可诟病的　〈-able 可……的〉
censorate *n.* 检查机构　〈-ate ……团体〉
censorial *adj.* 检察官的，监察的　［联］censorious 挑剔的
censure *n.* &*vt.* 责难，非难　〈-ure ……行动或结果〉

cent＝hundred 百

［centipede(蜈蚣)一词借自法语 centipede，源自拉丁语 centipeda，由"centum＋ped(foot)"构成］

centenary *n.* 百年(纪念) *adj.* 每百年的　［同］centennial 百年纪念的
centenarian *n.* 百岁老人　〈en＝enn＝year 年〉
centigrade *adj.* 百分度的 *n.* 摄氏　［联］fahrenheit 华氏
centigram *n.* 厘克　［联］centilitre 厘升
centuple *n.* 百倍 *adj.* 百倍的　［同］centuplicate 百倍(的)
century *n.* 一个世纪，百年　［联］millennium 千年
percent *n.* 百分比(数)　［联］percentage 百分比(率)

center，centr＝centre 中心

［center(中心)一词借自古法语 centre，源自拉丁语 centrum，源自希腊语 kentron，源自

史前印欧语词根 kent(prick)]

centerline *n.* 中心线	[联]golden section 黄金分割
central *adj.* 中心的,核心的	[反]marginal 边缘的
centralize *vt.* 使集中,成为……的中心	[反]decentralize 疏散
centrifuge *n.* 离心分离机	〈fug=fly 飞→离开〉
centrifugal *adj.* 离心的	[反]centripetal 向心的
concentrate *vi.* & *vt.* 集中 ～ion *n.* 集中	[反]distract 使分心
concentrative *adj.* 集中性的,专心的	[反]distractive 分心的
concentric *adj.* 同一中心 ～ity *n.* 集中	[联]acentric 无中心的,离心的
eccentric *adj.* 古怪的 ～ity *n.* 反常	[反]normal 正常的
anthropocentric *adj.* 以人类为宇宙中心的	[联]egocentric 自我中心的
heliocentric *adj.* 以太阳为中心的	[联]geocentric 以地球为中心的
theocentric *adj.* 以神为中心的	[联]polycentric 多中心的
selenocentric *adj.* 月心的,以月为中心的	〈selen-=the moon 月球〉

cern,cer(t),cret=sift,distinguish 筛选,区分

[concern(关心)一词借自中古法语 concerner,源自中古拉丁语 concernere,由"con-+cernere(sift)"构成]

concern *vt.* 涉及 *n.* 关心 ～ing *prep.* 关于	[反]unconcern 冷淡,不关心
discern *vt.* 辨别 ～able *adj.* 可辨别的	[联]discernment 洞察力
discretion *n.* 谨慎,斟酌,明辨	[同]chariness 慎重
discreet *adj.* 慎重的 ～ness *n.* 谨慎	[同]discrete 分离的,不连续
discriminate *vt.* 区别,辨别 ～ion *n.* 歧视	〈crimin=cert 区分〉
excretion *n.* (动植物的)排泄(物)	[联]secretion 分泌(物),隐藏

cert=sure,settled 确定的

[ascertain(确定)一词借自盎格鲁法语 acerteiner,源自古法语 acertener,由"as-+certain"构成]

ascertain *vt.* 弄清,确定 ～able *adj.* 可确定的	[联]ascertainment 确定,查明
concert *n.* 音乐会,一致,和谐	[联]disconcert 使惊慌,破坏
certain *adj.* 必然的 ～ly *adv.* 无疑地	[联]curtain 窗帘
certainty *n.* 确定,确实(性)	[反]uncertainty 不确定
certify *vt.* 证明	[联]certifier 证明者
certificate *vt.* 检定 *n.* 证明(书)	[同]testimonial 证明书
certitude *n.* 确实(性),确信	〈-tude ……性质或状态〉

chir=hand 手

[chiromancy(手相术)一词借自法语 chiromancie,源自拉丁语 chiromantia,源自希腊语 kheiromanteia]

chiral *adj*. 手(征)性的 ~ity *n*. 手征 [联]handy 手边的
chirismus *n*. 手法,按摩 [联]massage 按摩
chiromancer *n*. 手相家 [联]physiognomy 相面术
chirographer *n*. 书法家 [同]calligrapher 书法家
chirography *n*. 书法,笔迹 [同]calligraphy 书法
chirology *n*. 手语,手的研究 [同]palmistry 相手术
chironym *n*. 手稿名 〈nym=name 名字〉
chiropodist *n*. 手足病医生 [联]chiropody 手足病治疗
chiropractor *n*. 脊椎推拿治疗者 [联]chiropractic 手治疗法
chirospasm *n*. 手痉挛 〈spasm 痉挛,抽搐〉

chrom,chromat=colour 颜色

[chromosome(染色体)一词借自德语 chromosom,源自希腊语"khroma+soma(body)"]

chroma *n*. 色彩纯度,色度 [联]chromo 多彩石印版
chromatron *n*. 彩色电视显像管 [联]chromatape 色带
chromogen *n*. 生色体,色母 〈gen=bear 生〉
monochrome *n*. 单色的 [联]polychrome 多色的
bichrome *adj*. 两色的 [联]trichromatic 三色的
chromatic *adj*. 有颜色的,颜色鲜艳的 [联]achromatic 非彩色的
photochrome *n*. 彩色照片 〈photo=light 光→照片〉
homochromous *adj*. 同色的 [联]panchromatic 全色的

chro(n)=time 时间

[chronology(年代学)一词借自近代拉丁语 chronologia,由希腊语词根"khronos+logia"构成。词根 chron 源自希腊神话中宙斯的父亲时间之神 Cronus]

chronic *adj*. 长期的,慢性的 [反]acute 急性的
chronicle *n*. 编年史 [联]journal 日志
chronograph *n*. 计时器 [同]chronoscope 计时器
chronological *adj*. 按年代的 〈-al 具有……特征的〉
chronometric *adj*. 精密计时的 〈metric 测量的〉
isochronia *n*. 等时值 [联]isochronism 等时性

anachronism *n.* 时代错误 〈ana-＝up 向上，过度〉
anachronistic *adj.* 时代错误的 [同]anachronic 时代错误的
synchronous *adj.* 同期的，同步的 [同]synchronistic 同步的
synchronism *n.* 同步性，同时性 [反]asynchronism 异步性
synchronize *vi.* 同时发生 〈-ize＝make 使……〉
synchronic *adj.* 共时的 [联]diachronic 历时的
synchrotron *n.* 同步加速器 〈-on ……物→器械，装置〉
tautochronism *n.* 等时性 〈tauto-＝the same 相同〉

cid＝fall 落，降

[incident(事件)一词借自中古法语 incident，源自拉丁语 incidere，由"in-(upon)＋cadere"构成]

incident *n.* 事件 ～al *adj.* 偶然发生的 [联]incidence 发生率，入射角
coincide *vi.* 相符，同时发生 ～nce *n.* 巧合 [同]dovetail 与……吻合
coincident *adj.* 同时发生的，一致的 [同]concurrent 同时发生的
accident *n.* 事故 ～al *adj.* 意外的 [联]accidence 入门，词法
deciduous *adj.* 脱落的，落叶的 [联]conifer 针叶树
occident *n.* 西方，欧美 〈oc-＝down〉
occidental *adj.* 西方的，西方人(文化)的 [反]oriental 东方的

cid，cis＝cut，kill 切断，杀死

[decide(决定)一词借自法语 decider，源自拉丁语 decidere，由"de-(off)＋caedere"构成]

decided *adj.* 坚决的，清楚的 [同]distinct 明显的
homicide *n.* 杀人，杀人罪 [联]homicidal 嗜杀成性的
insecticide *n.* 杀虫剂 [同]pesticide 杀虫剂
suicide *n.* 自杀，自杀者 〈sui＝self 自己〉
genocide *n.* 种族灭绝 〈gen-生→种族〉
fungicide *n.* 杀菌剂 〈fungi 真菌〉
regicide *n.* 弑君者，弑君 [联]regicidal 弑君的，大逆不道的
circumcise *adj.* 行割礼 ～ion *n.* 割礼 〈circum-＝round 周围〉
concise *adj.* 简明的 ～ness *n.* 简洁 [反]verbose 啰嗦的
decision *n.* 决定，决议 [反]indecision 优柔寡断
decisive *adj.* 果断的，坚定的 [反]indecisive 犹豫不决的
excise *vt.* 割去，删去，向……征税 [联]excision 切除，分割
incise *vt.* 雕刻，切割 [联]incision 切开，切口

precise *adj*. 精确的～ly *adv*. 精确地 [联]precision 精确度,准确
incisive *adj*. 尖锐的,深刻的 [同]caustic 尖刻的
incisor *n*. 切牙,门齿 [联]cissor(用剪刀)剪
patricide *n*. 杀父(者) [联]matricide 杀母(者)
fratricide *n*. 杀兄弟者 〈fratri-=brother 兄弟〉
scission *n*. 切断,分开,分裂 〈s-=away 去掉〉
scissors *n*. 剪刀 [反]pliers 钳子

cil,cili=call 召集

[council(委员会)一词借自盎格鲁诺曼法语 cuncile,源自拉丁语 concilium,由"con-+calare(call)"构成]

councillor *n*. 议员 ～ship *n*. 议员身份 [同]assemblyman 议员
conciliate *vt*. 赢得,安抚,劝诱 [联]conciliatory 安抚的
reconcile *vt*. 和解,使一致 〈re-=again 再〉
reconcilable *adj*. 可和解的,可调和的 [反]irreconcilable 不相容的
reconciliation *n*. 和解,协调 [同]appeasement 平息,缓和

cing,cinct=to gird or hind 束,阻

[succinct(简明的)一词借自中古法语 succincte,源自拉丁语 succinctus(tucked up)]

cingulum *n*. 带,带状物 [同]annulation 环状物
surcingle *n*. 肚带,腰带 〈sur-=super-在……上〉
cincture *n*. 束带,腰带 *vt*. 环绕 [同]girdle,waistband
cinch *v*. 系(马的)肚带 〈cinct 的变体〉
cingle *n*. 系(马的)肚带 〈cinct 的变体〉
enceinte *n*. 城郭,围廊 *adj*. 怀孕的 〈←[拉]incingere〉
cincture *n*. 束带,围绕 [同]bandage,belt
precinct *n*. 范围,领域 [同]boundary 范围

circ,cycl=ring,circle 圆,环,圈

[encyclopaedia(百科全书)借自近代拉丁语 encyclopaedia,源于希腊语 egkuklopaideia]

circlet *n*. 小环,小圈 〈-et=small 小〉
circuit *n*. 环行,电路 [联]microcircuit 微电路
circuitous *adj*. 迂回的,绕行的 [同]devious 迂回的
circular *adj*. 循环的 ～ity *n*. 循环性 〈-ar ……状的,……似的〉
circulate *vt*. 使循环 ～ion *n*. 流通 〈-ate=make 使……〉

circumference *n.* 圆周,周围,胸围 [联]perimeter 周长
circumstance *n.* 环境 〈stan=stand 站立〉
circus *n.* 曲艺场,马戏团 [联]racecourse 赛马场
circle *n.* 圆,环 *vt.* 包围 [联]encircle 环绕,包围
monocycle *n.* 独轮车 [联]tricycle 三轮车
cyclorama *n.* 圆形画景 〈rama=sight 景色〉
cyclograph *n.* 圆弧规 〈graph=write 写〉
cyclometry *n.* 测圆法 〈-metry=measure 测量〉
cyclone *n.* 旋风 [联]tornado 龙卷风
cyclotron *n.* 回旋加速器 〈-tron 仪器,装置〉
cyclopedia *n.* 百科全书 〈pedia=child-rearing〉
encyclopedic *adj.* 百科全书的,渊博的 [同]catholic,exhaustive
megacycle *n.* 兆周 〈mega→great→million〉

cit=call out or arouse 唤起

[excite(激发)一词借自拉丁语 excitare,源自 exciere,由"ex-+ciere(call)"构成]

cite *vt.* 引用,列举 ~ion *n.* 引用,引文 [同]quote 引用
excitable *adj.* 容易激动的 〈-able 可……的〉
excited *adj.* 感到兴奋的 [联]exciting 令人兴奋的
excitant *adj.* 使兴奋的 *n.* 兴奋剂 [联]excitive 刺激性的
excitoinhibitory *adj.* 兴奋抑制的 〈inhibit 抑制, 约束〉
excitomotor *adj.* 刺激运动的 〈mot=move 运动〉
incite *vt.* 刺激,煽动 ~ation *n.* 刺激 〈in-=inside 内部〉
recite *vt.* 背诵,叙述 ~ation *n.* 背诵 [联]recital 独奏会,独唱会
solicit *vt.* 恳求 ~ation *n.* 诱惑,恳求 [联]solicitude 关心,挂念
resuscitate *vt.* 使复活 ~ion *n.* 苏醒 [联]resuscitator 人工呼吸器

civ=city,citizen 城市,市民

[civic(公民的)一词借自拉丁语 civicus,源自 civis(townsman),常用于短语 civic crown]

civil *adj.* 市民的,文明的 ~ly *adv.* 谦恭地 [联]civility 礼貌,客套
civilian *n.* 平民 *adj.* 平民的, 民用的 〈-ian 属于……的(人)〉
civilize *vt.* 使文明 ~ation *n.* 文明 [联]civilizable 可教化的
civism *n.* 公民精神, 公德心 [联]civicism 市政, 市民政治
civic-minded *adj.* 有公德心的, 热心公益的 [联]civics 公民,公民学

civvy *n.* 平民，便装，便服　[联]civ (v)ies 便服

claim，clam＝declare，assert 声称，主张

[reclaim (回收)一词借自古法语 reclamer，源自拉丁语 reclamare＝re＋clamare(cry out)]

claim *n.* 声称 *vt.* 要求 ～able *adj.* 可要求的　[联]claimant 原告，索取者
claimer *n.* 要物求者，申请者　[联]claimee 被索赔人
acclaim *n.* 喝彩 *vt.* 称赞 ～atory *adj.* 欢呼的　[联]acclamation 喝彩，欢呼
declaim *vt.* 说话，抨击 ～er *n.* 演说者　〈de-＝thorough 彻底〉
exclaim *vi.* 叫喊 ～ation *n.* 感叹，呼喊　[联]exclamatory 感叹的，叫喊的
reclaimable *adj.* 可收回的，可教化的　[联]reclaimed 再生的，回收的
clamour *n.* 喧哗声 *vi.* 喧哗，吵闹　[同]vociferate 大声地说
clamorous *adj.* 吵闹的　[同]clamant 吵闹的
proclaim *vt.* 宣称，公布 ～ation *n.* 宣告　[同]herald 通报
disclaim *vt.* 放弃，否认　[同]renounce 放弃

clear，clar，clair＝bright，clear 明亮，清楚

[clarify(澄清)一词借自古法语 clarifiier，源自后期拉丁语 clarificare(to make clear)]

clearance *n.* 清洁，清扫，空隙　〈-ance ……行为或过程〉
clearheaded *adj.* 头脑清楚的　[反]confused 糊涂的
clarify *vt.* 澄清，使清楚，说明　[联]clarification 澄清，说明
clarity *n.* 清晰，明确　[同]lucidness 清晰
declare *vt.* 宣称，声明　[联]declaration 宣言，声明
clairvoyance *n.* 透视，洞察力　[联]clairvoyant 千里眼的人

clin，cliv＝to bend，slope 斜，倾

[incline(弄斜)一词借自古法语 encliner，源自拉丁语 inclinare，由“in-(towards)＋clinare”构成]

incline *v.* &*n.* 倾斜 ～able *adj.* 倾向于……的　[联]anticline 背斜(结构)
inclination *n.* 倾向，爱好，斜坡　[同]tendency 倾向
decline *vi.* &*vt.* 下降，谢绝 ～ation *n.* 倾斜　[联]disincline 使讨厌
isoclinal *adj.* &*n.* 等倾的，等斜的　〈iso-＝equal 相等的〉
recline *vi.* 倚靠，信赖，躺　[联]repose 休息
declension *n.* 倾斜 ～al *adj.* 变格的　〈declens＝decline〉
acclivity *n.* 向上的斜坡，上斜　[反]declivity 下斜
proclivity *n.* 倾向，性癖，脾气　[同]tendency 倾向

clud,clus,clos,claus=to shut 关闭

[close(结束)一词借自古法语 clos,源自拉丁语 clausus(closed);词根 claus 和 clos 是 clus 的变体]

include *vt.* 包括,算入　[反]exclude 排除
inclusion *n.* 包括,包含,掺杂　[反]exclusion 排除
inclusive *adj.* 包含的,包括的　[反]exclusive 排外的
conclude *vi.* &*vt.* 终结,结论,推断　[联]conclusion 终结,结论
occlude *vt.* 封闭,吸收　[联]occlusion 闭塞,咬合
preclude *vt.* 排除,妨碍,预防　[联]preclusion 排除,阻止
seclude *vt.* 分离,隔绝 ~d *adj.* 隐退的　[联]seclusion 隔绝,隐居
preclusive *adj.* 除外的,妨碍的　[同]obviating 排除的
recluse *n.* 隐士　[同]hermit 隐士
close *adj.* 紧密的 *vt.* 关 ~ly *adv.* 紧密地　[联]enclose 围绕,装入
closure *n.* 截止,关闭,停业　[同]enclosure 围绕,圈占
disclose *vt.* 揭露,泄露　[联]disclosure 揭发,泄露
closet *n.* 厕所,私室 *vt.* 关进　〈-et=small 小〉
conclusive *adj.* 决定性的,确凿的　[联]seclusive 爱隐居的
clause *n.* 条款,从句　[联]clausal 分句的,分项的

coal,col=coal 煤,炭

[coal(煤)一词源自原始日耳曼语 kula,源自史前印欧语词根 g(e)ulo-(live coal)]

coal *n.* 煤 ~y *adj.* 含煤的,多煤的　[联]charcoal 木炭
coaler *n.* 煤商,运煤船　[联]gaoler 狱卒
coalmine *n.* 煤矿,竖井　[联]landmine 地雷
coalface *n.* 采煤面,采掘面　[联]interface 界面
collier *n.* 矿工,运煤船,煤船员　[联]colliery 煤矿,矿井

cook,coc,coct=to boil,to ripen 煮,熟

[kitchen(厨房)一词源自原始日耳曼语 kokina,是拉丁语 coquina 的变体,源自 coquere(cook)]

cooker *n.* 炊具,锅　[联]wok 炒菜锅
cookery *n.* 烹调术　[同]cusine 烹饪
cookie *n.* 饼干,小甜点,甜面包　[同]cooky 饼干
concoct *vt.* 调制,策划 ~ion *n.* 调和(物)　[同]fabricate 制造
decoct *vt.* 煎,熬~ion *n.* 煎煮(法)　〈de-=down 向下〉

precocious *adj*. 早熟的 ～ness *n*. 早熟　　[联]precocity 早熟，早成
biscuit *n*. 饼干　　〈bis-＝two 二〉
cake *n*. 蛋糕　　〈←coquo＝cook〉

cord，cor，cour＝heart 心

[courage(勇气)一词借自近代法语 courage，源自拉丁语 coraticum，源自 cor，源自史前印欧语词根 kerd(heart)]

cordial *adj*. 诚恳的 ～ly *adv*. 诚挚地　　[联]cordiality 热诚，诚挚
core *n*. 果核，核心 ～less *adj*. 无核心的　　[联]lore 学问
accord *vi*. & *vt*. 一致，符合 ～ance *n*. 一致　　〈ac- 加强语气〉
accordingly *adv*. 因此，从而　　[同]consequently 因此
concord *n*. 一致，和谐　　[联]concordance 和谐，一致性
concordat *n*. 协定，契约　　[同]contract 合同
discord *n*. 不和 *vi*. 不调合 ～ance *n*. 不和　　[联]discordant 不一致，不和的
record *vt*. & *n*. 记录，证明 ～er *n*. 录音机　　[联]recording 记录，录音
courageous *adj*. 勇敢的，无畏的　　[同]fearless 无畏的
encourage *vt*. 鼓励 ～ment *n*. 鼓励　　[联]discourage 使沮丧

corn＝horn 动物的角

[cornucopia(丰饶角)借自后期拉丁语 cornucopia，源自 cornu copiae(horn of plenty)]

corn *n*. 谷物，玉米　　[同]sweetcorn 甜玉米
corner *n*. 角，角落，困境　　[联]sorner 强求膳宿的人
cornet *n*. 短号，吹短号者　　〈-et＝short 短小〉
cornucopia *n*. 丰富，丰饶角　　〈cop 丰富；-ia ……物〉
unicorn *n*. 身体似马的独角兽　　〈uni-＝one 一〉
popcorn *n*. 爆米花　　〈pop 发出爆裂声〉

corp，corpor＝body 身体

[corporal(人体的)一词借自法语 corporal，源自拉丁语 corporalis，源自 corpus(body)]

corps *n*. 兵团，一群人　　[联]corpse 尸体，死尸
corporate *adj*. 团体的，共同的　　[联]corporation 公司，法人
corporeal *adj*. 肉体的，物质的，有形的　　[反]incorporeal 无形的
corpuscle *n*. 微粒子，血球　　〈-cle＝small 小〉
corpulent *adj*. 肥胖的　　〈-ent 处于……状态的〉
incorporate *vi*. 结合，合并 ～d *adj*. 合并的　　[同]amalgamate 合并

corset *n.* 束腰，紧身胸衣 〈-et＝small 小〉
corsetry *n.* 紧身衣，紧身衣裁制业 〈-ry ……集体，……技术〉

cosm＝order，world 秩序，世界

［cosmology(宇宙学)一词近代拉丁语 cosmologia，由希腊语“kosmos(order)＋-logia(discourse)”构成］

cosmic *adj.* 宇宙的，极广阔的 ［反］chaotic 无秩序的
cosmism *n.* 宇宙论 ［反］acosmism 无宇宙论
cosmology *n.* 宇宙学，宇宙观 ［联］cosmologist 宇宙学家
cosmonaut *n.* 宇航员 ［同］astronaut 宇航员
cosmonautic *adj.* 航天的 ～s *n.* 宇航学 〈naut＝sailor 水手〉
cosmos *n.* 宇宙 ［同］universe 宇宙
cosmopolis *n.* 国际都市 〈polis＝city 城市〉
cosmopolitan *adj.* 全世界的 ［同］metropolitan 大城市的
pancosmism *n.* 泛宇宙论 〈pan-＝all 泛〉
microcosm *n.* 微观世界 ～ic *adj.* 微观的 ［反］macrocosm 宏观世界

count＝to count 计数

［count 一词有两个词源：①计算：借自古法语 conter，源自拉丁语 computare；②伯爵：借自盎格鲁法语 counte，源自拉丁语 comitem］

countable *adj.* 可数的 ［反］uncountable 不可数的
countless *adj.* 无数的 ［同］innumerable 无数的
counter *n.* 柜台，计数器 ［联］calculator 计算器
countdown *n.* 倒数计数 ［联］count-up 顺数计时
account *vt.* 说明，解释 *n.* 账目 ［联］accountant 会计
accountable *adj.* 有责任的，可解释的 ［反］unaccountable 无责任的
accountability *n.* 有责任，可说明性 ［反］unaccountability 无法解释
discount *n.* 折扣 ～able *adj.* 可折扣的 〈dis-＝away 去掉〉

court＝enclosure 周围

［court(院子)一词借自古法语 cort，源自拉丁语 cortem，由“com＋hort(garden)”构成］

courthouse *n.* 法院，县政府大楼 ［联］courtyard 天井
court-martial *n.* 军事法庭 ［联］courtroom 法庭，审判室
courtgame *n.* 使用场地的球类运动项目 ［联］badminton 羽毛球
courtlike *adj.* 高雅的，彬彬有礼的 ［同］urbane 彬彬有礼的

courtliness *n.* 恳挚谦恭，礼让　　[联]courtling 小官员
court *vi.* 求爱,求婚 ～ship *n.* 求爱期　　[同]woo 求爱
courtside *n.* (网球等的)球场边缘区　　〈-side 边,侧面〉
courtesy *n.* 礼仪,郑重　　[反]discourtesy 无礼
courteous *adj.* 有礼貌的 ～ly *adv.* 亲切地　　[反]discourteous 无礼的
courtier *n.* 奉承者,廷臣　　〈-ier 与……活动有关的人〉

cracy=rule,power 统治,权力;crat=ruler 统治者

[aristocracy(贵族)一词借自近代法语 aristocratie,源自希腊语 aristokratia,由"aristos(best)+kratia(power)"构成]

aristocracy *n.* 贵族(品质)　　[联]aristocrat 贵族
autocracy *n.* 独裁(统治)　　[联]autocrat 独裁统治者
bureaucracy *n.* 官僚政治　　[联]bureaucrat 官僚(主义者)
democracy *n.* 民主政治,民主政体　　[联]democrat 民主主义者
meritocracy *n.* 精英治国　　[联]meritocrat 英才
mobocracy *n.* 暴民统治　　[联]mobocrat 暴民领袖
monocracy *n.* 独裁政治　　[联]monocrat 独裁者
plutocracy *n.* 财阀统治,富豪统治　　[联]plutocrat 财阀,富豪
theocracy *n.* 神权政治　　[联]theocrat 神权统治者

creed,cred,credit=to believe 相信

[credit(信誉)一词借自中古法语 credit,源自意大利语 credito,源自拉丁语 creditum,源自 credere(trust)]

creed *n.* 信条,主义 ～al *adj.* 信条的　　[联]credo 信条,信经
credential *n.* 凭据 *n.* ～s 文凭　　[同]certificate 证明书
credence *n.* 信用,证据　　〈-ence ……性质或状态〉
credible *adj.* 可信(靠)的　　[反]incredible 难以置信的
credibly *adv.* 可信地　　[反]incredibly 难以置信地
credibility *n.* 可靠性,确实性　　[反]incredibility 不能相信
creditable *adj.* 可以信任的　　[反]increditable 可信任的
creditability *n.* 可信性,信誉　　[反]increditability 失信
creditor *n.* 债主,债权人　　[反]debtor 债务人
credulous *adj.* 轻易相信的　　[同]gullible 轻信的
accredit *vt.* 信任,委任,授权　　[同]endorse 签署
discredit *n.* 不信任 *vt.* 使丧失信誉　　〈dis-=not 不〉

cre(s),crease,cret=grow,make 生长,创造

[create(创造)一词源自拉丁语 creatus,源自 creare,与 crescere(grow)有关]

creator *n.* 创造者,创作者　[同]inventor 发明者
creative *adj.* 创造性的～ly *adv.* 创造性地　[联]accretive 粘连的
creation *n.* 创造,创作　[联]accretion 堆积
creature *n.* 生物,动物,创造物　[同]mammal 哺乳动物
recreate *vt.* 再创造,重建　[联]recreation 重建,消遣
accrue *vi.* 增加,积累　〈ac-=to;crue=cre 增长〉
decrement *n.* 减少　[反]increment 增加
decrease *vi.* &*n.* 减少,减退　[反]increase 增加
decrescent *adj.* 减小(少)的　[反]increscent 增大的
crescent *n.* 新月 *adj.* 新月状的,渐强的　〈-ent ……性质或状态〉
decreasing *adj.* 渐减的 ～ly *adv.* 渐减地　[反]increasing 递增的
concrete *n.* 混凝土,具体物 *adj.* 具体的　[联]cement 水泥
procreate *vt.* 生殖,生育 ～ion *n.* 生殖　[联]propagate,reproduce
recruit *vt.* 招募新兵,补充 *n.* 新兵　[同]muster 召集

crim,crimin=accusation,charge 罪名,控诉

[crime(罪行)一词借自近代法语 crime,源自拉丁语 crimen(crime,fault)]

criminal *n.* 罪犯 *adj.* 犯罪的　[同]villain 罪犯
discriminate *vt.* 区别,歧视,辨出　[联]discrimination 歧视,区别
incriminate *vt.* 控告,归罪于　[联]incrimination 控告,连累
recriminate *vt.* 反诉,反控　[联]recrimination 反诉,揭丑

cris,crit=to judge,to decide 判断,决定

[crisis(危机)一词借自希腊语 krisis, 源自 krinein,源自史前印欧语词根 krei(distinguish)]

critic *n.* 批评家,评论家　[联]critique 评论(文章)
critical *adj.* 批评的,关键的　[同]carping 挑剔的
criticaster *n.* 无价值的批评家, 小批评家　[联]criticastry 不当评价
criticise *vt.* 批评, 吹毛求疵, 非难　[同]criticize 批评
criticism *n.* 批评, 批判　[反]admiration 赞美
hypercritical *adj.* 吹毛求疵的,过于苛刻的　[联]hypocritical 虚伪的
hypocrisy *n.* 伪善,虚伪　[联]hypocrite 伪善者,伪君子
criterion *n.* 标准,准绳　[同]canon 准则

cross,cru,cruc=cross 十字,交叉

[cross(十字架)一词借自古斯堪的那维亚语 kross,源自古爱尔兰语 cros,源自拉丁语 crux]

cross *n.* 十字架 *vt.* 横渡,穿越	[联]across 横穿,超过
crossroads *n.* 十字路口	[同]juncture 接合点
crucial *adj.* 十字形的,决定性的	[同]pivotal 关键的
cruciate *adj.* 十字状的	[联]excruciate 残酷折磨
crucible *n.* 坩埚,[喻]熔炉,严峻的考验	[同]ordeal 严峻的考验
crucifix *n.* 十字架 ~ion *n.* 受难,苦恼	〈fix=fasten 固定〉
cruciform *adj.* 十字形的	〈form 形式,样式〉
crucify *vt.* 把……钉在十字架上,折磨	〈-fy=make 使……〉
cruise *vi.* &*n.* 巡逻,巡航 ~r *n.* 巡洋舰	[联]bruise 擦伤
crusade *n.* 讨伐,反对恶事的运动	〈-ade ……的行动或动作〉
crux *n.* 难点,难题,关键	〈crux=cross→crossroads〉

crypt,cryph=to hide 藏

[crypt(地窖)一词借自拉丁语 crypta,源自希腊语 kryptos,源自史前印欧语词根 krau(hide)]

cryptic *adj.* 神秘的,秘密的	[同]enigmatic 神秘的
cryptogram *n.* 密码电文	[同]cryptography 密码系统
cryptology *n.* 密码研究,密码术	〈-ology=study ……研究〉
cryptonym *n.* 匿名,假名	〈nym=name 名字〉
encrypt *vt.* 加密,将……译成密码	[反]decrypt 解……的码
apocrypha *n.* 伪经,旁经 ~l *adj.* 伪造的	〈apo-=away 离开〉

cub,cumb=lie down 躺,卧

[succumb(屈服)一词借自古法语 succomber,源自拉丁语 succumbere(submit,lie under)]

cubicle *n.* 小卧室	〈-le=small 小〉
incubate *vt.* 孵化,培育 ~ion *n.* 孵化	〈in-=into 向内〉
incubus *n.* 梦魇	〈伏身于睡眠者的恶魔〉
concubine *n.* 妾,情妇	[联]concubinage 非法同居
decubitus *n.* 褥疮,卧姿	〈de-=down 向下〉
recumbent *adj.* 躺着的,斜靠的	[反]upright 垂直的

culp=fault 错

[culprit(犯人)一词源自盎格鲁诺曼法语 cul prit,与拉丁语 culpa(fault, blame)有关]

culpable *adj.* 有罪的,应受谴责的	[同]blamable 可责备的

inculpate *vt.* 控告,归罪于 [联]inculpation 控告
disculpate *vt.* 开脱……的罪责 [联]disculpation 开脱罪责
exculpate *vt.* 为……开脱,使无罪 [同]exculpation 免罪,辩解

cult,colon=to worship,inhabit,till 敬神,居住,耕种

[词根 cult 源自拉丁语 colere,包含了古代社会的三种基本活动:居住、耕作、敬神]

cult *n.* 信徒,教派,崇拜 [联]incult 无教养的
cultivable *adj.* 可耕作的,可栽培的 [同]tillable 可耕种的
cultivate *v.* 耕作,教养 ~ion *n.* 耕作,栽培 〈-ate=make 使……〉
culture *n.* 文化,教育 [联]cultural 文化的,耕作的
cultured *adj.* 有教养的 [反]uncultured 未受教育的
cultivated *adj.* 耕种的;有教养的 [反]uncultivated 无教养的
agriculture *n.* 农业,农业生产 [联]agricultural 农业的,耕种的
arboriculture *n.* 树木栽培 [联]viniculture 葡萄栽培
pisciculture *n.* 养鱼业 ~ist *n.* 养鱼家 〈pisci-=fish 鱼〉
floriculture *n.* 养花,种花 ~ist *n.* 花匠 〈flor=flower 花〉
aquiculture *n.* 水产养殖 [联]mariculture 海水养殖
apiculture *n.* 养蜂(业) ~ist *n.* 养蜂业者 [联]aviculture 养鸟,养禽业
colonize *vt.* 殖民 ~r *n.* 殖民者 [联]colony 殖民地
colonial *adj.* 殖民(地)的 [联]colonist 殖民者

cur,curr,curs,cour=to run 跑,流

[concur(同时发生)一词源自拉丁语 concurrere(run together),由"con-+currere"构成]

concur *vi.* 同时发生 ~rence *n.* 同时发生 [同]coincide 同时发生
incur *vt.* 招致,惹起,遭受 [同]provoke 招致
incursion *n.* 侵入,袭击,流入 [同]invasion 入侵
occur *vi.* 发生,出现 ~rence *n.* 出现 〈oc-=toward 向〉
recur *vi.* 回想,重现 ~rence *n.* 重现 〈re-=again〉
curtail *vt.* 省略,缩减,剥夺 〈tail 尾巴←切割〉
current *adj.* 流行的 *n.* 趋势,潮流 [联]currency 通货,流传
curriculum *n.* (全部)课程 ‖ curriculum vitae 履历
cursory *adj.* 草率的,仓促的 [联]cursorily 疏忽地,马虎地
precursor *n.* 先驱,先兆 ~y *n.* 先兆的 [同]antecedent 祖先
decurrent *adj.* 向下生长的,下延的 〈de-=down 向下〉

excurse *vi*. 远足，游览 [联]excursion 远足，游览
excursive *adj*. 离题的，散漫的 [同]discursive 离题的
coarse *adj*. 粗糙的，粗的 [联]course 课程
intercourse *n*. 交际，沟通 [同]communication 交流
recourse *n*. 求援，依赖 [同]resort 求助
scour *vt*. 急速搜寻，巡视 〈s-＝ex-＝out 出〉
succour *vt*. 救助 *n*. 救助者 〈suc-＝near 靠近〉
courier *n*. 信使，送急件的人 [联]messenger，mercury

cur，cure＝care 费心，照顾，医治

[curator(馆长)一词借自拉丁语 curator，源自拉丁语 curare(take care of)]

cure *n*. 医治 *vt*. 医治 ～less *adj*. 无法医治的 [联]lure 引诱
curative *adj*. 医疗的，有疗效的 〈-ative 有……倾向的〉
curable *adj*. 可以治好的 [反]incurable 无法治愈的
curability *n*. 治愈可能性，有痊愈的希望 [同]incurability 无法治愈
accurate *adj*. 正确的 ～ly *adv*. 精确地 [反]inaccurate 不准确
accuracy *n*. 正确，准确 [反]inaccuracy 不准确
curious *adj*. 好奇的 ～ly *adv*. 好奇地 [反]incurious 不关心
curiousness *n*. 好学，好奇 [同]inquisitiveness 好奇
curiosity *n*. 好奇心，珍品 [反]incuriosity 无好奇心
procure *vt*. 取得，引起 ～ment *n*. 获得 [联]obscure 模糊的
procurer *n*. 获得者，拉皮条者 [同]panderer 拉皮条者
procurable *adj*. 可得到的 [同]attainable 可得到的
procurator *n*. 代理人，检察官，市长 〈-ator 做……的人〉
secure *adj*. 平安的 *vt*. 使……安全 [反]insecure 无安全的
security *n*. 安全，担保 [反]insecurity 不安全
sinecure *n*. 闲差事 〈sine-＝without 没有，无〉
sinecurist *n*. 闲职人员 〈-ist ……的实行者〉

cuss＝to shake 摇动

[discuss(讨论)一词借自拉丁语 discuss，源自拉丁语 discutere(agitate)]

concuss *vt*. 使震荡 ～ion *n*. 震荡，冲击 [联]vibrate 使振动
concussive *adj*. 震荡性的，给予冲击的 [联]dissuasive 劝诫的
discuss *vt*. 讨论 ～er *n*. 讨论者，论述者 [同]discussant 讨论者

discussion *n.* 讨论，论述，详述　　[同]disputation 争论
percuss *vt.* 敲，叩 ～ion *n.* 敲打，振动　　〈per-＝through 穿过〉
repercuss *vt.* 再敲 ～ion *n.* 弹回，反射　　〈re-＝again 再〉

custom＝habit 习惯

[custom(习惯)一词借自古法语 coustume，源自拉丁语 consuetus，源自 consuescere(accustom)]

customary *adj.* 惯常的，习惯性的　　[反]uncustomary 不同寻常的
customarily *adv.* 习惯上，通常　　[同]usually 通常
customer *n.* 顾客　　[同]client 顾客
accustom *vt.* 使习惯于　　[同]habituate 使习惯于
accustomed *adj.* 习惯的，适应的，通常的　　[反]unaccustomed 不习惯的

cycl＝circle，wheel 圆，环，轮

[cycle(循环)一词源自后期拉丁语 cyclus，源自希腊语 kyklos(circle)，源自史前印欧语 kwel(wheel)]

cyclical *adj.* 循环的，周期的，环状的　　〈-al 具有……特征的〉
unicycle *n.* 独轮脚踏车　　[同]monocycle 单轮脚踏车
hemicycle *n.* 半圆形　　[联]rotundity 圆形，球状
bicycle *n.* 自行车，脚踏车　　[联]tricycle 三轮车
bicyclist *n.* 骑自行车的人　　[同]cyclist 骑自行车的人
tetracycline *n.* 四环素　　〈tetra-＝four 四〉
autocycle *n.* 摩托车　　[同]motorcycle 摩托车
recycle *vi.* 再循环　　〈re-＝again 再〉
cycloid *adj.* 圆形的　　〈-oid 似……的〉
cyclotron *n.* 回循加速器　　〈-tron ……器〉
cyclorama *n.* 圆形画景　　〈rama 景〉

de，div＝god 神，上帝

[deity(神)一词借自古法语 deite，源自后期拉丁语 deitas(转译自希腊语 theotes)，源自 deus(god)]

deist *n.* 自然神论信仰者　　[联]deism 自然神论
deify *vt.* 把……奉为神　　〈-ify＝make 使……化〉
deific *adj.* 神圣的 ～ation *n.* 神化　　[联]deiform 神状的，神性的
divine *adj.* 神的 *vi.* 占卜 ～r *n.* 预言者　　[联]vine 葡萄树
divination *n.* 预言，占卜　　[同]prediction 预言

dec,decem,deci=ten,tenth 十,第十

[December(12 月)借自古法语 decembre,源自拉丁语 December,源自 decem(ten)]

decade *n.* 十年(期) [联]facade 外观
decemvir *n.*(古罗马)十大执政官之一 〈-ir=-or ……实行者〉
decimal *adj.* 十进制的 *n.* 小数 [联]centesimal 百进制
decimate *n.* 每十人杀一人,大批危害 [同]annihilate 歼灭
decimeter *n.* 分米 [联]milimeter 毫米

de(e)p,div,dimp=深的

[deep(深的)一词源自原始日耳曼语 deupaz,源自史前印欧语 dheub(deep,hollow)]

deep *adj.* 深的 ~ness *n.* 深度,深奥 [反]shallow 浅的
deepen *vt.* 加深,深化 [联]sharpen 使锐利
deepfelt *adj.* 深深感到的,深切的 [同]soulful 深情的
deepfreeze *n.* &*vt.* 低温冷藏 [联]deepfreezer 速冻冷库
deepish *adj.* 颇深的 [联]deepmost 极深的
depth *n.* 深度,深奥,奥妙 [联]depth gauge 深度计
dip *vt.* &*n.* 汲取,浸渍 [联]dip into 浏览
dive *n.* &*vi.* 潜水,跳水 ~r *n.* 潜水者 [联]hive 蜂房,闹区
dimple *n.* 凹,酒窝 [联]pimple 粉刺

dem=people 人民,人口,百姓

[democracy(民主政治)一词借自古法语 democratie,源自中古拉丁语 democratia,源自希腊语 demokratia]

demagogue *n.* 煽动者 ~ry *n.* 煽动行为 〈agogue=leader 引导者〉
demagogic *adj.* 煽动的 [同]demagogical 煽动的
epidemic *adj.* 流行性的,传染的 〈epi- 在上,向〉
endemic *adj.* 地方的,风土的 〈en-=in 在内〉
pandemic *adj.* 流行全国的,一般的 〈pan-=all 全〉
democrat *n.* 民主主义者 ~ic *adj.* 民主的 〈crat=rule 统治〉
demography *n.* 人口统计学 〈graph=write→统计〉
demographic *adj.* 人口统计的 *n.* 人口特征 [联]demographer 人口统计学家

demn=harm 伤害

[condemn(宣判)一词借自古法语 condamner,源自拉丁语 condemnare,由 con-+damnum(harm)构成]

condemnation *n.* 谴责，定罪，征用　　［同］conviction 定罪

condemn *vt.* 谴责，宣判 ～er *n.* 谴责者　　［同］censure 谴责

indemnity *n.* 赔偿，补偿，保证　　［同］compensation 赔偿

indemnify *vt.* 赔偿，补偿，保障　　［联］indemnification 赔偿（金）

Exercise 3

Directions: *Study the following roots and example words, and then guess the meanings of the roots.*

Root	Word	Root Meaning
1. centri	centrifuge	______
2. cert	certain	______
3. chron	chronograph	______
4. cid	decide	______
cis	excise	______
5. circ	circlet	______
cycl	cyclometer	______
6. cit	excite	______
7. civ	civic	______
8. claim	acclaim	______
clam	clamour	______
9. clin	incline	______
cliv	proclivity	______
10. coal	charcoal	______
11. close	enclose	______
clud	include	______
12. cord	concord	______
cour	courage	______
13. corp	corporal	______
14. cracy	democracy	______
15. cred	credential	______
16. cre	create	______
cres	crescent	______
crease	decrease	______

crete	concrete	______
17. crit	critic	______
18. cur	concur	______
curs	cursory	______
cour	courser	______
19. de	deity	______
div	divine	______
20. demo	democrat	______
dem	endemic	______

第三节 dens—grade

dens=to make thick 使浓厚

[condense(浓缩)一词借自中古法语 condenser,源自拉丁语 condensare(to make dense)]

dense *adj.* 深厚的 ~ness *n.* 稠密,密集 [联]density 比重,密度

densify *vt.* 使硬化,使稠密 [联]densification 浓缩,夯实

densitometry *n.* 密度计量学 ⟨-metry=measure 测量⟩

condense *vi.* &*vt.* (使)浓缩 ~r *n.* 冷凝器 [同]condensed 浓缩的

condensable *adj.* 可浓缩的,可压缩的 [反]incondensable 不能凝缩的

condensability *n.* 凝缩性 [反]incondensability 不能凝缩

condensation *n.* 浓缩,凝结 [同]concretion 凝固

dent,tooth=tooth 牙,齿

[dandelion(蒲公英)借自法语 dan-de-lion,借译自中古拉丁语 dens leonis(lion's tooth)]

dental *adj.* 牙齿的 [联]dentist 牙科医生

dentate *adj.* 有齿的,齿状的 [联]toothy 多齿的

denture *n.* (一副)假牙,托牙 [联]indenture 契约

dentifrice *n.* 牙粉,牙膏 ⟨frice→rub→polish⟩

indent *vt.* 使凹进 ~ion *n.* 首行缩进 ⟨in=into 向内⟩

edentate *adj.* 无齿的 *n.* 贫齿兽 ⟨e-=without 无⟩

bident *n.* 两叉矛,双齿工具 [联]trident 三叉戟

multidentate *adj*. 多齿的　　[反]parcidentate 少齿的
denticle *n*. 小齿　　[联]interdental 齿间的
dentoid *adj*. 齿状的，如齿的　　[同]dentiform 齿状的

derm，dermat＝skin 皮肤

[dermatitis(皮炎)一词借自希腊语 derma，由"dermat＋-itis(inflammation)"构成]

dermal *adj*. 皮肤的，真皮的　　[联]dermatoid 似皮肤的
dermatopathy *n*. 皮肤病　　[联]dermatoneuritis 神经性皮炎
hypoderm *n*. 皮下组织　　[联]epiderm 表皮
hypodermic *n*. 皮下注射 *adj*. 皮下注射用的　　[联]epidermic 外皮的
dermatology *n*. 皮肤(病)学　　[联]dermatologist 皮肤科医生
epiderm *n*. 表皮，上皮　　[同]epidermis 表皮
scleroderma *n*. 硬皮病　　〈scler＝hard 硬〉
xeroderma *n*. 皮肤干燥症　　〈xero-＝dry 干燥〉

dexter，dextr＝right 右

[ambidextrous(非常灵巧的)一词借自法语 ambidextre，源自拉丁语"ambi-＋dexter (right-handed)"]

dexter *adj*. 右边的，右侧的　　[联]dextro 右旋性的
dexterous *adj*. 灵巧的 ～ly *adv*. 巧妙地　　[同]dextrous 巧妙的
dexterity *n*. 灵巧，敏捷　　[同]adroitness 机敏
dextrad *adv*. 向右，向右侧　　〈-ad＝to 朝向〉
dextral *adj*. 右边的，用右手的　　[同]sinistral 用左手的
ambidexter *n*. 两面讨好者　　[联]ambidextrous 灵巧的
dextrorotation *n*. 右旋　　[反]levorotation 左旋
dextrorotatory *adj*. 向右旋转的　　[反]levorotatory 左旋的
dextrose *n*. 右旋糖，葡萄糖　　[反]levoglucose 左旋葡萄糖
dextroversion *n*. 右转　　[反]levoversion 左转

di，diem，diurn＝day 日子

[meridian(子午线)一词源自拉丁语 meridianus，由"medius(mid)＋dies(day)"构成]

diary *n*. 日记(本)　　[联]dairy 牛奶的
dial *n*. 日晷 *vi*. 拨电话　　〈-al ……动作或过程〉
antemeridian *adj*. 先前的(a. m.)　　[反]postmeridian 午后的(p. m.)
circadian *adj*. 昼夜的，生理节奏的　　[联]biochronometer 生物钟

Carpediem [拉]及时行乐,抓住今天 〈=seize the day〉
diarize *vi*. 写日记 [联]diarist 记日记者
diurnal *adj*. 白天的,每日的 [联]nocturnal 夜间的

dia=through, across 通过,穿过,透过

[dialect(方言)一词借自中古法语 dialecte,源自拉丁语 dialectus,源自希腊语 dialektos,由"dia-(across)+lact(speak)"构成]

diagonal *n*. 对角线 *adj*. 对角线的,斜的 〈gon=angle 角〉
diagnose *vt*. 诊断 〈gnose=recognize 认识〉
diagnosis *n*. 诊断 〈-osis ……状态〉
diagnostic *n*. 诊断 *adj*. 诊断的 [联]diagnostician 诊断专家
diagram *n*. 图解 ~matic *adj*. 图表的 〈gram=write→图〉
dialectal *adj*. 方言的, 乡音的 [联]dialectology 方言学
dialectatlas *n*. 方言地图 〈atlas 地图集〉
dialectic *adj*. 辩证的 ~s *n*. 辩证法 [同]dialectician 辩证家
dialogue *n*. 问答,对话 [联]dialogic 对话(体)的
dialyse *vt*. 透析,分离 [联]dialysis 分解,透析
dialytic *adj*. 分解的,有分离力的 〈lytic=lyse=loosen 分解〉
diameter *n*. 直径 [联]radius 半径
diaphanous *adj*. 透明的 〈phan 表象,显像〉
diaphanoscope *n*. 透明镜 〈scope 看→镜〉

dic, dict, dit=to speak, to show 说,指示

[dictionary(词典)一词借自中古拉丁语 dictionarium,源自 dictionarius,源自 dictio(word)]

abdicate *vt*. 辞退,放弃 〈ab-=away 离开〉
addict *vt*. 使……上瘾 ~ion *n*. 上瘾,入迷 [联]addicted 上瘾的
benediction *n*. 祝福 [反]malediction 诅咒
benedictory *n*. 祝福的,感谢的 [反]maledictory 诅咒的
contradict *vi*. 反驳,否认 ~ion *n*. 矛盾 [联]contradictory 矛盾的
dictate *vt*. 口述,命令 ~ion *n*. 口授,命令 [联]dictator 独裁者
diction *n*. 措辞 [联]dictionary 词典
dictograph *n*. 侦听器 〈graph=write→器〉
dictum *n*. 格言,断定 [同]proverb 格言
edict *n*. 告示,布告 〈e-=out 出〉
jurisdiction *n*. 司法权,裁判权 〈juris=law 法律〉

indict *vt.* 起诉,告发 ～ment *n.* 起诉(书) 〈in-＝against 反〉
interdict *vt.* 禁止,限制 ～ion *n.* 禁止 [同]veto,disallow
indicate *vt.* 指示,表明 ～ion *n.* 表明 [同]show,demonstrate
indicative *adj.* 叙述的,直说的 [同]indicatory 指示的
dedicate *vt.* 献身,题词 [联]dedicated 献身的,专注的
predict *vt.* 预言,预告 ～ion *n.* 预言 [联]predictor 预言者
predictive *n.* 预言的 ～ly *adv.* 预言性地 [同]prophetic 预言的
predicate *vt.* 断定,宣布 ～ion *n.* 预言 〈pre-＝before 前〉
predicament *n.* 困境,险境 [同]quandary 窘困
vindicate *vt.* 证明,辩护 ～ion *n.* 证实 〈vin＝authority 权威〉
vindicative *adj.* 起维护作用的 〈-ative 做……的〉
condition *n.* 条件,状况 ～al *adj.* 假定的 [联]precondition 前提
indite *vt.* 赋(诗),撰写 〈in-＝make 使……〉
sedition *n.* 煽动叛乱的言行,暴动 〈se-＝away 离开〉
ditto *n.* 同上,上述的人或物 〈-o ……人或物〉
preach *vt.* 说教,规劝 ～er *n.* 牧师 〈←praedicare[拉]〉
valediction *n.* 告别,临别赠言 〈vale＝farewell 再见〉
valedictory *adj.* 告别的 *n.* 告别演说 〈-ory 起……作用的〉
verdict *n.* 裁判,判决 〈ver＝true 正确,真实〉

dign＝worthy or merited 值得的

[dainty(美味)借自古法语 deintie，源自拉丁语 dignitatem,源自 dignus(worthy)]

dignify *vt.* 使高贵,增威严 [同]ennoble 使高贵
dignified *adj.* 有尊严的,庄严的,高贵的 [反]undignified 无尊严的
dignitary *n.* 权贵，高官，高僧 [联]dignitarial 显贵的
dignity *n.* 尊严,端庄,威严 [反]indignity 侮辱
condign *adj.* 罪有应得的,相当的 [联]indign 不值得的
indignant *adj.* 愤慨的 ～ly *adv.* 愤怒地 [同]wrathful 愤怒的
indignation *n.* 愤怒 [同]resentment 愤恨
daintiness *n.* 优美，过分的讲究，美味 [同]delicacy 精美

divid, divis＝to divide 分开

[individual(个人)一词源自中古拉丁文 individualis,源自拉丁语 individuus]

dividable *adj.* 可分的 [反]indivisible 不可分的

divide *vt.* 分开 *n.* ～r 分割者，间隔物　［联］divide and rule 分而治之
dividend *n.* 红利，额外津贴，年息　〈-nd 应予以……对待〉
dividing *adj.* 区分的，分划的　［同］divisional 分割的
division *n.* 分离，除法　［联］divisor 除数
individuality *n.* 个人，个性，个人特征　［反］collectivity 集体
individualism *n.* 个人主义　［反］totalitarianism 极权主义
individualize *vt.* 赋予个性　［同］personalize 个性化
subdivide *vt.* 再分，细分　［联］subdivision 再分
divorce *vt.* &*n.* 离婚　〈vorce＝vow 发誓〉

doc，doct，doctr，dox，dogma＝to teach 教

［doctor 一词借自古法语 doctour，源自中古拉丁语 doctor(adviser)，源自 docere(teach)］

docile *adj.* 驯服的，温顺的　［联］docility 顺从，可塑性
doctoral *adj.* 博士的　［同］doctorate 博士头衔
doctrine *n.* 教义，学说　［联］doctrinism 对教义的阐明
doctrinal *adj.* 学说的　〈-al 具有……特性〉
doctrinaire *n.* 教条主义者 *adj.* 空谈的　［同］theoretic 空谈的
indoctrinate *vt.* 灌输，教导 ～ion *n.* 教化　〈-ate ……动作的完成〉
document *n.* 公文 ～ary *adj.* 纪实的　［联］documental 公文的
docudrama *n.* 纪实片　〈drama 戏剧〉
docent *n.* 教员，讲师　［联］lecturer，instructor
orthodox *adj.* 正派的，传统的，教条的　〈ortho-＝straight，right 正〉
didact *n.* 教育者，说教者　〈di-＝through〉
didactic *adj.* 教学的　［联］didacticism 说教(性)
dogma *n.* 教条，信条 ～tic *adj.* 教条的　［同］creed 信条

dol＝part，share；grief 份额；痛苦

［dole 一词有两个词源：①救济物：源自日耳曼语，与 deal 有关；②悲伤：借自古法语 doel，源自通俗拉丁语 dolus，源自 dolere(grieve)］

dolor *n.* 悲哀，忧伤　［联］dollar 美元
doleful *adj.* 令人悲哀的　［同］mournful 悲伤的
indolcncc *n.* 懒散，好逸恶劳，无痛　〈in-＝not 不；-ence ……状况〉
indolent *adj.* 不活跃的，懒惰的　［反］industrious 勤奋的
condole *vi.* 吊唁，慰问 ～nt *adj.* 哀悼的　［联］condolence 吊唁，慰问

dom＝house 屋，家

[dome(圆屋顶)一词借自法语 dome，源自希腊语 doma(house，housetop)]

domestic *adj*. 家庭的 ～ly *adv*. 国内地 [同]domesticate 驯养，教化
domesticable *adj*. 可驯养的，习惯于家居的 [同]tameable 可驯服的
domicile *n*. 住处，户籍 *vt*. 定居 [联]domical 圆屋顶的
domiciliate *vi*. &*vt*. (使)定居 [联]domiciliary 住处的
semidome *n*. 半圆屋顶 〈semi-＝half 一半〉

domin＝owner，lord；tame 主人；驯服

[dominate(支配)一词源自拉丁语 dominatus(governed)，源自 dominus(lord，master)]

domination *n*. 控制，统治 [反]subordination 附属
dominant *adj*. 统治的，主要的 [同]predominant 主要的
dominance *n*. 优势，支配，统治 [同]ascendancy 优势
dominator *n*. 支配者，支配力 〈-ator 做……的人〉
domineer *vt*. 压制 ～ing *adj*. 专横跋扈的 [同]tyrannize 欺压
indomitable *adj*. 不可征服的，不屈不挠的 [同]invincible 无敌的
predominate *vi*. 支配，占优势 ～ion *n*. 优势 [同]prevail 占优势

don，dit(e)，dow，rend＝give 给

[endow(赋予)一词源自盎格鲁诺曼法语 endover，由"en-(in)＋douer(endow)"构成]

donate *vt*. 捐赠，赠给 ～ion *n*. 捐赠(物) [同]bestow 赠给
donator *n*. 捐赠者 [联]donatory 受赠人
pardon *n*. &*vt*. 原谅 ～able *adj*. 可原谅的 [联]pardoner 宽恕的人
donor *n*. 赠给者，捐献人 [联]donee 受赠者
condone *vt*. 容忍，原谅 ～ation *n*. 宽恕 [同]forgive，remit
condonable *adj*. 赎罪的，宽恕的 〈-able 倾向于……的〉
condonement *n*. 不咎，默许 〈-ment ……的行为或结果〉
antidote *n*. 解毒药，抗毒药 [联]anecdote 轶事
editor *n*. 编辑，编者，校订者 〈e-＝out〉
render *vt*. 使成为，给予 〈-er＝make 使……〉
rendition *n*. 给予，移交，翻译 〈-ition ……行为或状态〉
tradition *n*. 传统，惯例 ～al *adj*. 传统的 〈tra-＝trans 跨越〉
dowry *n*. 嫁妆 〈-ry ……类的货物〉

dorm, dormit=sleep 睡觉

[dormant(休眠的)一词借自古法语 dormant,源自拉丁动词 dormire,源自印欧语词根 drem(to sleep)]

dormiens *adj*. 休眠的,潜伏的	[联]dormient 冬眠的,蛰伏的
dormin *n*. [生化]休眠素,脱落酸	[同]abscisic acid
dormition *n*. 睡着,死亡	〈-tion 行为或状态〉
dormitory *n*. 宿舍,寝室	〈-ory=place ……的地方〉
dormitive *adj*. 安眠的 *n*. 安眠药	[同]hypnotic 安眠药
dormancy *n*. 休眠,蛰伏	〈-ancy ……行为或过程〉

drag, draw, draft, draug=拉,拖,绘画

[drag(拖)一词借自古斯堪的那维亚语 draga,源自原始日耳曼语 dragan,源自印欧语词根 dhragh(draw)]

draw *vi*. &*vt*. 拉,绘画 ~er*n*. 抽屉,开票人	[联]drawing 图画,制图
drawboard *n*. 跳板	[联]drawbolt 紧固螺栓
drawback *n*. 收回,障碍	[同]handicap 障碍
drawl *vi*. 慢吞吞地说	[联]brawl 争吵
withdraw *vt*. 撤退,拿走 ~al *n*. 移开,撤退	〈with-=back 向后〉
draft *vi*. 起草 *n*. 草稿	[联]raft 木筏
draught *n*. 通风,气流,一饮	[联]draught beer 生啤酒

drink, drunk, drench, drown=饮,喝

[drink(喝)一词源自德语 drenkan(drink),与荷兰语 drinken 和德语 trinken 有关]

drinker *n*. 喝的人,酒徒,饮水器	[联]drinking 喝酒
drinkery *n*. 酒店,酒吧间	[同]drunkery 酒馆
drunk *adj*. 喝醉的 *n*. 醉汉 ~en *adj*. 醉酒的	[联]drunkard 酒鬼,醉汉
drench *vt*. 湿透 ~er *n*. 大雨	〈drink 的变体〉

driv, drif=drive, drift 驱动,漂移

[drift(漂移)一词源自古斯堪的那维亚语 drift,源自原始日耳曼语 driftiz,源自史前印欧语词根 dhreibh(drive)]

drive *vi*. &*vt*. 驱赶,开车 ~r *n*. 司机	[联]drove 人群,畜群
drivable *adj*. 可驾驶的,可驱动的	[联]driveability 驾驶性能
driveway *n*. 汽车道,马路	[联]parkway 林荫大道
drift *n*. 漂移 *vi*. 漂流,流动 ~er *n*. 流浪者	[同]meander 闲逛

driftage *n.* 漂流，流落，风落　　［联］driftance 漂移度
driftbolt *n.* 穿钉，锚栓，系栓　　〈bolt 门闩，螺钉〉
driftweed *n.* 漂浮海藻［海草］　　［联］driftwood 浮木

drom=run 跑

［prodrome(绪论)一词借自法语 prodrome，源自近代拉丁语 prodromus，源自希腊语 prodromos(sally)，由"pro(forward)+dromos(running)"构成］

aerodrome *n.* 飞机场　　〈aero-=air 空气〉
dromond *n.* (中世纪的)大型快速帆船　　〈-ond ……物〉
hippodrome *n.* 赛马场，马戏场　　［联］motordrome 赛车道路
syndrome *n.* 综合病征，症状群　　〈syn-=together 一起〉
dromedary *n.* 善跑的骆驼，单峰骆驼　　〈-ary ……的物〉
dromometer *n.* 速度计　　［联］velocimeter 速度计
dromomania *n.* 强烈的旅行欲，漫游症　　〈mania 狂躁，癖好〉
dromophobia *n.* 行走恐怖　　〈phobia 恐惧〉

drop, drip, drib=to fall 滴

［drop(落下)一词源自原始日耳曼语 drupon，源自史前印欧语 dhreub(dew)］

droplight *n.* (可上下移动的)吊灯　　［联］dropbottom 活底，炉底板
droplet *n.* 微滴，小水珠　　［联］driblet 少许，微量
dropout *n.* 中途退学，辍学学生　　［联］dropper-in 不速之客
drip *vi.* & *vt.* (使)滴下 ～ping *n.* 滴，油滴　　［联］drib 点滴，点滴地落下
dribble *vt.* 使流下 *n.* 细流　　〈-le ……连续或反复动作〉

du, dub, doub, dupl=two 二，两，双

［duel(决斗)一词源自中古拉丁语 duellum，是拉丁语 due(two)的联想词，源自 duellum(war)］

duad *n.* 成对的东西，一对，一双　　［联］monad 单一体
dual *adj.* 二重的 ～ize *vt.* 使二元化　　［联］maul 伤害
dualism *n.* 二元论　　［联］duality 二重性
duet *n.* 二重唱，两重奏　　〈-et 做……的人〉
dubious *adj.* 半信半疑的，犹豫不决的　　［同］dubitable 可疑的
duplicate *vt.* 复写 *adj.* 两重的　　［联］duplicator 复写器
duplicity *n.* 表里不一，欺骗　　［同］guile 欺骗
duplex *adj.* 二倍的，二重的　　〈plex=plait=fold 重叠〉
double *adj.* 二重的，双倍的　　［联］doubly 双倍地

doublet *n.* 成对的东西，紧身上衣　〈-et＝small 小〉
doubt *n.* 怀疑 *vt.* 怀疑 ～less *adj.* 无疑的　[联]doubtful 怀疑的
undoubted *adj.* 无疑的，确实的　〈un-＝without 无〉
dub *vt.* 为……配音 ～bing *n.* 配音　〈经过录制和配音两次〉
balance *n.* 平衡　〈ba-＝bi-＝two；lance 天平〉
biscuit *n.* 饼干　〈bis-＝two；cuit＝cook 烹调〉

duc，duct，due＝to lead，to bring 引导，带来

[product(产品)一词源自中古拉丁语 productum，源自 producere(bring forth)]

adduce *vt.* 引证，举出　[联]educe 引出，推断出
deduce *vi.* 推论，演绎　〈de-＝from 来自〉
induce *vt.* 劝诱，归纳 ～r *n.* 诱导物　[联]seduce 勾引，吸引
conduce *vi.* & *vt.* 有益于……，导致　[联]conducive 有助于……的
duct *n.* 导管 ～less *adj.* 无管的　[联]aqueduct 沟渠，导水管
ductile *adj.* 易延展的，柔软的　[反]inductile 不能延伸的
educate *vi.* 教育 ～ion *n.* 教育，培养　[联]educative 教育(上)的
educt *n.* 离析物　[联]eduction 引出，推断
deduct *vt.* 扣除 ～ion *n.* 减除　[联]abduct 诱拐，绑架
induct *vt.* 使就职 ～ion *n.* 归纳，就职　〈in-＝into 进入〉
inductive *adj.* 诱导的，感应的，归纳的　[反]deductive 演绎的
inductivity *n.* 诱导性，感应率　[联]conductivity 传导性
inductor *n.* 授职者，感应体　[联]conductor 指挥者，导体
superinduce *vt.* 再加，再引起　〈super-＝over 超〉
introduce *vt.* 介绍，引入 ～r *n.* 介绍人　[联]introduction 介绍，引言
produce *vt.* 生产，制造 ～r *n.* 生产者　[联]production 生产，制造
productive 生产的，多产的　[联]producible 可生产的
productivity 生产力(率)　[同]productiveness 效率，赢利率
reduce *vi.* 缩减，降低 ～r *n.* 减速器　[联]reduction 缩减，还原
conduct *vt.* 指挥，传导 ～ion *n.* 传导(性)　[联]conductance 电导，传导
conduit *n.* 导管，水道　〈duit＝duct 引导〉
subdue *vt.* 征服，镇压　〈sub-＝under 在下〉
seduction *n.* 引诱，吸引力　[同]conjuration 咒语
traduce *vt.* 诽谤，中伤 ～ment *n.* 诽谤　〈tra→trans 横过〉
reproduction *n.* 再生，复制(品)　[同]replica 复制品

viaduct *n.* 栈道，高架道路 〈via＝way 道路〉

dur＝to harden or last 使坚固，持久

[during(在……期间)一词是已废弃动词 duren 的现在分词，借自古法语 durer，源自拉丁语 durare(endure)]

durable *adj.* 持久的，耐用的 [联]durative 持续性的
duration *n.* 持久，继续，期间 [联]durability 持久性，耐久性
duress *n.* 威胁，逼迫 [联]durance 禁锢，监禁
endure *vi.* 忍耐，持续 ～ing *adj.* 耐久的 [联]endurance 忍耐(力)
obdurate *adj.* 顽固的，执拗的 [联]obduracy 顽固，执拗
dour *adj.* 严厉的 ～ly *adv.* 严厉地 〈dour 是 dur 的变体〉

dyn，dynam＝power，force 力

[dynamic(动力)一词借自法语 dynamique，源自希腊语 dunamikos，源自 dynamis(power)]

dyne *n.* 达因 〈力的单位〉
dynast *n.* 君王，君主 ～ic *adj.* 朝代的 [联]dynasty 王朝，朝代
dynamic *adj.* 动力的 ～s *n.* 动力学 [反]adynamic 衰弱的
aerodynamics *n.* 空气动力学 [联]hydrodynamics 流体力学
dynamo *n.* 精力充沛的人，发电机 [联]dynamite 甘油炸药
dynaflow *n.* 流体动力传动 [联]hydrodynamic 流体动力的
dynam *n.* 力学，动力学 [联]adynamia 体力缺乏，无力

dys＝bad，abnormal 坏的，反常的

[dystrophy(营养不良)一词源自近代拉丁语 dystrophia，由希腊语词根"dys＋trophia(nourishment)"构成]

dysentery *n.* 痢疾，脏毒 〈enter＝intestines 肠〉
dysgenic *adj.* 非优生学的，劣生的 〈gen＝generation 生殖〉
dysgenesis *n.* 不孕，不育 [联]dysfunction 机能障碍(失调)
dyslexia *n.* 读写困难 〈lex＝speech 说话〉
dyspepsia *n.* 消化不良 〈peps 消化；-ia ……状况〉
dyspathy *n.* 反感，厌恶 〈pathy＝feeling 感觉〉
dysplasia *n.* 发育不良 〈plasia＝formation 形成〉

eco＝house 家，房子

[economy(经济)一词借自法语 economie，源自拉丁语 oeconomia，源自希腊语 oikonomia(household management)，到 18 世纪由于休谟，亚当·斯密等人的贡献，economics 才有了

"经济学"的意思]

economy *n.* 经济，节约　[联]economist 经济学家

economize *vi.* 节省，节约使用(on)　[同]husband 节俭地使用

economic *adj.* 经济的 ～s *n.* 经济学　[联]economical 经济的

econometrics *n.* 计量经济学　〈metr＝measure 测量〉

ecology *n.* 生态学 ～ical *adj.* 生态(学)的　[联]ecospecies 生态种

ecosphere *n.* 生态圈，生物圈　[联]ecosystem 生态系统

ecotourism *n.* 生态旅游　[联]ecotype 生态型

ecocatastrophe *n.* 生态灾难　[联]ecocide 生态灭绝

ed, es＝eat 吃

[obese(肥胖的)一词源自拉丁语 obesus(fat, plump)，源自 obedere]

edible *adj.* 可食的 ～ness *n.* 食用价值　[反]inedible 不能吃的

edibility *n.* 可食用性　[同]edibleness 可食性

obese *adj.* 极为肥胖的，肥大的　[联]obesity 肥胖(症)

ego＝I 我，自我

[egoism(自我主义)一词借自法语 egoisme，源自近代拉丁语，源自拉丁语 ego]

egotist *n.* 自我中心主义者 ～ic *adj.* 自负的　[同]egoist 自我主义者

egoistic *adj.* 利己的　[反]altruistic 利他的

egotism *n.* 自我中心，自尊自大　[联]egotize 过分强调自我

egocentric *adj.* 以自我为中心的　[联]narcissistic 自恋的

egomania *n.* 自大狂，极端利己　[联]egomaniacal 极端利己的

nonego *n.* 非我，外界，外物　[同]superego 超自我

em, empl, empt, ampl, mpt＝to procure or buy 拿，获得，买

[词根 ampl 有两个含义：①ampl＝take, prochure，表示"拿，获得"；②ampl＝large，表示"大，宽阔"]

premium *n.* 保险费，额外费用，附加费　[反]discount 折扣

redeem *vt.* 赎回，挽回 *adj.* ～ing 补偿的　[联]redemption 赎回，补救

redeemable *adj.* 可赎回的　[反]irredeemable 不能赎回的

exemplar *n.* 典型，原型 ～y *adj.* 典型的　[联]exemplify 举例证明

exempt *vt.* 使免除 ～ion *n.* 免除，免税　[同]excuse 原谅，免除

peremptory *adj.* 专横的　〈per- 加强意义〉

empty *adj.* 空的，空洞的，愚蠢的　[反]substantial 充实的

preempt *vt.* 先占 ～ion *n.* 优先权　　[联]preemptive 先发制人的
sample *n.* 样品 *vt.* 抽样调查 ～r *n.* 采样器　　[联]example 例子，举例
amplitude *n.* 广大，振幅，充足　　[同]magnitude 巨大
amplify *vt.* 放大，增强，详述　　[联]amplification 扩大
prompt *adj.* 立刻的，敏捷的　　〈pro-先；mpt＝empt〉
impromptu *adj.* 临时的，即席的　　〈im-＝not；pro-先〉

emper, empir, imper＝command, control 控制，统治

[emperor(皇帝)一词源自古法语 empereor，源自拉丁语 imperator，源自 imperare(command)]

emperor *n.* 皇帝，君主 ～ship *n.* 皇帝身份　　[联]empress 女皇，皇后
empire *n.* 帝国，统治　　[联]realm 王国，领域
imperial *adj.* 帝国的，皇帝的，庄严的　　[同]imperiality 帝王之尊
imperialist *n.* 帝国主义者 ～ic *adj.* 帝制的　　[同]jingoist 侵略主义者
imperative *adj.* 紧急的，强制的　　[联]imperatival 祈使(语气)的
imperious *adj.* 专横的，急需的　　[同]haughty 傲慢的

ence, ent, ess, est, sen＝to be 是，存在

[quintessence(精华)一词借自中古法语 quinte essence，源自中古拉丁语 quinta essentia]

absence *n.* 缺席　　[联]absent 缺席(的)
entity *n.* 存在　　〈-ity ……性质或状态〉
essence *n.* 本质，要素　　〈-ence＝-ance ……性质或状况〉
essential *adj.* 本质的，基本的 ～ity *n.* 本质　　[同]extraessential 非主要的
essentialize *vt.* 提炼，提出精髓　　〈-ize＝make 使……化〉
quintessential *adj.* 精华的，典型的　　〈quint-五←第五要素〉
presence *n.* 出席，风度　　[联]present 现在(的)
interest *n.* 兴趣，利益　　〈inter-＝between 在……中间〉
interesting *adj.* 有趣的，令人感兴趣的　　[联]interested 感兴趣的

equ, equi＝equal, even 相等，平均

[equate(使相等)借自拉丁语 aequatus，源自 aequare(make equal)，源自 aequus(equal)]

equal *adj.* 相等的 ～ize *vt.* 使相等　　[反]inequal 不平等的
equality *n.* 平等　　[反]inequality 不均等
equable *adj.* 均等的，平静的，稳定的　　[反]inequable 不均匀的
equation *n.* 等式，相等 ～al *adj.* 方程式的　　[联]equitation 骑马术

equator *n.* 赤道 ～ial *adj.* 赤道的　[联]Ecuador 厄瓜多尔
adequate *adj.* 相当的，足够的 ～ly *n.* 足够　[反]inadequate 不充足的
adequacy *n.* 相当，足够　[反]inadequacy 不充分
equidistant *adj.* 等距的　[联]equilateral 等边的
equitable *adj.* 公正的，公平的　[反]inequitable 不公平的
equitably *adv.* 公正地，合理地　[反]inequitably 不公平地
equity *n.* 公正，公平，正当性　[反]inequity 不公正
equilibrate *vt.* 使平衡，使相称　[联]equilibrium 平衡
equipollent *adj.* 力量(价值)相等的　[联]equanimity 平和，镇静
equivalent *adj.* 相等的 *n.* 相等物，等价物　[联]equivalence 相等，均等
equivocate *vi.* 模棱两可地说，支吾其词　[联]equivocal 模棱两可的
equivoque *n.* 双关语，含糊　[同]equivoke 双关语，含糊措辞
equinox *n.* 春(秋)分，昼夜平分时　〈nox＝night 夜〉
equinoctial *adj.* 赤道的，春分或秋分的　〈-ial 有……特性的〉

erg, ert＝energy, work 能量，活动，功

[energy(能量)一词借自中古法语 energie，源自拉丁语 energia，源自希腊语 energeia(activity)]

energy *n.* 能量，精力，活力　[联]energetic 精力充沛的
allergy *n.* 过敏症，反感，憎恶　〈all-＝allos 异常〉
synergy *n.* 增效作用，协同作用　〈syn-＝the same 相同〉
ergograph *n.* 示功器，测功计　[同]ergometer 测功计
ergonomics *n.* 人类工程学　〈nomi＝govern 管理〉
inert *adj.* 迟钝的 ～ia *n.* 迟钝，惰性　〈in-不；ert＝art〉

eros, erot＝love, sex 性，爱

[词根 eros 和 erot 源自希腊神话中的 Eros，Eros 相当于罗马神话中的 Cupid]

eros *n.* 性本能　〈←Eros 爱神〉
erotic *adj.* (引起)性欲的，色情的　[同]erotica 色情书籍
erotism *n.* 情欲，性爱倾向　〈-ism ……行为或态度〉
erogenous *adj.* 性感的，唤起情欲的　〈gen＝bear 生〉
erotogenesis *n.* 性冲动发生　〈-sis ……状态〉
erotology *n.* 色情文学，色情文艺　〈-ology ……学问〉
erotomania *n.* 色情狂　〈mania 狂躁〉
erotophobia *n.* 情爱恐怖，爱情恐怖　〈phobia 恐惧〉

err＝to wander 漫游，疑，错

[err(犯错)一词借自古法语 errer，源自拉丁语 errare，源自史前印欧语词根 ers(wander)]

errand *n.* 差事，跑腿，差使，使命　〈-nd ……的人或物〉
error *n.* 错误，过失　[同]erratum 错误
errant *adj.* 错误的，出轨的　[联]errancy 错误，出差
erroneous *adj.* 错误的　〈-ous 多……的，有……性质的〉
erratic *adj.* 古怪的，反常的 *n.* 怪人　〈-atic ……的(人或物)〉
aberrant *adj.* 异常的，越规的　[联]aberrance 越规，差错
aberration *n.* 离开正路，越轨　〈-ation ……状态或过程〉
arrant *adj.* 彻头彻尾的，极恶的　〈arr＝err 犯错〉
inerrable *adj.* 绝对正确的　〈in-＝without 无〉

estim＝to value 估价

[estimate(估计)一词源自拉丁语 aestimatus，源自 aestimare(value，appraise)]

estimable *adj.* 可估计的，值得尊敬的　[同]appreciable 可估计的
estimate *vt.* 估计，估算 ～ion *n.* 估计　[联]estimator 估测者
estimative *adj.* 被估计的　〈-ative 做……的〉
disestimation *n.* 轻视，厌恶　〈dis-＝against 反对〉
overestimate *vt.* &*n.* 评价过高　[同]underestimate 低估
esteem *n.* 尊重，尊敬　[反]disesteem 轻视，厌恶

ev＝age 年代

[medieval(中世纪的)一词出现于19世纪早期，源自拉丁语 medium(middle)＋aevum(age)]

medieval *adj.* 中世纪的　[联]primitive 原始的
primeval *adj.* 原始的，太古的　[联]coeval 同时代的
longevity *n.* 长寿，寿命　[联]coevality 同时代
ever *adv.* 永远，在任何时候　[反]never 从不，从来没有

exter，extr＝out 外部，出，外

[extreme(极端的)一词借自古法语 extreme，源自拉丁语 exterus 的最高级 extremus(outermost)]

external *adj.* 外部的，外国的　[反]internal 国内的
exterior *n.* 外部，外观 *adj.* 外部的　[反]interior 内部的
externality *n.* 外表，外界　[反]internality 内在(性)

extraneous *adj.* 外部的，外来的，无关的 [同]adventitious 外来的
extra *adj.* 额外的 *n.* 附加物 〈-a ……物，构成抽象名词〉
extremism *n.* 极端主义，极端性，过激论 [联]extremist 极端主义者
extreme *adj.* 极端的 ～ly *adv.* 极端地 [联]extremity 末端，尽头

fabl, fabil, fabul, fac, fat=to speak 讲，说

[fable(寓言)一词借自古法语 fable，源自拉丁语 fabula，源自 fari(speak)]

affable *adj.* 温和的，谦虚的 [反]inaffable 不和蔼的
affability *n.* 和蔼，亲切 [反]inaffability 不可言说
effable *adj.* 能被说出的，可表达的 [反]ineffable 不可言喻的
fabulist *n.* 寓言作家，寓言家 [同]fabler 寓言家
fabulous *adj.* 神话般的，难以置信的 [联]marvelous 不可思议的
confabulate *vi.* 交谈 ～ion *n.* 闲谈 [联]confabulator 闲谈者
preface *n.* 开始 *vi.* 写序言 [联]prefatory 序文的，前言的
fate *n.* 命运，宿命 ～ful *adj.* 重大的 [同]destiny 命运
fatal *adj.* 命运的，致命的 ～ity *n.* 宿命 [同]mortal 致命的

fabric=workshop, make 作坊，制造

[fabric(织物)一词借自法语 fabrique，源自拉丁语 fabrica(workshop)，源自 faber]

fabric *n.* 织物，结构 ～s *n.* 纤维织物 [同]textile 纺织品
fabricate *vt.* 捏造，装配 ～ion *n.* 制造 [同]feign 假装，捏造
fabricable *adj.* 能加工成形的 [联]fabricative 建造的
fabricant *n.* 制造者，生产者 [联]fabricator 捏造者
prefabricate *vt.* 预制 ～ion *n.* 建造，装配 [联]prefabricator 预制配件者

fac, fic=face 面

[face(脸)一词借自古法语 face，源自通俗拉丁语 facia，源自 facies(appearance)]

face *n.* 面容 *vt.* 面对 [联]enface 盖在面上
facet *n.* 小平面，刻面，平圆面 [联]facing 饰面，覆面物
facial *adj.* 脸的 [联]superficial 表面(上)的
facade *n.* 房屋的正面，外表，假象 〈-ade ……动作结果〉
deface *vt.* 损伤……外观 ～ment *n.* 毁损 [联]efface 抹去
surface *n.* 表面，外观 [联]interface 界面，接口

fac, facil, facul, fact, feas, feat, fect, fic, fict, fit=to do 做

[fact(事实)一词借自拉丁语 factum，源自拉丁语动词 facere(to do)]

fact *n.* 事实，实际 ～or *n.* 因素 [反]fiction 虚构，编造
factious *adj.* 派系的，好争论的 [联]fictitious 虚构的
faction *n.* 小集团，宗派，内讧 [联]fraction 分数，部分
factitious *adj.* 捏造的，人为的，不自然的 [同]artificial 人造的
factory *n.* 工厂 [同]manufactory 制造厂
factual *adj.* 事实的 ～ly *adv.* 确实地 [联]factuality 实在性，真实性
benefactor *n.* 恩人，捐助者 [联]malefactor 犯罪分子
benefaction *n.* 恩惠，布施 [反]malefaction 犯罪
manufacture *vt.* 制造 ～r *n.* 制造商(厂) 〈manu-＝hand 手〉
facile *adj.* 容易的 ～ly *adv.* 轻易地 [同]effortless 容易的
facilitate *vt.* 使容易，助长 ～ion *n.* 简易化 [联]facility 容易，设备
faculty *n.* 才能，机能 [同]capability，skill
facultative *adj.* 特许的 ～ly *adv.* 特许地 〈-ive ……性质的〉
facsimile *n.* 摹写，复写，写生 〈simile＝like 像……〉
factotum *n.* 杂工，打杂的人 〈-totum＝whole 全部〉
confect *n.* 糖果，蜜饯 *vt.* 调制，配制 [联]confectionery 甜食
affect *vt.* 影响，感动，假装 [联]affection 喜爱，病情
affectionate *adj.* 深情的，慈爱的 [联]affective 表达感情的
defect *n.* 瑕疵 *vi.* 背叛 ～ion *n.* 背叛 [联]defective 有缺陷的
disaffect *vt.* 隔离，离间 ～ion *n.* 不忠 [联]disaffected 不满意的
effect *n.* 影响，效果 *vt.* 引起，产生 [联]effective 有效的
effectual *adj.* 行之有效的 ～ly *adv.* 有效地 [反]ineffectual 无效的
effectuate *vt.* 贯彻，实现 ～ion *n.* 实行，奏效 [同]achieve 实现，成功
infect *vt.* 感染 ～ion *n.* 传染(病) 〈in-＝into 进入〉
infectious *adj.* 传染(性)的 [联]infective 易传染的
perfect *vt.* 使完美 ～ion *n.* 完善，圆满 [联]prefect 地方长官
prefecture *n.* 县，辖区 〈-ure 与行为有关之物〉
feat *n.* 功绩，本领 *adj.* 合适的 [同]stunt 特技
feature *n.* 特征 ～ly *adj.* 英俊的 [联]featureless 无特色的
feasible *adj.* 可行的 ～ness *n.* 可行性 [联]feasibility 可行性
malfeasant *adj.* 不法的 *n.* 犯罪者 [联]malfeasance 不法行为
defeat *vt.* 打败，战胜～ist *n.* 失败主义者 [同]triumph 获胜，打败
fetish *n.* 物神，偶像 〈fet＝fect＝do 做〉

superficial *adj*. 肤浅的 ～ly *adv*. 浅薄地　〈super- 在……上面〉
efficacy *n*. 功效，功能　[联]efficacious 有效的
efficient *adj*. 有效(率)的　[联]efficiency 效率，性能
maleficence *n*. 罪行，加害，有毒　[联]maleficient 有害的
sacrifice *n*. 牺牲 *vt*. 牺牲，把……奉献给　[联]sacrificial 牺牲的
forfeit *vt*. 丧失 *n*. 罚金，没收物　[联]forfeiture(财产等)没收
fickle *adj*. 易变的，反复无常的　[同]capricious 反复无常的
suffice *vt*. 使满足　[联]sufficiency 充足，自满
sufficient *adj*. 充分的　[反]insufficient 不足的
proficiency *n*. 精通，熟练　[联]proficient 精通的，专家
profit *n*. 利润 *vi*. 获利 ～able *adj*. 有益的　[同]profiteer 奸商
fashion *n*. 流行，样子 ～able *adj*. 流行的　[同]prevalence 流行，普遍

fail, fall, fault, fals＝to err, to deceive 犯错，欺骗

[fail(失败)一词借自古法语 falir，源自通俗拉丁语 fallire，源自 fallere(to trip)]

fail *vi*. 失败，不及格　[联]failure 失败，不及格
failing *n*. 弱点，缺陷 *adj*. 失败的　[反]unfailing 永恒的
fallible *adj*. 易错的，易受骗的　[反]infallible 万无一失的
fallacy *n*. 错误，谬论　[联]fallacious 谬误的
fallal *n*. 不值钱的装饰品　[同]bauble 廉价珠宝，小玩意儿
false *adj*. 虚伪的，错误的　[联]falsetto 假声歌手
falsify *vt*. 伪造，欺骗　[联]falsification 弄虚作假
falsity *n*. 虚伪，虚假，不忠实　[联]falsehood 谎言，假话
fault *n*. 缺点 ～y *adj*. 错误的　[联]faultless 完美的
default *n*. &*vt*. 违约 ～er *n*. 违约者　〈de-＝away 离开〉

fam, fess, fan(t)＝to speak 说话，谈论

[confess(坦白)一词借自古法语 confesser，源自拉丁语 confess，源自“con-＋fari(speak)”]

fame *n*. 名声 *vt*. 使闻名 ～d *adj*. 著名的　[反]infamy 臭名，恶行
famous *adj*. 著名的 ～ly *adv*. 出名地　[反]infamous 声名狼藉的
defame *vt*. 诽谤，毁坏 ～ation *n*. 诽谤　[联]defamatory 诽谤的
infancy *n*. 幼小，幼时，初期　[联]babyhood 幼儿期
infant *n*. 婴儿 ～ile *adj*. 婴儿(期)的　[联]infantry 步兵(总称)
confess *vi*. 承认，忏悔 ～ion *n*. 承认，忏悔　[联]concession 让步，迁就

profess *vt.* 声称 宣称 ～or *n.* 教授 [联]profession 职业，专业
professional *adj.* 专业的 *n.* 专业人士 [联]professionalize 使专业化

febr=fever 发烧

[febrile(发热的)一词借自法语 febrile，源自中古拉丁文 febrilis，源自拉丁语 febris(fever)]

febrile *adj.* 发热的 [联]febrility 发热
febrifuge *n.* 退热药 *adj.* 退热的 〈fuge=escape 逃跑〉
antifebrine *n.* 乙酰苯胺 〈-ine ……药物；退热药〉
antifebrile *adj.* 退热的 *n.* 退热药 [同]antipyretic 退烧药
fever *n.* 发烧，发热，激动不安 [联]feverous 发烧的，热病的

feder=league，treaty 信约，联邦

[federation(联邦)一词借自法语 federation，源自后期拉丁语 foederationem，源自 foederare，源自 foedus(league)]

federacy *n.* 联盟，同盟 〈-acy ……性质或状态〉
federal *adj.* 联邦(制)的 ～ize *vt.* 使成联邦 [同]antifederal 反对联邦的
federalese *n.* 联邦政府的官样文章 〈-ese ……用语或风格〉
federative *adj.* 联合的，联邦的 〈-ative 做……的〉
federate *vi.* & *vt.* (使)结成联邦 [联]confederate 联合，结盟
federation 联邦，联盟 [联]confederacy (国家间的)联盟

fend，fenc，fens=to hit 打击

[defend(保卫)一词借自古法语 defendre，源自拉丁语 defendere，由"de-(away)+fendere"构成]

defender *n.* 辩护人，拥护者 [联]fender 防御物，挡泥板
defendant *n.* 被告人 [联]accusant 控诉者
defence *n.* 辩护，防御(工事) [反]prosecution 起诉
defensible *adj.* 能防御的，能辩护的 [同]defendable 可防御的
fence *vt.* 用栅栏围住 *n.* 栅栏，剑术 [联]fencing 剑术，击剑
fencible *adj.* 能卫国的 *n.* 国防军士兵 〈-ible 能……的〉
offend *vt.* 冒犯，犯罪 ～er *n.* 罪犯，犯规者 [联]offense 冒犯，触怒

fer，fert=to bring，to bear 携带，运输

[ferry(摆渡)一词借自原始日耳曼语 farjan，源自史前印欧语词根 per(to lead)]

circumference *n.* 四周，周围 [联]circumferential 四周的
confer *vi.* & *vt.* 授予，商议 ～ence *n.* 会议 [联]defer 推迟，服从
conifer *n.* 针叶树 ～ous *adj.* 结球果的 〈coni=cone 松果〉

deference *n.* 服从，尊敬　[联]deferential 恭敬的
differ *vi.* 不同，意见不合 ～ence *n.* 差异　〈dif-＝dis→apart 分离〉
different *adj.* 不同的 ～ia *n.* 不同，差异　[联]indifferent 漠不关心的
differentiable *adj.* 可辨的，可区分的　[联]differential 有差别的
differentiability *n.* 可辨性，可微性　[联]differentiation 区分，分化
differentiate *vt.* 区分，区别，辨别　[联]merry 愉快的
infer *vt.* 推理，猜想 ～ence *n.* 推断　〈in-＝into 进入〉
inferable *adj.* 能推论的，能推理的　[联]inferential 推理的
indifference *n.* 不关心，琐事　[同]apathy 漠然
offer *vt.* 提出，提议　〈of-＝before 先前〉
offertory *n.* 贡献，捐款　〈-tory 主张……的〉
prefer *vt.* 更喜欢 ～ence *n.* 偏爱，优先权　〈pre-＝before 预先〉
preferential *adj.* 优先的，特惠的　[联]privileged 有特权的
proffer *vt.* 赠送 *n.* 贡献　〈pro-＝前；带到前面〉
refer *vi.* 参考，提及 ～ence *n.* 参考(书)　[联]referee 裁判
referential *adj.* 参考的，有关系的　〈-ial 具有……特征的〉
referendum *n.* 公民投票，普通选举　[同]plebisitum 平民
suffer *vt.* 忍受，容忍 ～er *n.* 患者　[联]sufferable 可容忍的
suffering *n.* 受难 *adj.* 受苦的，患病的　[联]sufferance 默许，忍受
transfer *n.* 迁移，传递 *vt.* 转移，转学　[联]transferance 转移作用
odoriferous *adj.* 香的，有气味的　[联]pestiferous 传染性的
fertile *adj.* 肥沃的，多产的　[联]fertility 肥沃，繁殖力
fertilize *vt.* 施肥，使受孕 ～r *n.* 化肥　〈-ize＝make 使……〉

ferv＝boil, glow 沸，热

[fervid(热情的)一词源自拉丁语动词 fervere(to boil)的过去分词 fervidus(burning)]

fervid *adj.* 热情的 ～ity *n.* 热烈，炽热　[联]perfervid 十分热情的
fervor *n.* 热烈，热情　[反]apathy 冷淡
effervesce *vi.* 沸腾，起泡 ～nce *n.* 冒泡　[联]effervescent 冒泡的
fervent *adj.* 炽热的，热情的　[联]fervency 热情，热烈

fest＝feast 盛宴，宗教节日

[festival(节日)一词借自古法语 festival，源自中古拉丁语 festivalis，源自 festum(holiday)]

festal *adj.* (宗教)节日的，喜庆的　[同]festive 节日的

festoon *n.* 花彩装饰物 *vt.* 结彩于 〈-oon ……物〉
festival *n.* 节日 *adj.* 节日的 [联]festivity 欢宴，欢庆
festivous *adj.* 节日的，欢愉的 [同]jovial 快乐的
feast *n.* 宗教节日，盛宴 〈feast←fest〉

fibr=thread 线

[fibre(纤维)一词借自法语，源自拉丁语 fibra(fibre，filament)]

fiber *n.* 纤维，光纤 [联]fiberglass 玻璃纤维
fibrin *n.* 纤维蛋白 ～ous *adj.* 纤维蛋白的 〈-in 蛋白〉
fibroid *adj.* 纤维性的 *n.* 纤维瘤 [联]fibriform 纤维状的

fict，fig=to form，mould，feign 构成，塑造，虚构

[fiction 一词借自古法语 ficcion，源自拉丁语 fictionem，源自 fingere(form，contrive)]

fiction *n.* 虚构，小说 ～al *adj.* 小说的 [反]nonfiction 写实，纪实
effigy *n.* 肖像，雕像 〈ef-=out 出〉
figment *n.* 虚构的事物 [同]daydream 幻想，空想
figure *n.* 轮廓，数字 *vi.* 计算 [联]figuration 定形，外形
configure *vt.* 使成形 ～ation *n.* 配置 [联]disfigure 损毁
fictitious *adj.* 虚构的 ～ness *n.* 虚构 [同]imaginary 虚构的
fictive *adj.* 想象的，虚构的 [联]fictile(可)塑造的
transfigure *vt.* 使变形 ～ation *n.* 变形 〈trans-跨越〉

fid=to trust，faith 信任，真，忠

[fidelity(忠实)一词借自中古法语 fidelite，源自拉丁语 fidelitas，源自 fides(faith)]

fiduciary *adj.* 信用的 *n.* 受托人 〈-ary 与……有关的〉
confide *vt.* 吐露 ～nt *adj.* 确信的 〈con-=wholly 全部〉
confidence *n.* 信心，信任，秘密 [反]diffidence 缺乏自信
confident *adj.* 确信的，有信心的 [反]diffident 缺乏自信的
confidant *n.* 心腹之人，知心朋友 [同]confidante 知心女友
perfidy *n.* 不忠实，背叛 〈per-=bad，false 坏，假〉
perfidious *adj.* 不忠实的，背信的 [同]disloyal 不忠诚的
infidel *n.* 异教徒 ～ity *n.* 不忠实，无信仰 [反]fidelity 忠诚，逼真
defy *vt.* 向……挑战，违抗 [联]defiance 挑战，蔑视
fealty *n.* 忠诚，忠实，孝顺 〈与fidelity 同源〉

fid,fiss＝to cleave or split 劈,分裂

[fissile(易裂的)一词源自拉丁语 fissilis，源自拉丁语 fissus,源自 findere(split,divide)]

bifid *adj*. 叉形的,裂成两半的　[联]multifid 多裂的

fissile *adj*. 裂变的,易分裂的　[联]fissility 易裂性

fission *n*. 分裂,裂变 ～able *adj*. 可分裂的　〈-ion ……的行为或结果〉

fissure *n*. 裂缝,沟,裂伤　[同]crevice 裂缝,缺口

fil＝thread, line, outline 线,轮廓

[filament(细丝)一词源自近代拉丁语 filamentum，源自后期拉丁语 filare,源自 filum (thread)]

filar *adj*. 线的,线状的　〈-ar 似……的,……状的〉

filiform *adj*. 线状的,丝状的　〈-form ……形状的〉

multifil *n*. 复丝,多纤丝　[联]unifilar 单根线的

file *n*. 纵列,文件夹,档案　[联]tile 瓦片,瓷砖

defile *vt*. 纵列行进,玷污 ～ment *n*. 污辱　〈de-＝down 向下〉

profile *n*. 外形,轮廓,侧面像　〈pro-＝before 前面〉

fin＝end, boundary 末尾,界限

[fin(鱼鳍)一词借自原始日耳曼语 finno,源自拉丁语 pinna,源自 spina(thorn,spine)]

finish *vi*. & *vt*. 完成,毕业 *n*. 结局　[反]begin,start

final *adj*. 最后的,决定的 *n*. 结局　[反]initial 最初的

finance *n*. 财政,金融 *vt*. 为……提供资金　[联]refinance 再筹钱

financial *adj*. 财政的,金融的　[同]monetary 金融的

financier *n*. 金融家　[联]trader 商人

finite *adj*. 有限的 ～ness *n*. 有限性　[反]infinite 无限的

infinitude *n*. 无限，无穷数，无限之物　〈-tude ……状态或程度〉

infinitesimal *n*. 无限小 *adj*. 无限小的　[同]microscopic 微小的

affinity *n*. 密切关系,亲戚,类似　〈af-＝near 近的〉

confine *vt*. 限制,管制 ～d *adj*. 受限制的　[联]define 限定,规定

definite *adj*. 明确的,一定的　[反]indefinite 不明确的

definition *n*. 定义,规定,明确　[联]delimitation 限定

dcfinitivc *adj*. 最后的,确定的　[同]conclusivc 决定性的

fine *adj*. 好的 ～ness *n*. 精致,纤细　[联]vine 葡萄树

refine *vt*. 提炼,改善 ～ment *n*. 提纯　[联]refined 精炼的

firm=firm 坚定的

[firm(坚固的)一词借自古法语 ferm，源自拉丁语 firmus，源自史前印欧语 dher(hold, support)]

firm *adj.* 坚固的 *n.* 公司 ～ness *n.* 坚实	[同]unyielding 坚硬的
infirm *adj.* 体弱的 ～ity *n.* 虚弱，疾病	[联]infirmary 医务室
affirm *vi.* &*vt.* 断言 ～ation *n.* 批准，证实	[联]affirmance 断言，确认
affirmable *adj.* 可断言的，可确定的	[联]affirmative 肯定的，赞成的
affirmant *n.* 断言者，确认者	〈-ant 进行……动作的人〉
affirmatory *adj.* 确定的，肯定的，承诺的	〈-ory 起……作用的〉
confirm *vt.* 证实 ～able *adj.* 可确定的	[联]reconfirm 再证实
confirmed *adj.* 确认了的，批准了的	[反]unconfirmed 未证实的
confirmative *adj.* 确定的，证实的	[同]confirmatory 确定的
disaffirm *vi.* &*vt.* 反驳 ～ation *n.* 否定	〈-ative 有……倾向的〉
reaffirm *vi.* &*vt.* 再断定 ～ation *n.* 再肯定	〈re-=again 再〉

fix=to fasten, fix 固定

[fix(固定)一词借自古法语 fix，源自拉丁语 figere(fasten)，源自印欧语词根 dhigw(to fix)]

fixable *adj.* 可固定的，可确定的	[联]fixative 固定物(剂)
fixate *vi.* 注视 *vt.* 使固定，注视	〈-ate=make 使成为……〉
fixture *n.* 固定设备，预定日期	[联]fixature 发胶
fixed *adj.* 固定的，确定的	[反]unfixed 不固定的
fixing *n.* 固定，设备，安装，调料	[联]fixity 固定性(物)
affix *vt.* 粘上，附上 *n.* 附加物	〈af-=ad- 加强语气〉
infix *vt.* 镶进 *n.* 插入(词)，中缀	〈in-=into 进入〉
prefix *n.* 前缀	[反]suffix 后缀
transfix *vt.* 刺穿，使惊恐 ～ion *n.* 刺穿	〈trans-=through〉
unfix *vt.* 解开，放松	〈un- 表示相反的过程〉

flam(m), flagr=to blaze 火焰

[flame 一词借自古法语 flambe，源自拉丁语 flamma，源自史前印欧语词根 bhel(burn)]

flamboyance *n.* 火红，艳丽，炫耀	[联]flamboyant 艳丽的
flameresistant *adj.* 抗火的，耐火的	[联]flameproof 防火的
flame *n.* 火焰 *vi.* 燃烧 ～less *adj.* 无火焰的	[联]flameout 熄火
flameware *n.* 烹饪用陶瓷器皿	〈ware 制品，作……用的器皿〉

flaming *adj*. 燃烧的，热情的　[联]flamingo 火烈鸟
flammable *adj*. 易燃的，可燃的　[联]combustible 易燃的
flammate *n*. 火焰色　[联]flammule 小火焰
flammation *n*. 燃烧，着火　〈-ation ……行为或状态〉
flammifer *adj*. 具火红色的　〈fer＝carry 携带，具有〉
flamy *adj*. 火焰似的，熊熊的　〈-y 充满……的〉
aflame *adj*. 燃烧的，发亮的，涨红脸的　〈a-＝on→on fire〉
inflame *vi*. &*vt*. (使)发怒 ～d *adj*. 发炎的　[联]inflamer 燃烧器
inflammable *adj*. 易燃的，易怒的　[联]nonflammable 不易燃烧的
inflammation *n*. 发火，燃烧，发炎　〈-ation ……行为或状态〉
inflammatory *adj*. 煽动性的　〈-ory 起……作用的〉
flagrant *adj*. 臭名远扬的　[联]conflagrant 燃烧的
flagrancy *n*. 极恶，臭名远扬　[联]conflagration 大火(灾)

flat＝to blow 吹

[inflate(通货膨胀)一词源自拉丁语 inflatus，源自拉丁语 inflare(blow into)]

inflator *n*. 充气者，充气机，打气筒　[联]deflator 紧缩指数
inflation *n*. 通货膨胀 ～ary *adj*. 通货膨胀的　[联]deflation 通货紧缩
inflationism *n*. 通货膨胀政策　[联]inflationist 通货膨胀论者
conflate *vt*. 合并，混合 ～ion *n*. 并合　[联]deflate 放气，紧缩
deflationary *adj*. 通货紧缩的　[联]inflationary 通货膨胀的
reflate *v*. (使)通货再膨胀　[联]reflation 通货再膨胀
flatulent *adj*. 浮夸的，肠胃气胀的　[联]flatus 气息，屁
flatter *vt*. 谄媚，奉承　[同]compliment 恭维，称赞

flect, flex＝to bend 弯曲

[reflect(反射)一词借自古法语 reflecter，源自拉丁语 reflectere(bend back)]

inflect *vt*. 使弯曲 ～ion *n*. 弯曲，变音　〈in-＝en-＝make 使……〉
inflectional *adj*. 抑扬的，屈折的　[同]inflective 屈折的
inflector *n*. 弯曲物　[联]deflector 偏导器
circumflect *vi*. 曲成圆形　〈circum-＝circl 周围〉
deflect *vi*. &*vt*. 打歪，偏离 ～ion *n*. 偏角　[联]deflected 偏离的
deflective *adj*. 偏倚的，歪斜的，偏斜的　〈-ive ……倾向的〉
reflect *vt*. 反射，映出 ～or *n*. 反射镜(体)　[联]reflected 反射的

reflectance *n.* 反射比，反射系数 〈-ance ……程度或总量〉
reflectible *adj.* 能反射的，能反照的 [联]reflecting(引起)反射的
reflection *n.* 反射，反映 *adj.* ～al 反射的 [联]reflective 沉思的，反射的
flex *n.* 弯曲 *vi.* 弯曲(关节)，显示力量 [联]reflex 反射，反折
flexiback *n.* 软背，软脊(装帧) [联]flexiplast 挠性塑料
flexible *adj.* 易弯曲的，灵活的 [反]inflexible 僵硬的
flexibility *n.* 柔韧性，灵活性，伸缩性 [同]flexility 柔韧性
flexion *n.* 弯曲 ～al *adj.* 可弯曲的 [同]flection 弯曲
flexitime *n.* 弹性上班制 [同]flextime 弹性上班制
flexivity *n.* 热弯曲率，挠度 [联]flexing 挠曲，可挠性
flexowriter *n.* 电传打字机 〈writer 打字机〉
flexual *adj.* 弯曲的 [联]flexuous 弯曲的
flexuose *adj.* 曲折的，弯曲的 [联]flexuosity 屈曲，弯曲
flexura *n.* 曲折，折曲 ～l *adj.* 曲折的 〈[单]-a→[复]-ae〉
inflex *n.* 弯曲，挠曲 [联]inflexed 内折的
deflex *vt.* 使向下弯曲 ～ion *n.* 偏斜 [联]deflexed 向下弯曲的
reflexive *adj.* 反射(性)的，反身的 [联]reflexivity 自反性

flict, flig=to strike 打击

[conflict(冲突)一词源自拉丁语 conflictus，源自拉丁动词 configere(to strike together)]

afflict *vt.* 使苦恼，折磨 ～ion *n.* 苦恼 [联]conflict 冲突，抵触
afflicting *adj.* 痛苦的 [联]conflicting 冲突的
afflictive *adj.* 带给人痛苦的，苦恼的 [联]conflictive 矛盾的
inflict *vt.* 遭受 ～ion *n.* 痛苦的经历 [联]inflictive 加以打击的
inflictable *adj.* 可处罚的 [同]punishable 可处罚的
profligate *adj.* 放荡的 *n.* 放荡的人 [联]ligate 结扎，绑

flor, flour, flower=flower 花

[flora(植物群)源自古罗马神话中的花神 Flora。Flora 嫁给了西风之神 Zephyr，Zephyr 送给她一座长满奇花异草的园子。每当春天来临，他们便手挽手漫步在花园里，一路上他们走过的地方百花齐放]

flora *n.* 植物群，植物志 ～l *adj.* 花的 [联]fauna 动物群
floret *n.* 小花 [同]floweret 小花
florid *adj.* 华丽的，重辞藻的 [联]Florida 佛罗里达州
florist *n.* 花商，花农，花卉研究者 [联]floristry 园艺

florescence *n.* 花开，花期　[联]florescent 开花的
effloresce *vi.* 开花，风化 ～nce *n.* 开花　[联]inflorescence 花，花序
floriculture *n.* 种花　[联]arboriculture 树木栽培
flourish *vi.* 繁荣 ～ing *adj.* 繁荣的　[同]prosper 繁盛，成功
flower *n.* 花 *vi.* 开花 ～er *n.* 开花植物　[联]flour 面粉
flowerage *n.* (总称)花，开花　〈-age 构成集体名词〉
flowering *n.* 开花 *adj.* 开花的　[联]flowered 花开着的
flowery *adj.* 绚丽，用花装饰的　[联]floweriness 似花，绚丽
cauliflower *n.* 花椰菜　〈cauli-＝stem 茎〉
sunflower *n.* 向日葵　[联]coneflower 金花菊
deflower *vi.* &*vt.* 摘花，奸污，蹂躏　[同]dishonor 奸污，侮辱
flirt *vt.* 调戏，调情取乐　〈flir＝flor＝flower〉

flu，flux，fluct，flow＝to flow 流动

[flow(流动)一词源自原始日耳曼语 flowan，源自史前印欧语 pleu(flow，float)]

fluid *n.* 液体 *adj.* 液体的 ～ify *vt.* 液化　[联]fluidity 流动性，流质
flush *vi.* 奔流，脸红 *adj.* 丰富的　[联]blush 脸红，害臊
fluent *adj.* 流畅的 ～ly *adv.* 流畅地　[联]fluency 流利，流畅
affluent *adj.* 富裕的，流畅的 *n.* 支流　[联]affluence 流入，汇集
confluent *adj.* 合流的 *n.* 合流河　[联]confluence 合流，汇集
effluent *adj.* 流出的 *n.* 流出物　[联]effluence 射出，发射物
influent *adj.* 流入的 *n.* 支流　[联]influence 影响，势力
influential *adj.* 有权势的，有影响的　[反]uninfluential 没有影响的
influenza *n.* 流行性感冒　〈-a ……病〉
refluent *adj.* 倒流的，回流的　[联]refluence 逆流，倒流
mellifluous *adj.* 流畅的，甜美的　〈meli 蜜〉
superfluous *adj.* 太多的，过剩的　[联]superfluity 过剩，过多
flux *n.* 流(动)，变迁　[联]reflux 倒流，逆流
afflux *n.* 流入，群集　〈af-＝ad-＝加强语气〉
influx *n.* 流入，荟萃　[反]efflux 流出(物)
flow *n.* &*vi.* 流动 ～age *n.* 流出，泛滥　[联]flowchart 流程图
inflow *n.* 流入物 *vi.* 流入，吸入　[反]outflow 溢出
onflow *n.* 湍流，洪湍　[联]overflow 溢出，淹没
overflowing *n.* 溢出(物) *adj.* 充满的　〈-ing ……行为的产物〉

fluctuate *vt.* 使波动 ～ion *n.* 波动 〈-ate＝make 使成为……〉

fluv, fluvio＝stream, river 河，江，流

[fluvial(河流的)一词借自拉丁语 fluvialis，源自拉丁语动词 fluere(to flow)]

fluvarium *n.* 自流(循环)水族馆 〈-arium＝place 场所〉

fluvent *n.* 冲积新成土 〈-ent ……生效物〉

fluvial *adj.* 河流的 ～ist *n.* 河成论者 〈-ial 有……特征的〉

fluviatic *adj.* 生长在江河中的，河川的 [联]fluviatile 河的，河流的

fluviation *n.* 流水作用 [联]fluviraption 流水冲刷作用

effluvium *n.* 恶臭，臭气 [联]effluvial 恶臭的

fluviology *n.* 河川学 [联]fluvioglacial 河冰的

fluviograph *n.* 河川水位自动记录器 [联]fluviometer 水位测量器

fluvioterrestrial *adj.* 陆河的 [联]fluviomarine 河海堆积的

foli＝leaf 叶，页

[foliage(树叶)一词借自中古法语 feuillage，源自古法语 feuille，受拉丁语 folium 的影响]

foliage *n.* 植物的叶子(总称) 〈-age 表示集合〉

foliate *vi.* 生叶 *adj.* 有叶的 [联]defoliant 脱叶剂

folio *n.* 对折纸，对开本 [联]portfolio 公文包

exfoliate *vi.* (植物)片状剥落 〈ex-＝out 出〉

perfoliate *adj.* 穿叶的，抱茎状的 〈per-＝through 穿过〉

forc, fort＝strong 强壮

[force(力量)一词借自古法语 force，源自通俗拉丁语 fortia，源自 fortis(strong)]

forceful *adj.* 强有力的，有效的 [联]forcible 强迫的

enforce *vt.* 实施，执行 ～ment *n.* 强制 [联]reinforce 加强，巩固

perforce *adv.* 必然，必要地，不得已地 〈＝by force〉

fort *n.* 堡垒，要塞 ～ify *vt.* 加强，设要塞 [联]forte 特长，强项

fortification *n.* 筑垒，防御工事 〈-ation ……行为或状态〉

fortitude *n.* 不屈不挠，刚毅 〈-itude ……性质或状态〉

effort *n.* 努力，尝试 ～less *adj.* 容易的 〈ef-＝out 出〉

fortissimo *adj.* 极强的 [联]pianissimo 极弱的

comfort *n.* 舒适 *vt.* 安慰 ～er *n.* 安慰者 [反]discomfort 不舒服

comfortable *adj.* 舒服的 [反]uncomfortable 不愉快的

form＝shape 形状

［form(形状)一词借自古法语 forme,源自拉丁语 forma(shape),源自 formare(form)］

form *n.* 形式 *vi.* &*vt.* 形成,组织　［联］formation 形成,构成
formal *adj.* 正式的 *vt.* ～ize 使正式化　［反］informal 非正式的
formality *n.* 手续,礼节　［反］informality 不拘礼节
formative *adj.* 形成的,造型的　［联］informative 提供信息的
former *adj.* 过去的,前任的　［反］latter 后者的
formulate *vt.* 公式化,简洁陈述,构想出　［联］formula 公式,客套话
conform *vt.* 使一致,使适应,遵从　［联］deform 使变形,使畸形
inform *vt.* 通知 ～ion *n.* 信息,通知　［同］notify 通知,布告
perform *vt.* 完成 ～ance *n.* 性能,表现　〈per-＝thorough 完全〉
transform *vi.* &*vt.* 改变 ～er *n.* 变压器　［联］reform 改革,改善
uniform *adj.* 一致的 *n.* 制服 ～ity *n.* 同样　［联］multiform 多形的

fortuit, fortun＝chance 偶然,运气,机会

［fortune(命运)一词借自古法语 fortune,源自拉丁语 Fortuna,即罗马神话中的命运女神］

fortunetelling *n.* 算命,占卜　［联］fortuneteller 算命者
fortunate *adj.* 幸运的 ～ly *adv.* 幸运地　［反］unfortunate 不幸的
fortune *n.* 幸运,命运　［反］misfortune 不幸
fortuitism *n.* 偶然论　［联］fortuitist 偶然论者
fortuitous *adj.* 偶然的, 幸运的　［联］fortuity 偶然, 意外
Fortuna *n.* ［罗神］福耳图那　〈命运女神〉

fra, frag, fract＝to break 分裂,折,破

［fragile(易碎的)一词借自中古法语 fragile,源自拉丁语 fragilis,源自 frangere(break)］

fraction *n.* 分数,部分 ～al *adj.* 小数的　〈-ion ……行为或状态〉
fractious *adj.* 易怒的,脾气坏的　〈-ous 有……癖的〉
fracture *vi.* 破碎 *n.* 骨折　〈-ure ……的行动或结果〉
fragile *adj.* 脆的,虚弱的,易碎的　［联］fragility 虚弱,脆弱
fragment *n.* 碎片 ～al *adj.* 碎块的　［同］segment 部分
frail *adj.* 脆弱的,易碎的 ～ty *n.* 缺点　〈-il 有……性质的〉
diffract *vi.* &*vt.* 分解,分散,绕射　〈dif-＝apart 分开〉
infringe *vt.* 违反,侵犯 ～ment *n.* 侵权　［联］infraction 违犯,违背
refract *vi.* &*vt.* (使)折射 ～or *n.* 折射物　〈re-＝back 回〉

refractory *adj.* 倔强的 *n.* 倔强的(人)　[联]refractive 折射的
refrain *vi.* 戒，抑制(from)，避免　〈re-＝back 回〉
suffrage *n.* 投票(权)　〈suf-＝under 向下〉
frangible *adj.* 易碎的，脆弱的　[联]infrangible 不可侵犯的
frangibility *n.* 脆弱(性)，易碎　[联]infrangibility 不可侵犯

frater, fratr＝brother 兄弟

[fraternal(兄弟的)一词借自古法语 fraternel，源自中古拉丁语 fraternalis，源自 fraternus]

fraternal *adj.* 友好的 ～ly *adv.* 兄弟似地　[联]sororal 姐妹的
fraternize *vi.* 结交，交友　[联]fraternization 深交，友善
fraternity *n.* 兄弟会，友爱　[联]confraternity 帮会
fratricide *n.* 杀害兄弟者　[同]friendly fire 误杀，误伤

frig, friger＝cold 冷

[frigid(寒冷的)一词借自拉丁语 frigidus，源自拉丁语动词 frigere(be cold)]

frigid *adj.* 寒冷的 ～ity *n.* 冷淡，寒冷　[反]torrid 炎热的
frigidarium *n.* 冷水浴室，保持低温的房间　〈[单]-um→[复]-a〉
refrigerate *vt.* 冷冻 ～ion *n.* 冷藏　[联]refrigerator 冰箱
refrigerant *adj.* 制冷的，消热的，退烧药　〈-ant 促进……作用的〉

front＝forehead, foremost part 前额，前部

[front(前面)一词借自古法语 front，源自拉丁语 frontem(forehead，brow)]

front *n.* 前面，前线 ～al *adj.* 正面的　[联]frontier 边疆，边境
affront *vt.* 面对，当众侮辱　[联]confront 面对，遇到
effrontery *n.* 厚颜无耻(的行为)　〈ef-＝without 无〉

fug＝to flee 逃避

[refuge(避难)一词借自古法语 refuge，源自拉丁语 refugium，源自"re-(back)＋fugere"]

fugacious *adj.* 易散去的，短暂的　[联]fugacity 挥发性
fugitive *adj.* 逃亡的，暂时的 *n.* 逃命者　[同]runaway 逃亡者
refuge *n.* 避难，避难所　[联]refugee 难民
centrifuge *n.* 分离机 *vt.* 使离心　[联]centrifugal 离心的
subterfuge *n.* 遁词，欺骗，诡计　〈subter-＝sub-＝beneath 在下面〉
insectifuge *n.* 驱虫药　[同]vermifuge 驱虫药
febrifuge *n.* 散热剂　〈febri-＝fever 发烧〉
lucifugous *adj.* 避光的　〈luci-＝light 光〉

funct=perform, do 履行，做

[function(功能)一词借自中古法语 fonction，源自拉丁语 functionem，源自拉丁语 funct]

function *n.* 功能，作用 ～al *adj.* 功能的　[联]malfunction 故障
defunct *adj.* 已倒闭的，已故的 *n.* 死者　〈de-=away 离开〉
perfunctory *adj.* 表面的，马马虎虎的　〈-ory 起……作用的〉
dysfunction *n.* 机能障碍，机能失调　〈dys-=bad, hard〉

fund, found=bottom, base 底，基础

[profound(深奥的)一词借自古法语 profund，源自拉丁语 profundus (deep, bottomless)]

profound *adj.* 深厚的 ～ity *n.* 深奥　[反]shallow 浅的，肤浅的
found *vt.* 建立 ～er *n.* 建立者　[联]abound 盛产，充满
foundation *n.* 地基，基础　[同]ground 地面，基础
founder-member *n.* 创办人，发起人　[同]originator 发起人
fundament *n.* 基础 ～al *adj.* 基本的　〈-ment ……的行为或结果〉

fus, fund, found=to pour 熔化，浇注，倾倒

[fus, fund, found 这三个词根是拉丁动词 fundere 的同源异形根，fus 的构词能力最强]

fusion *n.* 融合，熔化 ～al *adj.* 熔化的　[联]diffusion 扩散，传播
confuse *vt.* 使混乱 *n.* ～ion 混乱　[联]confound 使混乱，混淆
diffuse *vt.* 传播，发散 ～er *n.* 散布者　〈dif-=apart 离开〉
diffusedly *adv.* 散布地，普及地　[联]diffusely 广泛地
diffusible *adj.* 可传播的，扩散性的　[联]diffusive 普及的
effuse *vi.* 涌出，流出 ～ion *n.* 喷出　[联]infuse 注入，灌输
effusive *adj.* 溢于言表的 ～ness *n.* 吐露　[联]infusive 令人兴奋的
profuse *adj.* 浪费的，大方的　[联]profusion 丰富，浪费
refuse *vt.* 拒绝 *n.* 废料　[联]refusal 拒绝
suffuse *vt.* 充满，布满　[联]suffusion 充满
transfuse *vt.* 倾注，输(血)　[联]transfusion 输血，倾注
refute *vt.* 反驳，驳斥　〈fut 是 fus 的异体〉
refund *vt.* 退还 ～able *adj.* 可偿还的　〈re-=back 向后〉
foundery 铸造厂，铸造车间　[联]found 创办，建立

gam=marriagc 婚姻

[monogamy 一词借自法语 monogamie，源自后期拉丁语 monogamia，源自希腊语 monogamia]

agamous *adj.* 无婚配的,无性的 〈a-=without 无〉
neogamist *n.* 新婚者 〈neo-=new 新〉
monogamy *n.* 一夫一妻制 [联]bigamy 重婚(罪)
monogamous *adj.* 一夫一妻的 [联]bigamous 重婚的
bigamist *n.* 重婚者 [联]digamist 再婚者
digamy *n.* 再婚 〈di-=two=again 再〉
polygamy *n.* 一夫多妻制,一妻多夫制 [联]polygamous 一夫多妻的
misogamy *n.* 厌恶结婚,厌婚症 [联]misogamist 厌婚者
endogamy *n.* 同族结婚,同系交配 [联]exogamy 异族通婚
xenogamy *n.* 杂交配合,异花受粉 〈xeno-=foreign 异,外来的〉

gap=chasm 裂缝→打呵欠

[gap(缺口)一词源自古斯堪的那维亚语 gap,源自史前印欧语 ghai(yawn,gape)]

gape *vi.* 张嘴,目瞪口呆 [联]gapemouthed 目瞪口呆的
gappy *adj.* 有缺口(裂缝)的 [联]gapless 无间隙的
gaping *adj.* 张口的,多洞穴的 [联]gapped 有缺口的
gapeseed *n.* 引人注目的事物 [联]gapeworm 呵欠虫
agape *adj.* 目瞪口呆的 〈a- 加强语气〉
gabble *vi.* 咕噜 〈gab=gap;-le ……反复动作〉
gasp *vi.* 喘息(气) 〈gasp=gap〉

gastr=stomach 胃

[gastronomy(美食学)一词借自法语 gastronomie,源自希腊语 gastronomia(gastrologia 的变体)]

gastric *adj.* 胃的,胃部的 [联]gastritis 胃炎
gastroenteritis *n.* 胃肠炎 〈enter=intestines 肠〉
gastrology *n.* 烹饪学,胃病学 [联]gastrotomy 胃切开术
gastronomy *n.* 美食学,烹调法 [联]astraunomy 天文学
gastronomer *n.* 美食家 [联]astraunomer 天文学家
gastronomic *adj.* 美食(烹饪)法的 [同]gastronomical 美食学的
epigastric *adj.* 腹部的,腹上部的 〈epi-=外部,上部〉

ge=earth,soil 地,土

[geography(地理学)一词借自中古法语 geographie,源自拉丁语 geographia,源自希腊语 geographia,由"ge(earth)+graphia(description)"构成]

geography *n.* 地理(学)　[联]topography 地形学
geographer *n.* 地理学家　[联]topographer 地形学者
geographical 地理的 ～ly *adv.* 在地理上　[联]geological 地质(学)的
geophysics *n.* 地球物理学　[联]geochemistry 地球化学
geopolitics 地理政治学　[联]geoeconomics 地缘经济学
geology *n.* 地质学，地质　[联]geologist 地质学家
geometry *n.* 几何学　〈metr＝measure 测量〉
geometric *adj.* 几何(学)的　[联]geocentric 地心说的
apogee *n.* 远地点　〈apo-＝away 远离〉
perigee *n.* 近地点　〈peri-＝around 在周围〉
hypogee *n.* 地下建筑 ～al *adj.* 地下的　〈hypo-＝below 在……之下〉

gen(er)，genit，gn＝birth，kind，race 生，种，类

[gender(性别)一词借自古法语 gendre，源自拉丁语 genus，源自原始印欧语 gen(give birth)]

gender *n.* 性别 ～ist *adj.* 性别歧视的　[同]sex 性，性别
gene *n.* 基因，遗传因子　‖ gene map 基因图谱
genial *adj.* 和蔼的 ～ity *n.* 和蔼，友好　[联]genital 生殖(器)的
congenial *adj.* 同性质的，意气相投的　[联]congenital 先天的
genesis *n.* 创生，起源　[联]biogenesis 生源论
genetic *adj.* 遗传的 ～s *n.* 遗传学　[联]generic 类的，属性的
genus *n.* 种，属，概念　[联]genius 天才，才能
generate *vt.* 产生，发(电、光)　[联]regenerate 再生，重生
genuine *adj.* 真正的　〈-ine 有……性质的〉
ingenuous *adj.* 天真的，坦率的　[联]ingenious 有天才的
homogeneous *adj.* 同种的　[反]heterogeneous 不同种的
indigenous *adj.* 本地的，固有的　[联]exotic 民国的，外来的
general *adj.* 一般的 *n.* 将军 ～ize *vt.* 概括　[联]marshal 元帅
genre *n.* 类型，种类，风格　[同]category 类型
gentry *n.* 绅士们，贵族，上层阶级　〈-ry＝-ery ……集体〉
gentility *n.* 文雅，有教养　〈-ity ……性质或状态〉
genteel *adj.* 高雅的，有礼貌的　〈-eel 易于……的〉
degenerate *vi.* &*vt.* 堕落，使退化，衰减　[联]degenerative 退化的
degeneracy *n.* 退化，堕落　〈-acy ……性质或状态〉
eugenic *adj.* 优生的 ～s *n.* 优生学　[联]eugenist 优生学家

pathogeny *n.* 病原(论)　〈patho＝病,苦难〉
generous *adj.* 慷慨的,大方的　[同]lenient 仁慈的,宽大的
congener *n.* 同类的人(物)　[联]heterogen 异型杂种
primogeniture *n.* 长子身份　〈primo＝first 第一〉
primogenitor *n.* 祖先,始祖　[同]progenitor 祖先
progeny *n.* 子孙,后代　〈pro-＝before 先前〉
jaunty *adj.* 快活的,时兴的　〈jaunty←genty〉
malign *vt.* 中伤,诽谤 ～ant *adj.* 恶性的　[同]slander 诽谤
pregnant *adj.* 怀孕的,丰富的　〈pre-＝before 先前〉

ger, gest＝carry, act 带,送,行为

[gesture(手势)一词借自中古拉丁文 gestura, 源自拉丁语 gestus(posture,carriage)]

congest *vt.* 充满,拥塞 ～ion *n.* 拥挤,充血　[同]stuff,cram
digest *vi.* 消化 ～er *n.* 助消化食品　〈di-＝apart 公开,离开〉
digestible *adj.* 易消化的,可接受的　[反]indigestible 难消化的
digestive *adj.* 助消化的 *n.* 消化剂　[反]indigestive 消化不良的
suggest *vt.* 暗示,建议 ～ion *n.* 建议,启发　[联]suggestive 提示的
digestion *n.* 消化,领悟　[反]indigestion 消化不良
exaggerate *vi.* &*vt.* (使)扩大 ～ion *n.* 夸张　[联]exaggerative 夸张的
belligerent *adj.* 好战的 ～ly *adv.* 交战地　[联]belligerence 好战,交战

glaci＝ice 冰

[glacier(冰河)一词借自法语 glacier,源自古法语 glace,源自拉丁语 glacies(ice)]

glacieret *n.* 小冰川　〈-et＝small 小〉
glaciology *n.* 冰河学,冰川学　〈-ology ……学〉
glacial *adj.* 冰的,冰状的,冰河的　[反]subglacial 冰下的
glaciate *vt.* 使结冰 ～ion *n.* 冰河作用　〈-ate＝make 使……〉
preglacial *adj.* 冰河期前的　[反]postglacial 冰期后的
neoglacial *adj.* 新冰河作用的　〈neo-＝new 新的〉

gloss,glott＝tongue,word 舌头,言

[glottis(声门)一词源自希腊语 glottis, 源自 glossa(tongue)的变体 glotta]

gloss *n.* 注解,注释　[联]floss 丝绵,绒毛
glossary *n.* 词汇表,术语汇编　〈-ary 与……有关的〉
hypoglossal *adj.* 舌下的 *n.* 舌下神经　〈hypo-＝below 在……下〉

glossitis *n.* 舌炎 〈-itis ……炎症〉
epiglottis *n.* 会厌,内唇 〈epi- 在上,在中〉
polyglot *adj.* &*n.* 使用多种语言的(人) 〈poly-=many 多〉

gn, gnos, gnor=to know 知道,了解

[recognize(认出)一词借自古法语 reconoiss,源自 reconoistre,源自"re+cognoscere(know)"]

cognize *vt.* 知道,认识到 [联]cognizance 认识,审理
recognize *vt.* 认出,识别,承认 [联]recognition 认出,承认
gnosis *n.* 灵知,感悟 [联]diagnosis 诊断
gnostic *adj.* 认知的,认识的 [反]agnostic 不可知论的
diagnose *vt.* 诊断,探究 [联]diagnostic 诊断的
ignore *vt.* 不顾,抹杀 〈i-=in-=not〉
ignorant *adj.* 无知的 ~ly *adv.* 无知地 [联]ignorance 无知
prognosis *n.* 预知,预测 〈pro-=before 先,前〉
prognostic *n.* 预兆 *adj.* 预兆的 [同]omen 预兆,征兆
incognito *n.* 用假名的,化装的 〈in-=into 向内〉
precognition *n.* 预知,早知 〈pre-=before 事先〉

gon=angle 角

[trigon(三角形)一词源自希腊语 trigonos,源自 trigonos(three-cornered)]

pentagon *n.* 五角形 〈pent-=five 五〉
isogon *n.* 等角多边形 〈iso-=equal 相等的〉
goniometer *n.* 测角计,测向计 [联]goniometry 测角术
goniometric *adj.* 测角(术)的,测角计的 [同]goniometrical 测角(术)的
polygon *n.* 多边形 ~ous *adj.* 多角的 〈poly-=many 多〉
trigon *n.* 三角形 *adj.* ~ous 三角形的 [联]trapezium 梯形

grat, gree, grac=pleasing 感激,高兴

[gratitude(感激)一词借自中古法语,源自中古拉丁语 gratitudinem,源自 gratus(pleasing)]

congratulate *vt.* 祝贺 ~ion *n.* 祝贺,贺词 [联]gratulate 欢迎,祝
gratuity *n.* 赏金,赠品 [联]gratuitous 免费的
gratify *vt.* 使满足,使高兴 [联]gratification 满足
grateful *adj.* 感激的 ~ly *adv.* 感激地 [联]gratefulness 感谢
ingratiate *vt.* 迎合,讨好 [联]ingratiating 讨好的

ingrate *n.* 忘恩负义的人	〈in-=not 不;-ate ……人〉
agree *vi.* 同意 ～ment *n.* 协议,同意	[反]disagree 不同意
agreeable *adj.* 适意的,愉快的	[反]disagreeable 不合意的
grace *n.* 优雅,美丽 ～ful *adj.* 优美的	[反]graceless 不雅的
gracious *adj.* 和蔼的,亲切的	[反]ungracious 不礼貌的
disgrace *n.* 丢脸 ～ful *adj.* 丢脸的	[同]stigma 耻辱,烙印

grad=step, grade 步,级

[grade(等级)一词借自法语 grade,源自拉丁语 gradus。词根 grad 还有两个异体形式 gred 和 gree]

grading *n.* 等级,分阶段	[联]classification 分级
gradient *adj.* 步行的 *n.* 坡度,温度	[联]gradation 渐变,等级
gradual *adj.* 逐渐的 ～ly *adv.* 逐步地	〈-al 具有……特征的〉
graduate *vi.* 渐变 *n.* 毕业生	[联]graduator 分度器
postgraduate *n.* 研究生 *adj.* 毕业后的	[联]undergraduate 大学生
centigrade *adj.* 百分度的,摄氏的	〈centi-百分之一〉
degrade *vi.* 降级 ～d *adj.* 退化的	[联]retrograde 退化,堕落
ingredient *n.* 组成部分,配料	〈in-=into 进入〉
degree *n.* 级,程度,学位	〈de-=apart 分开→级别〉

Exercise 4

Directions: *Study the followings roots and example words, and then guess the meanings of the roots.*

Root	Word	Root Meaning
1. dent	dentist	________
3. dict	dictionary	________
4. divid	dividend	________
5. doc	doctrine	________
6. du	duel	________
dou	doubtful	________
7. duc	educate	________
duct	educt	________
8. due	subdue	________
9. dur	durable	________

10. ego	egocentric	______
11. emper	emperor	______
imper	imperial	______
12. equ	equilizer	______
13. err	error	______
14. ev	medieval	______
15. exter	external	______
extr	extreme	______
16. fabul	fabulist	______
fabl	affable	______
17. fabric	fabricant	______
18. fac	efface	______
fic	superficial	______
19. fact	benefactor	______
fect	perfect	______
fit	profit	______
fic	suffice	______
20. fall	fallacy	______
fault	default	______
fail	failing	______
21. fame	defame	______
fanc	infancy	______
fec	confess	______
22. fer	ferry	______
fer	conifer	______
fer	differ	______
23. fest	festival	______
24. fid	confident	______
25. fin	finalist	______
26. firm	infirm	______
27. fix	infix	______
28. flam	aflame	______
flagr	conflagrant	______

29. flex	inflexible	____________
flect	circumflect	____________
30. flict	conflict	____________
31. flower	floweret	____________
flor	florist	____________
flour	flourish	____________
32. flu	fluency	____________
33. forc	enforce	____________
fort	fortify	____________
34. form	formula	____________
form	transform	____________
35. frag	fragment	____________
36. fug	refuge	____________
37. fuse	diffuse	____________
38. gen	generate	____________
39. geo	geography	____________
40. gest	congest	____________

第四节　graph—many

gram,graph＝to write 写

[programme(节目)一词借自后期拉丁语 programma,源自希腊语 programma]

epigram *n*. 警句 ～matic *adj*. 警句的	〈epi- 在……之上,在……后面〉
programme *n*. 程序,节目 ～r *n*. 程序员	〈pro-＝before 前〉
photogram *n*. 照片,传真电报	[联]photograph 相片;摄影
biography *n*. 传记(文学)	[联]authobiography 自传
biographic *adj*. 传记的,传记体的	[同]biographical 传记的
authobiographer *n*. 自传作者	[联]biographer 传记作者
iconography *n*. 肖像画法,插图,图解	〈icon 偶像,圣像〉
epigraph *n*. 题词,碑文,铭文	[联]epigraphy 碑文,题铭
autograph *n*. 手稿 ～ic *adj*. 亲笔写成的	[联]monograph 专论,专著

lexicography *n.* 辞典编纂法　〈lexico 词〉
telegraph *n.* 电报(机)　[同]telegram 电报
topography *n.* 地形学，地貌　〈topo-＝place 地方〉
stenograph *vi.* 速记 ～er *n.* 速记员　[联]stenography 速记(法)
crystallography *n.* 结晶学，晶体学　〈crystal 晶体，结晶体〉
dictograph *n.* 侦听器　〈dicto＝speak 说〉
pictography *n.* 象形文字记载法　[联]pictograph 象形文字
selenograph *n.* 月球表面图　〈selen-＝the moon 月球〉
videographer *n.* 电视录像制作人　〈video 电视，录像机〉
ultrasonography *n.* 超声波扫描术　〈son＝sound 声音〉
tomography *n.* X 线断层摄影术　〈tom＝slice, section 切〉
thermograph *n.* 温度计　〈thermo＝heat 热〉

grav, grief, griev＝heavy 重的

[grieve(使悲伤)一词借自古法语 grever，源自拉丁语 gravis(heavy, grave)]

agravic *adj.* 无重力的，失重的　〈a-＝not 无〉
aggravate *vt.* 加重，激怒 ～ion *n.* 加重，恶化　〈ag-＝make 使……〉
grave *adj.* 严重的 *n.* 坟墓 *vt.* 雕刻　[联]engrave 雕刻
gravity *n.* 重力，严重性　[联]gravitation 吸引力
gravitate *vi.* 被吸引，受重力作用　〈-ate＝make 使……〉
gravimeter *n.* 比重计，重力计　[联]gravimetry 比重测定
gravid *adj.* 怀孕的 ～ity *n.* 妊娠，怀孕　[联]gravida 孕妇
ingravescent *adj.* (病等)越来越重的　〈-escent……缓慢开始的〉
grief *n.* 悲伤，悲痛(的事)　[联]grieve 使悲伤
grievance *n.* 牢骚，诉苦　〈-ance ……行为或过程〉
grievous *adj.* 令人忧伤的　〈-ous 有……性质的〉
aggrieve *vt.* 使烦恼，伤害 ～d *adj.* 悲痛的　〈ag-＝ad-加强语气〉

greg, herd＝flock 群，聚集

[congregate(聚集)一词源自拉丁语 congregatus，源自 congregare，源自 gregis(flock)]

gregarious *adj.* 群居的，群集的　〈-arious 充满……的〉
aggregate *vt.* 合计 *adj.* 合计的　[联]aggregation 聚集
congregate *vt.* 聚集 *adj.* 聚集的　[联]congregation 人群
disaggregate *vt.* 使崩溃，分解　[联]disaggregation 解体

segregate *vi.* & *vt.* (使)分离,隔离 [联]seggregation 隔离
egregious *adj.* 异乎寻常的 〈e-=out 出〉

gress=go,walk 走

[progress(进步)一词借自古法语 progres,源自拉丁语 progressus(going forward)]

progress *n.* 进步,前进 ~ive *adj.* 进步的 [联]regress 退步
aggress *vt.* 攻击,侵犯 ~ion *n.* 侵略 [联]aggressor 侵略者
aggressive *adj.* 侵略的 ~ly *adv.* 侵略地 [联]digressive 离题的
digress *vi.* 离题,岔开话题 ~ion *n.* 离题 〈di-=off 离开〉
congress *n.* 国会 ~ional *adj.* 国会的 [联]parliament 国会,议会
egress *n.* 运出,出口 [反]ingress 进入(权)
transgress *vt.* 超过,违背 ~ion *n.* 违法 〈trans-=across 横过,越过〉
retrogress *vi.* 倒退,退化 ~ion *n.* 衰退 〈retro-=backwards〉

grouch,grudg=unwilling 不情愿

[grouch(发牢骚)一词是废弃动词 grutch 的变体,源自古法语 grouchier(to grumble)]

grouchy *adj.* 好抱怨的,发牢骚的 [同]fussy,grumpy
grudge *vt.* 吝惜,舍不得,妒忌 [联]grudging 勉强的
begrudge *vt.* 吝惜,嫉妒 〈be- 加强意义〉
begrudgingly *adv.* 小气地,吝啬地 〈-ly 以……方式〉

guarant,warrant=to guarantee 保证

[warrant(担保)一词借自古法语 warant,源自原始日耳曼语 war(to warn,guard)]

guarantee *n.* 被保证人,保证 *vt.* 保证 [反]guarantor 保证人
guaranty *n.* 保证,保证书,抵押物 [联]warranty 担保,保证
warrant *vt.* 保证 *adj.* ~able 可保证的 [同]pledge 保证,誓言
warrantor *n.* 保证人,担保人 [反]warrantee 被担保人

gyn, gynaec=woman, female 女性,雌性

[misogyny(厌女癖)一词借自拉丁语 misogynia,源自希腊语 misogynia,源自 misogynes (woman-hater)]

gynandrous *adj.* 雌雄蕊合生的 〈-ous ……的〉
androgyny *n.* 雌雄同体(性) 〈andro-=male 雄性的〉
monogyny *n.* 一夫一妻制 [联]polygyny 一夫多妻制
monogynous *adj.* 一妻制的 [联]polygynous 一夫多妻的
philogyny *n.* 对女人喜欢,女性崇拜 [联]philogynist 喜欢女子的人

gynaecoid *adj*. 女性的,似女性的 [同]gynecoid 如妇科的
gynaeceum *n*. 闺房,雌蕊 〈-um=place 地方〉
gynaecomorphous *adj*. 具有雌性特点的 〈morph=form 形式〉
gynarchy *n*. 女人政治,女人当政 〈archy=ruling 统治〉
gynecology *n*. 妇科(学) [联]gynecologist 妇科医生
gynoecium *n*. 雌蕊群,雌蕊 〈oecium 雄蕊群〉

habit, hibit=to have or hold, to dwell 保持,居住

[habit(习惯)一词借自古法语 habit,源自拉丁语 habitus,源自 habere(to have,hold)]

habitable *adj*. 适于居住的 [同]inhabitable 可居住的
habitat *n*. (动植物)产地,住地 [联]habitant 居住者
habitation *n*. 住所,居住 [联]inhabitation 居住,居留
habituate *vt*. 使习惯于 ~ion *n*. 习惯性 [联]habitual 习惯的,平常的
inhabit *vi*. 居住 ~ant *n*. 居民,住户 [联]uninhabited 无人居住的
cohabit *vi*. (未婚者)同居 ~ant *n*. 同居者 [联]cohabitation 同居
habilitate *vi*. 提供周转资金,取得资格 〈h(have)+abili(ability)〉
rehabilitate *vt*. 使康复 ~ion *n*. 修复 〈re-=again 再〉
adhibit *vt*. 加附,粘,贴 〈ad- 加强语气〉
exhibit *vt*. 陈列,展出 ~ion *n*. 展览 [联]exhibitionist 露阴癖者
inhibit *vt*. 抑制,禁止 ~ion *n*. 抑制 [同]prohibit 禁止,阻止
inhibited *adj*. 拘谨的,压抑的 [反]uninhibited 放任的

hal, halit=to breathe 呼吸

[inhale(吸入)一词源自拉丁语 inhalare,由"in-(in)+halare(breathe)"构成]

inhale *vi*. &*vt*. 吸入 ~r *n*. 吸入器 [反]exhale 呼出,呼气
inhalant *n*. 吸入剂, 吸入器 *adj*. 供吸入的 [联]exhalant 发散管
inhalation *n*. 吸入 ~al *adj*. 吸入的 [联]exhalation 呼出,呼气
halitosis *n*. 口臭 〈-osis ……疾病〉

hap, happ=chance 机会,运气

[hap(偶然,机会)一词出现于中古英语时期,源自古斯堪的那维亚语 happ]

happy *adj*. 高兴的,幸福的 [反]unhappy 不高兴的
happiness *n*. 幸福,高兴,恰当 [反]unhappiness 痛苦
happen *vi*. (偶然)发生 [反]unhappen 未发生
haphazard *adj*. 偶然的 ~ness *n*. 随意性 [同]hit-or-miss 无计划的

mishap *n.* 空难,不幸事故 〈mis-＝not 不〉
perhaps *adv.* 可能,或许 〈per-全部,全都是机会!〉

haust＝to draw 拖,拉,抽

[exhaust(耗尽)一词借自拉丁语 exhaustus,源自 exhaurire,源自史前印欧语 aus(draw water)]

exhaustible *adj.* 可枯竭的,用得尽的 [反]inexhaustible 用不完的
exhaustibility *n.* 可竭尽性，可用尽 [反]inexhaustbility 用不尽
exhausting *adj.* 使耗尽的，令人疲乏的 [联]exhausted 耗尽的,疲倦的
exhaustive *adj.* 彻底的,详尽的 [同]detailed 详尽的
exhaustsmoke *n.* 排烟,排烟装置 〈exhaust＋smoke〉
exhaustion *n.* 疲惫，筋疲力尽 [同]burnout 筋疲力尽

hav＝possess 有,拥有

[have 一词源自原始日耳曼语的 khaf,与荷兰语 hebben 及德语 haben 有关]

haven *n.* 避难所 [联]heaven 天,天堂
havoc *n.* 浩劫,大破坏 [同]mayhem 骚乱
behave *vi.* 举动,表现 [联]behavior 行为,态度
heave *vt.* 举起,拖,拉 [同]hoist 举起,提起

heir, hered, herit＝继承(人)

[heir(继承人)一词借自盎格鲁法语 heir,源自古法语的 oir,源自拉丁语 heredem]

heir *n.* 继承人 ～ship *n.* 继承权 [联]heiress 女继承人
heirdom *n.* 继承权，继承的财产 [联]heirloom 传家宝
coheir *n.* 共同继承人 [同]successor 继承人
hereditary *adj.* 遗传的,世袭的 [联]heritable 可遗传的
heritage *n.* (文化)遗产,继承物,传统 [联]heredity 遗传(性)
inherit *vt.* 继承,继任 ～or *n.* 继承人 [联]inheritance 遗传，遗产
inheritable *adj.* 可继承的，会遗传的 [联]inheritability 遗传力

heli＝the sun 太阳

[词根 heli 来源于希腊神话中的太阳神 Helios,即泰坦巨神 Hyperion 之子,Apollo 的前任]

heliacal *adj.* 太阳的,与太阳同时出没的 [同]heliac 太阳的
heliocentric *adj.* 以太阳为中心的 [反]geocentric 地心说的
heliosis *n.* 日射病,中暑 [联]heliotherapy 日光疗法

heliosphere *n.* 日光层，日球 〈sphere 球，范围〉
heliotropism *n.*（植物）向日性，趋日性 [联]heliotropic 趋日性的
helium *n.* 氦 〈首先在太阳光谱中测得〉
heliogram *n.* 日光信号，反光信号 [联]helioscope 太阳观测镜
perihelion *n.* 近日点 [反]aphelion 远日点
isohel *n.* 等日照线 〈iso-＝equal 相等〉

heli(c)，helix＝spiral 螺旋

[helicopter(直升机)一词借自法语 helicoptere，源自希腊语"helix＋pteron(wing)"]

heliport *n.* 直升机机场 [同]helidrome 直升机机场
helilift *n.* 用直升机运输 〈lift 电梯〉
helical *adj.* 螺旋状的，螺线 [同]spiral 螺旋(线)
helicity *n.* 螺旋性 〈-ity…… 性质或状态〉
helicoid *adj.* 螺旋体的，螺旋状的 〈-oid 似……的〉
helix *n.* 螺旋结构 ～or *n.* 螺旋充气装置 [同]coil 盘卷之物

hend，hens＝hold，contain，grasp 抓住，包含，理解

[comprehend(理解)一词借自古法语 comprehender，源自拉丁语"com-＋prehendere(seize)"]

apprehend *vt.* 逮捕，理解 ～ion *n.* 忧虑 [同]capture 捕获
apprehensible *adj.* 可理解的，可了解的 [联]apprehensibility 能理解
apprehensive *adj.* 忧虑的 ～ly *adv.* 担心地 [联]comprehensive 综合的
comprehension *n.* 理解(力) [同]perception 知觉
reprehend *vt.* 责难，谴责 [联]reprehensible 应受谴责的

her，hes＝to stick 黏着

[hesitate(犹豫)一词借自拉丁语 haesitat，源自 haesitare，源自 haerere(stick，stay)]

adhere *vi.* 黏着，依附 ～nce *n.* 依附 [联]adherent 黏着的，支持者
adhesion *n.* 黏着，联结物 [联]cohesion 内聚(力)
cohere *vi.* 黏着，前后一致 ～nce *n.* 连接 〈co-＝together 共同〉
coherent *adj.* 有条理的，连贯的 [反]incoherent 不连贯的
inhere *vi.* 存在，固有 ～nce *n.* 固有，附着 [联]inherent 固有的，内在的
hesitation *n.* 犹豫，含糊，口吃 [联]hesitancy 踌躇，迟疑
hesitant *adj.* 犹豫的 ～ly *adv.* 踌躇地 [同]diffident 踌躇的

hom=man 人

[homage(敬意)一词借自古法语 homage,源自中古拉丁语 hominaticum,源自拉丁语 homo(man)]

homicide *n.* 杀人,杀人者 〈cide=kill〉

hombre *n.* 强壮的男人,汉子 [联]manly 强壮的

homuncule *n.* 侏儒,矮人 〈-ule=small 小〉

euhominid *n.* 真正人员 〈eu-=good 优良〉

hon, honor=glory, fame 荣誉

[honor(荣誉)一词借自盎格鲁法语 honour,源自古法语的 honor,源自拉丁语的 honorem(honor)]

honest *adj.* 诚实的 ~y *n.* 诚实,正直 [同]sincere 真诚的

honorific *adj.* 尊敬的,敬称的 *n.* 敬语 〈-ic 与……有关的〉

honorary *adj.* 荣誉的 *n.* 名誉学位 〈-ary 与……有关的〉

honorable *adj.* 可敬的,廉洁的 [反]dishonorable 不名誉的

hor, horr=to shudder, dread 战栗,害怕

[horrid(恐怖的)一词借自拉丁语 horridus,源自 horrere(shudder)]

abhor *vt.* 憎恶,淘汰 ~ence *n.* 憎恶 〈ab- 表示动作〉

abhorrent *adj.* 令人讨厌的 [联]abhorrence 厌恶,憎恨

horror *n.* 恐怖,嫌恶 [同]terror 恐怖

horrify *vt.* 使恐怖,使反感 〈-fy=make 使……〉

horrific *adj.* 可怕的,令人恐惧的 [同]horrible 可怕的,讨人厌的

horribly *adv.* 可怕地,非常地 [同]dreadfully 可怕地

horrendous *adj.* 可怕的 ~ly *adv.* 骇人听闻地 〈-ous 具有或充满……的〉

hosp, hospit=guest, host 客人,主人

[hospital(医院)一词借自古法语 hospital,源自后期拉丁语 hospitale(guest-house)]

hospice *n.* 济贫院,旅客招待所 [联]hostel 招待所

hospitable *adj.* 好客的,殷勤的 [反]inhospitable 不好客的

hospitality *n.* 好客,殷勤 〈-ity ……行为或状态〉

inhospitably *adv.* 冷淡地,荒凉地 [反]hospitably 亲切地

hum=earth, ground 土,地→人

[humble(谦逊的)一词借自古法语 humble,源自拉丁语 humilis,源自 humus(earth)]

humbleness *n.* 谦逊,粗鄙 [同]humility 谦恭

humiliate *vt.* 使蒙羞 ～ion *n.* 羞辱　[同]insult，dishonor
inhume *vt.* 埋葬 ～ation *n.* 埋葬　[同]inter，bury
exhume *vt.* 发掘出 ～ation *n.* 发掘　[同]disinter 掘出(尸体)
posthumous *adj.* 死后的，身后的　〈post-＝after 在后〉
hummock *n.* 小丘，岗　〈-ock＝small 小〉
human *n.* 人，人类 *adj.* 人的，有人性的　[反]inhuman 非人的
humane *adj.* 有人性，慈悲的　[反]inhuman(e) 残忍的
humanism *n.* 人道主义，人本主义　[联]humanity 人类，人性
humanize *vt.* 赋予人性，教化　[联]humanization 教化，人类化
humanitarian *n.* 人道主义者 *adj.* 博爱的　〈-arian 实行……的〉
unhuman *adj.* 非人类的，无人类属性的　[同]nonhuman 非人类的
infrahuman *adj.* 类人猿的，低于人类的　〈infra-＝below 在下〉

hydr＝water 水

[hydrogen(氢)一词借自法语 hydrogene，由希腊语"hydr-＋-gene(producing)"构成]

hydra *n.* 水螅，九头蛇　〈←hudra[希]＝water snake〉
hydrate *n.* 水合物 *vi.* &*vt.* (使)水合，水化　[联]hydrant 给水栓，消防水龙头
hydrous *adj.* 含水的，水状的　[反]anhydrous 无水的
hydrodynamic *adj.* 水力的　[同]hydraulic 水力的，液力的
hydroelectric *adj.* 水力发电的　[联]hydropower 水电
hydromechanics *n.* 流体力学　[反]hydrobiology 流体生物学
hydrology *n.* 水文学　[同]hydrography 水文地理学
hydropathy *n.* 水疗法　[联]hydrolysis 水解作用
hydrophobia *n.* 恐水病　〈phobia 恐惧〉
hydrosphere *n.* 水圈，水界　[联]hydrospace 大洋水域
hydronaut *n.* 深水潜艇驾驶员　〈naut＝sailor 水手〉
hydroextractor *n.* 脱水器　[同]dehydrator 除水器
anhydrate *vt.* 使脱水，去水　〈-ate＝make 使成为……〉
carbohydrate *n.* 碳水化合物，糖类　〈carbo- 碳〉
dehydrate *vi.* &*vt.* (使)脱水 ～ion *n.* 脱水　〈de-＝off，away〉

hyg＝healthy 健康→卫生，保健

[Hygeia 是希腊神话中"司健康的女神"，其身着白色长袍，头戴祭司冠，用饭碗喂一条蛇，她父亲是医学之神 Aesculapius]

hygiene *n.* 卫生(学)，保健学　[联]hygienist 卫生学者

hygieology *n.* 卫生学 〈-ology ……学〉
hygienic *adj.* 卫生的，保健的，清洁的 [联]hygienics 卫生学

hypno(t)＝sleep 睡眠

[hypnosis(催眠术)一词借自法语 hypnotic，源自希腊语"hypnos(sleep)＋-osis(condition)"]

hypnology *n.* 催眠学，睡眠学 〈-ology ……学问〉
hypnotic *adj.* 催眠的 ～s *n.* 安眠药 [联]hysteric 癔症的
hypnotism *n.* 催眠术研究 [联]hypnotist 施催睡术者
antihypnotic *adj.* 抗催眠的 *n.* 抗眠的药 〈anti-＝against〉
hypnotize *vt.* 对……施催眠术 [反]dehypnotize 解除催眠术
autohypnosis *n.* 自我催眠 〈auto-＝self〉

ide(a)＝see, form, idea 看，形式，观点

[idea(想法)一词借自拉丁语 idea，源自希腊语 idea，源自 idein，源自印欧语词根 weid(to see)]

ideaistic *adj.* 观念的，思想的 [联]idealistic 理想主义的
ideate *vi.* 形成概念，想象 [同]envisage 想象
ideal *n.* 理想 *adj.* 理想的 ～ism *n.* 理想主义 [联]ordeal 严峻的考验
ideograph *n.* 象形(表意)文字 [联]ideography 表意文字研究
ideology *n.* 意识形态，思想(体系) [联]ideologist 思想家
ideogram *n.* 表意文字(如汉字) 〈gram＝write 写〉

idi＝own 自己的

[idiom(习语)一词借自中古法语 idiome，源自希腊语 idioma，源自 idios(private)]

idiomatic *adj.* 成语的 ～ity *n.* 习惯表达 [同]idiomatical 成语的
idiomorphic *adj.* 自形的，整形的 [同]idiomorphous 自形的
idiomuscular *adj.* 肌肉自发的 [联]idioblast 异细胞
idiobiology *n.* 个体生物学 〈biology 生物学〉
idiochromatic *adj.* 自色的，本质光的 〈chromatic 有颜色的〉
idiocy *n.* 白痴状态，愚蠢的行为 〈-cy ……性质或状态〉
idiolect *n.* 个人语型，个人言语方式 〈lect＝speak 说〉
idiot *n.* 白痴，傻子 〈-ot ……人〉
idioglossia *adj.* 自语症，自解(言)语症 〈gloss- 舌；-ia 状况〉
idiograph *n.* 个人签名 *adj.* 个人签名的 〈graph 写〉
idiopathy *n.* 自发病，特发病 〈-pathy 病〉
idiosyncrasy *n.* (个人特有的)气质，癖好 〈syn-共同；crasy 状态〉

iden(t)=same 相同

[identity(身份)一词借自中古法语 identite,源自后期拉丁语 identitatem(sameness)]

identify *vt*. 使同一,参与,认出　[联]identifiable 可辨认的

identical *adj*. 相同的 ～ly *adv*. 相等地　[反]different 不同的

identification *n*. 鉴定,识别　[同]recognition 认识,识别

idol=image 意象

[idol(偶像)一词借自古法语 idole,源自后期拉丁语 idolum,源自希腊语 eidolon(form)]

idol *n*. 偶像,崇拜物 ～ism *n*. 过分尊崇　[同]fetish 偶像

idolize *vt*. 崇拜 ～ation *n*. 偶像化　[联]idolatrize 盲目崇拜

idolatry *n*. 偶像崇拜　[联]idolatrous 崇拜偶像的

idolater *n*. 偶像崇拜者　[联]idolatress 女性的偶像崇拜者

idolomania *n*. 崇拜狂　〈mania 狂热〉

ign=fire 火,点火

[ignite(点火)一词借自拉丁语 ignire 的过去分词 ignitus,源自 ignis(fire)]

igniter *n*. 点火器,引燃装置　[联]lighter 打火机

ignition *n*. 燃烧,点火,发火装置　[联]preignition 提前点火

preignite *vi*. 提前点火　〈pre-=before 预先〉

ignitable *adj*. 可燃的,可着火的　[联]ignitability 可燃性

ignitron *n*. 点火管,引燃管　〈-tron ……管〉

igneous *adj*. (似)火的,火成的　〈-eous 有……特性的〉

ignescent *adj*. 猝发成火焰的　〈-escent 发光的〉

imag,imit=imagine,likeness 相像,模仿

[image(影像)一词借自古法语 image,源自拉丁语 imaginem,源自拉丁语词干 imitari (imitate)]

imagery *n*. 比喻,意象,肖像　[同]icon,portrait

imagine *vt*. 想象,设想 ～ation *n*. 想象力　[同]fancy,devise

imaginable *adj*. 可想象的　[反]unimaginable 想象不到的

imaginary *adj*. 虚构的　[联]imaginative 富于想象的

imitate *vt*. 效仿,伪造 ～ion *n*. 模仿　[联]imitator 模仿者,仿效者

imitable *adj*. 可模仿的　[反]inimitable 不可仿效的

imitative *adj*. 喜模仿的,模仿的　[反]nonimitative 非模仿的

in, inner, inter, intim=within, inward, inmost 在内,向内,最内

[internal(内部的)一词借自中古拉丁语 internalis,源自拉丁语 internus,源自史前印欧语 enter]

inner *adj*. 内部的 ～most *adj*. 隐私的	[同]interior 内部的,国内的
internal *adj*. 内部的 ～ly *adv*. 本质地	[反]external 外部的
internalize *vt*. 使内在化 ～ation *n*. 内在化	〈-ize=make 使……化〉
intimate *adj*. 内部的,亲密的,密切的	[同]close,friendly
intimacy *n*. 亲切,亲密	〈-acy ……性质或状态〉

insul=island 岛

[insular(海岛的)一词源自后期拉丁语 insularis, 源自 insula(island)]

insularity *n*. 岛国,孤立,偏狭	[同]insulation 孤立,绝缘
insulate *vt*. 使隔离	[同]isolate 使隔离
insulator *n*. 绝缘,隔离者,隔离物	〈-or ……者或物〉
insulin *n*. 胰岛素	〈-in ……素〉
peninsula *n*. 半岛 ～r *adj*. 半岛(状)的	〈pen 近似,半〉

it=go 走

[visit(访问)一词借自古法语 visiter,源自拉丁语 visitare(go to see)。词根 itiner,ish,i,iss 是 it 的变体]

visitor *n*. 访问者,参观者,候鸟	[联]visitant 贵宾
exit *n*. 出口	[反]entrance 入口
obituary *n*. 讣告 *adj*. 讣告的	[联]obituarist 讣告作者
ambition *n*. 野心,雄心	〈ambi-=around 周围〉
circuit *n*. 电路,线路	〈circu-=circle 圆→循环〉
initiate *vt*. 创造,开始	[联]initial 开始的,最初的
transit *n*. &*vt*. 通过,运送 ～ion *n*. 过渡,转变	[联]transitory 短暂的
sedition *n*. 煽动言论 ～ist *n*. 煽动叛乱者	〈sed-=se-=apart 离开〉
seditionary *adj*. 骚乱煽动的 *n*. 煽动分子	〈-ary 与……有关的〉
itinerant *adj*. 巡回的	[联]itinerancy 巡回,巡游
itinerary *n*. 旅程,路线,旅行计划	〈-ary 与……有关的〉
perish *vi*. 毁灭 ～able *adj*. 易消亡的	〈per-=thorough 全部〉
transience *n*. 短暂,无常	[联]transient 短暂的,无常的
issue *vt*. 发行 ～r *n*. 发行者	〈-sue 主题→走出主题〉

ject,jet=to throw,to cast 扔

[abject(卑鄙的)一词源自拉丁语 abiectus,源自拉丁语 abicere(reject)。词根 jac 是 ject 的变体]

abjection *n.* 卑鄙,驱逐,落魄	〈-ion ……行为或状态〉
deject *vt.* 使沮丧 ~ion *n.* 沮丧,排粪	[联]dejected 失望的
dejecta *n.* 粪便,排泄物	〈-a ……物〉
eject *vi.* & *vt.* 驱逐,弹出 ~ion *n.* 喷出	〈e-=out 出,出来〉
conjecture *n.* & *vi.* 推想,估计	〈con-=together 一起〉
interject *vt.* 插话,打断 ~ion *n.* 感叹词	〈inter-=between 在……中间〉
object *n.* 物体,目标 *vt.* 反对 ~ion *n.* 反对	〈ob-=against 逆反〉
project *vt.* 放映,伸出 ~ion *n.* 规划,设计	[联]projector 放映机
projectile *n.* 抛射体,导弹	〈-ile 与……有关的〉
reject *vt.* 拒绝,抛弃 ~ion *n.* 排斥,抛弃	[反]accept 接受
subject *adj.* 服从的 *n.* 主题,臣民,学科	[联]subjection 顺从,征服
subjective *adj.* 主观的 ~ity *n.* 主观性	[反]objective 客观的
adjective *adj.* 附加的 *n.* 形容词	〈ad-=add 增加〉
traject *vt.* 传达,输送 ~ile *n.* 被抛射物	〈tra-=trans- 跨,越〉
trajectory *n.* 弹道,轨道	〈-ory 起……作用的〉
adjacent *adj.* 邻近的,毗邻的	〈ad-=towards 向……〉
jet *vt.* 射出,喷出 *n.* 喷气式飞机	〈jet=ject=throw 扔〉
jettison *n.* 抛弃,投弃货物	〈-on ……物〉

joc, jug=joke 笑话

[jocular(滑稽的)一词源自拉丁语 jocularis,源自 joculus,源自 jocus(joke)]

jocose *adj.* 滑稽的,诙谐的	〈-ose ……多的,有……的〉
jocular *adj.* 滑稽的 ~ly *adv.* 诙谐地	[联]jocularity 滑稽
jocund *adj.* 欢乐的,愉快的	〈-und ……的〉
joke *n.* 笑话,笑柄	[同]jest 笑话
juggle *vi.* 变戏法,欺骗	[联]giggle 傻笑

journ=day 一天,日期

[journal(日志)一词借自盎格鲁古法语 jurnal,源自后期拉丁语 diurnalis,源自 dies(day)]

journal *n.* 日志,期刊 ~ist *n.* 新闻记者	[同]magazine 杂志

journalese *n.* 报纸体裁　〈-ese ……用语或风格〉

journey *n.* 旅行，旅程　[同]travel，trip

adjourn *vi.* 延期，休会　〈to fix a day〉

sojourn *n.* &*vi.* 旅居 ～er *n.* 旅居者　〈so-＝under→在旅行中〉

judg，judic，juris，just＝law，judge，right 法律，判断，正直

[just(公正的)一词借自古法语 juste，源自拉丁语 justus，源自 jus(right，law)]

judge *n.* 法官 *vt.* 审判 ～ment *n.* 判断　[联]jurist 法理学家

adjudge *vt.* 判决 ～ment *n.* 判断，评价　[联]prejudge 预先判断

judicial *adj.* 司法的，法官的　[联]judiciary 法院的

judicious *adj.* 明智的 ～ly *adv.* 明断地　[反]injudicious 不聪明的

prejudice *n.* 偏见，侵害，歧视　[同]prejudiced 有偏见的

prejudicial *adj.* 引起偏见的，有损害的　[同]prejudicious 有损害的

jurisprudence *n.* 法理学，法学　〈prudence 谨慎〉

jurisconsult *n.* (民)法学家　〈consult 充当顾问〉

jurisdiction *n.* 司法权，权限　〈diction 说，措辞〉

just *adj.* 公正的，合理的 ～ness *n.* 公正　[联]justice 正义，公正

adjust *vt.* 调整 ～ment *n.* 调解，调整　[联]adjudicate 判决，宣判

junct，join＝join 连接，结合

[juncture(接合点)一词源自拉丁语 junctura，源自拉丁语 jungere(to join)]

adjunct *n.* 附件，助手 *adj.* 附属的　[联]conjunct 接合

adjunctive *adj.* 附属的，附加的　〈-ive ……性质的〉

junction *n.* 连合，联络，交接点　[联]conjunction 结合

conjunctive *adj.* 连接的 *n.* 连接词　[反]disjunctive 分离的

conjuncture *n.* 时局，时机　[联]juncture(关键)时刻

disjunction *n.* 分离，析出　[联]injunction 命令，禁令

subjunctive *adj.* 假设的 *n.* 虚拟式　〈sub-＝down 在下〉

adjoin *vt.* 毗连，邻近，使结合　[联]adjoining 毗连的

conjoin *vt.* 接合，联合，连接　[联]enjoin 命令，责成

rejoin *vt.* 再结合，重聚　[联]rejoinder 回答，反驳

subjoin *vt.* 添，增补，附加　〈sub-＝down 下面〉

join *vt.* 加入，结合，连接　[反]disjoin 使分开

joint *n.* 关节 *vt.* 结合，联合　[联]disjoint(使)脱节

jointress *n.* 享有寡妇所得产的女人 〈-ess 女……,雌……〉

jur=to swear,law 发誓,法律

[juror(陪审员)一词借自古法语 jureor,源自拉丁语 jurator,源自 jurare,源自 jur(law)]

jural *adj.* 法律上的,有关权利义务的 [同]juristic 法律的
abjure *vt.* 发誓弃绝 ~er *n.* 发誓弃绝者 〈ab-=away 离开〉
conjure *vi.* &*vt.* 恳求,施魔法 ~r *n.* 魔术师 [联]conjury 魔术
juror *n.* 评委,陪审员 [联]jury 陪审团
injure *vt.* 损害,伤害 [联]injury 伤害
perjure *vt.* 发假誓 ~r *n.* 作伪证者 [联]perjury 伪誓,伪证
injurious *adj.* 伤害的,中伤的,不公正的 [同]detrimental 有害的

juven=young 年轻的

[juvenile(少年的)一词源自拉丁语 juvenilis,源自 juvenis(young person)]

juvenescent *adj.* 变年轻的,少年的 [同]adolescent 青少年的
juvenocracy *n.* 由年轻人管理的国家 〈cracy=ruling 统治〉
rejuvenate *vi.* &*vt.* 复原,(使)变得年轻 [联]rejuvenation 返老还童

know=be aware,understand 知道,了解

[know(知道)一词源自原始日耳曼语,源自史前印欧语词根 gno,与 can 和 ken 同源]

knowable *adj.* 可知的 [反]unknowable 不可知的
knowing *adj.* 知悉的 ~ly *adv.* 故意地 [反]ignorant 无知的
knowledge *n.* 知识,学问 ~able *adj.* 博学的 [同]learning 学问
know-how *n.* 诀窍,专门技能 [同]knack 诀窍
acknowledge *vt.* 承认,答谢 ~ments *n.* 致谢 〈ac-加强语气〉

labor,labour=to toil 劳动

[labour(劳动)一词借自古法语 labour, 源自拉丁语 labor(toil, trouble)]

laboratory *n.* 实验室 〈-atory=place ……场所〉
colaborer *n.* 劳工同事 [联]co-worker 同事
collaborate *vi.* 合作 ~ur *n.* 合作者 [联]collaborative 合作的
elaborate *vt.* 竭力做 *adj.* 精益求精的 [联]elaborative 详尽的
elaboration *n.* 苦心经营 〈-ation ……行为或状态〉
labour *n.* 劳动 *vi.* 分娩 ~ed *adj.* 吃力的 [联]laboursaving 节省劳力的
labourious *adj.* 需要劳力的,吃力的 [联]laboursome 费力的
labyrinth *n.* 迷宫 〈labyr=labor〉

laps=to slip or fall 滑,落

[lapse(失足)一词源自拉丁语 lapsus, 源自拉丁语 lapsare(to slip, stumble)]

lapsable *adj*. 易变的,易犯错的　[联]lapsible 易变的
lapsus *n*. 失误, 过失　‖ lapsus calami 笔误
lapsuslinguae *n*. 口误, 失言　〈=a slip of the tongue〉
collapse *vi*. &*n*. 崩溃,失败　[联]prolapse 下垂,脱垂
collapsible *adj*. 可折叠的(椅子等)　[联]collapsibility 崩溃性
collapsar *n*. 黑洞　〈blackhole 之别称〉
elapse *vi*. 消逝,时间过去 *n*. 消逝　[联]lapse 小错,失足
relapse *n*. 旧病复发,堕落 *vi*. 复发,累犯　〈re-=again 再〉

lat=to carry, to bring, to bear 持,带,负

[translate(翻译)一词借自古法语 translater, 源自拉丁语 translatus, 源自 transferrer]

translate *vt*. 翻译 ~ion *n*. 翻译,转化　[联]translator 翻译
translative *adj*. 翻译的　〈-ive ……性质的〉
relate *vt*. 叙述,使联系　[联]ablate 融化
relation *n*. 关系,亲戚,叙述　[联]ablation 融化
relative *adj*. 相关的,相对的 *n*. 亲属　[联]kinsman 亲属
superlative *n*. 最高级 *adj*. 最高级的　[联]comparative 比较的
legislate *vi*. 立法　[联]legislature 立法机关
collate *vt*. 校对,核对 ~ion *n*. 核对　[联]delate 控告,告发
collator *n*. 校对者,整理者　[联]delator 告密者
illation *n*. 推论,演绎　〈il-=加强语气〉
illative *adj*. 推论的,演绎的　〈-ive ……性质的〉
dilate *vt*. 使扩大,使膨胀 ~ion *n*. 扩大　〈di-=dis-=apart 离开〉
elate *vt*. 使高兴,使得意 ~ion *n*. 兴高采烈　〈e-=en-=make 使……〉
ventilate *vt*. 使通风 ~ion *n*. 通风　〈vent=come→wind 风〉
ventilator *n*. 通风设备,气窗　〈-or ……物〉

later=side 边,侧

[lateral(侧面的)一词借自中古法语 lateral, 源自拉丁语 lateralis, 源自 latus(side)]

lateral *adj*. 侧面的 ~ly *adv*. 横向地　[联]bilateral 双边的
collateral *adj*. 并行的,附属的　[联]quadrilateral 四边形的
equilateral *adj*. 等边的 *n*. 等边形　[反]inequilateral 不等边的

unilateral *adj*. 单方的，片面的 [联]multilateral 多边的
patrilateral *adj*. 父系亲属的 〈patri-＝father 父亲〉
latitude *n*. 纬度，行动或言论的自由范围 [联]longitude 经度

lav, luv, lut＝to wash 洗，冲洗

[antediluvian(古老的)源自拉丁语 diluvium，源自"ante-＋diluvium"，意为"before Noah's flood"]

lavish *adj*. 浪费的 *vt*. 浪费 ～ness *n*. 浪费 [联]lavishment 浪费
lavvy *n*. 盥洗室，厕所 [同]loo 厕所
lave *vt*. 给……沐浴 ～r *n*. 水盆 [联]lavabo 洗手礼(盆)
lavation *n*. 洗涤 [联]lavement 灌洗
lavatory *n*. 洗手间，侧所 [联]lavatorial 厕所的
diluvial *adj*. 大洪水的，冲积的 [同]diluvian 冲积的
ablution *n*. 沐浴 [联]dilution 稀释
dilute *vi*. 冲稀，稀释 ～r *n*. 稀释剂 〈di-＝away 离开〉
elute *vi*. 洗提，洗脱 〈e-＝out 出〉
pollute *vt*. 污染 ～ion *n*. 污染，堕落 〈pol- 全部，冲得到处都是〉
pollutant *n*. 污染物 〈-ant ……物〉
deluge *n*. 洪水，泛滥 *vt*. 使淹没 〈lug＝away 去掉〉

lax, leas, lish＝loose 松缓

[relax(放松)一词借自古法语 relaschier，源自拉丁语 relaxare]

lax *adj*. 松弛的，含糊的 [联]wax 蜡
laxation *n*. 松弛，缓慢 〈-ation ……行为或状态〉
laxative *n*. 缓泻药 〈-ive 与……有关的〉
relax *vt*. 松弛，缓和 ～ation *n*. 放松，消遣 [联]elaxin 松弛激素
lease *vt*. 出租，租借 *n*. 租赁物(权) [联]release 释放，解除
releasor *n*. 放弃权利者，让渡人 [联]releaser 排气装置
relish *vt*. 品味 *n*. 滋味 ～ed *adj*. 被回味的 〈re-＝back，lish＝leas〉

lect, leg, lig＝to pick up, to select 捡，挑

[词根 leg，lig，lect 均源自拉丁语 legere(choose)；另，legere 还有"读"的意思]

collect *vt*. 收集，聚集 ～ion *n*. 收集物 [联]recollect 想起，回忆
collectable *adj*. 可收集的 *n*. 收藏品 [同]collectible 可收集的
collected *adj*. 镇定的 ～ness *n*. 镇定 [联]collective 使集体(的)
collectivize *vt*. 使集体化 [联]individualize 个体化

collector *n*. 收集家,收款员 [联]selector 选择者(器)
elect *vt*. 选择,选任 ～ion *n*. 当选,选举 〈e-＝out 出〉
eclectic *adj*. 折中的 〈ec-＝out 出〉
electorate *n*. 全体选民,选区 〈-ate ……的人〉
select *vt*. 挑选 *adj*. 精选的 ～ion *n*. 选择 〈se-＝apart 离开〉
selective *adj*. 精心选择的,淘汰的 〈-ive ……性质的〉
predilection *n*. 偏好,嗜好 〈pre-先;di-分开〉
intellectual *adj*. 智力的 *n*. 知识分子 [联]intellect 智力,智者
neglect *vt*. 轻视,忽略 ～ful *adj*. 疏忽的 〈neg-＝not,without 没有〉
eligible *adj*. 合格的,适宜的 [反]ineligible 不合格的
intelligent *adj*. 聪明的,智能的 [联]intelligence 聪明,智力
intelligible *adj*. 可理解的 [同]understandable 可理解的
negligence *n*. 忽略,冷淡 [联]negligent 疏忽的
negligible *adj*. 微不足道的 [同]insignificant 不重要的
elite *n*. 精华,杰出人物 〈-ite ……人〉
legion *n*. 古罗马军团,众多 [联]legend 传说,传奇人物

lect, leg, less＝speak, read 讲,读,说

[legend 一词借自古法语 legende, 源自中古拉丁语 legenda, 源自拉丁语 legere(read)]

legend *n*. 传说,传奇人物 ～ary *adj*. 传说的 [同]folklore 民间传说
legible *adj*. 可辨认的,易读的 [反]illegible 难辨认的
college *n*. 学院,高等专科学校,大学 [同]institute 学院,学会
allege *vt*. 断言,宣称,指控 [同]institute 学院,学会
lecture *n*. &*vi*. 讲课,演讲 ～r *n*. 讲师 [联]lecturer 讲师
lectern *n*. 读经台 〈-ern ……场所〉
lection *n*. 诵读的经文 [联]election 选举
lesson *n*. 课文 〈←[法]lecon＝lection〉

leg, legis＝law 法律

[legal(合法的)一词源自中古法语 legal,源自拉丁语 legalis, 源自 lex(law)]

legal *n*. 法律的,合法的 ～ly *adv*. 合法地 [反]illegal 不合法的
legalese *n*. 法律措辞, 法律术语 [联]legality 合法(性)
legalize *vt*. 公认,批准,使合法化 [同]authorize 批准
legate *n*. 使节,使者 [同]envoy 使节,外交官

legislate *vt.* 立法 ～ion *n.* 立法，法规　[联]legislative 立法(机构)的
legislator *n.* 立法者 ～ship *n.* 立法者身份　[联]legislature 立法机关
illegitimacy *n.* 不法，私生　[反]legitimacy 合法(性)
legitimate *adj.* 合法的　[反]illegitimate 私生的
loyal *adj.* 忠诚的 ～ty *n.* 忠实，忠诚　[反]disloyal 不忠诚的
delegate *n.* 代表，委员　[同]representative 代表，议员
relegate *vt.* 使降级，转移　[同]relegation 降级，驱逐

letter, liter=letter, words 字母→文字

[letter(字母)一词借自近代法语 lettre，源自拉丁语 littera(letter of the alphabet)]

lettered *adj.* 有学问的，有文化修养的　[反]unlettered 不识字的
literacy *n.* 有文化，识字　[反]illiteracy 文盲
literal *adj.* 逐字的 ～ly *adv.* 逐字地　[联]literary 文学(上)的
literate *adj.* 有文化修养的，有读写能力的　[反]illiterate 文盲的
literati *n.* 知识界，文学界，学者　〈[单]-us→[复]-i〉
literator *n.* 文人，作家　[联]literature 文学(作品)
literalism *n.* 拘泥字义，直译主义　[联]literalist 直译者
alliteration *n.* 头韵　〈-ation ……行为或状态〉
transliterate *vt.* 音译 ～ion *n.* 音译　〈trans-=across 跨越〉
obliterate *vt.* 擦去，删除　〈ob-=away 去掉〉

lev, liev=raise, lighten 升起，使轻

[relieve(解除)一词借自古法语 relever，源自拉丁语 relevare，源自 levis(light)]

lever *vt.* 用杠杆撬动(开) *n.* 杠杆　[联]leverage 杠杆作用
levee *n.* 冲积堤　〈liver 的变体←[法]levé〉
levity *n.* 轻浮，轻率，不慎重　[联]levy 征收，征税
alleviate *vt.* 减轻，使缓和　〈-ate=make 使成为……〉
elevate *vt.* 举起，提高，抬升　[联]elevator 电梯，升降机
relevant *adj.* 中肯的，有关的　[反]irrelevant 不相干的
relevance *n.* 相关性，关联　[反]irrelevance 不相关
relief *n.* 减轻，宽慰　〈-f→-ve，名清动浊〉
relieve *vt.* 解除，缓解　[同]exempt 使免除

li, lig, loy, ly=bind, tie 捆,绑,结

[rely(依靠)一词借自古法语 relier,源自拉丁语 religare,由"re-+ligare(bind)"构成]

liable *adj.* 易……的,有责任的　[同]reliable 可靠的
liability *n.* 责任,债务　[同]reliability 可靠
ligate *v.* 绑,结扎 ~ion *n.* 结扎,绑　〈-ate=make 使……〉
ligament *n.* 韧带,纽带　〈-ment ……行为或结果〉
ally *vt.* 与……结盟 *n.* 同盟者　[联]alloy 合金
alliance *n.* 结盟,同盟,联姻　[联]reliance 依赖
obligate *vt.* 强制 ~ion *n.* 义务,责任　[联]obligatory 义务的
allegiance *n.* 忠诚　〈-ance ……性质或状况〉
colligate *vt.* 捆绑,束 ~ion *n.* 捆绑　〈col-=together 一起〉
oblige *vt.* 强迫,施恩惠于　[联]obliging 有礼貌的
obligor *n.* 义务人, 债务人　[联]obligee 债权人
religion *n.* 宗教,教派　[联]religious 宗教的

libr, libel=book 书

[library(图书馆)一词借自古法语 librairie,源自拉丁语 librarium(chest for books)]

librarian *n.* 图书管理员　[联]curator 馆长
libretto *n.* 歌词,歌剧脚本　〈-etto 音乐术语〉
librettist *n.* 歌词作者,歌剧　[联]playwright 剧作家
exlibris *n.* 藏书标签　〈ex-=out,outside 外面〉
libel *vt.* 对……进行诽谤 ~ler *n.* 诽谤者　[同]slander 诽谤

liber, liver=free 自由的

[词根 liber 来源于正义女神 Justitia(朱斯提提亚)手中的天秤 Libra]

liberty *n.* 自由,解放,许可权　[联]libertyman 上岸休假船员
liberate *vt.* 解放,释放　[同]emancipate 解放
liberation *n.* 解放 ~ist *n.* 解放论者　[联]postliberation 解放后的
liberative *adj.* 释放的, 同意释放的　〈-ive ……倾向的〉
libertine *n.* 浪子,放荡不羁的人　[联]libertinism 玩乐,放荡
liberal *adj.* 自由的 ~ism *n.* 自由主义　[联]illiberal 小心眼的
deliver *vt.* 发表 ~y *n.* 递送,分娩　[联]deliverable 可交付的
deliverance *n.* 释放, 解救,解脱　〈-ance ……行为或过程〉

licen, licent, licens, licit=to allow 允许

[leisure(闲暇)一词借自近代法语 leisir,源自拉丁语 licere(be allowed)。从语源上讲,拉丁语 licere 与希腊语 schole 同义,leisure 与 school 和 scholar 皆由字根 schole 发展而来]

leisure *n.* 闲暇 *adj.* 空闲的　[同]disengaged 闲散的
licence *n.* 执照 *vt.* 特许,发许可证　[联]licensee 被许可方
licentiate *n.* 领有开业证的人　〈-ate ……人〉
licentious *adj.* 放荡的 ～ness *n.* 放肆　[同]wanton 荒唐的,放荡的
illicit *adj.* 违法的,禁止的　[反]licit 合法的,准许的

lim, limit, limin=threshold 门槛,限制

[limit(限制)一词借自中古法语的 limite,源自拉丁语 limitem 与 limen(threshold)]

limes *n.* 古罗马边境的城墙,边境　[联]times 时代
sublime *adj.* 雄伟的,令人赞叹的　〈sub-=below 在下面〉
sublimate *vt.* 使净化 ～ion *n.* 升华　〈-ate=make 使成为……〉
limit *n.* & *vt.* 限制,限定 ～ation *n.* 限制　[同]restrict, confine
limitrophe *adj.* 位于边界上的　〈-trophe 转向的〉
illimitable *adj.* 无限的,无边际的　[同]limitless 无限制的
delimit *vt.* 限制,定界 ～ation *n.* 定界　〈de-加强语气〉
eliminate *vt.* 排除,淘汰 ～ion *n.* 根除　〈e-=out 出〉

lin=line 线

[line(线路)一词借自古法语 ligne ,源自拉丁语 linea,源自 linum(linen)]

linear *adj.* 线(状)的　〈-ar ……状的,似……的〉
lineal *adj.* 直系的,正统的　[反]collateral 旁系的
lineament *n.* 线条,外形　〈-ment ……的行为或结果〉
liner *n.* 定期船(飞机)　[联]linesman 保路工,巡边员
delineate *vt.* 勾画,描述 ～ion *n.* 描绘　[同]outline 概述,画轮廓
interline *vt.* 插写进去 ～ar *adj.* 写在行间的　[联]reline 重新画线,换衬里
pipeline *n.* 管道,渠道　[联]channel 渠道,海峡
underline *vt.* 在下面画线,强调　[同]emphasize, highlight
align *vt.* 排列,排整齐 ～ment *n.* 队列　〈a- 使……;lign=lin〉

lingu=tongue, language 舌头,语言

[language(语言)一词借自古法语 langage, 源自通俗拉丁语 linguaticum,源自拉丁语 lingua(tongue)]

language *n.* 语言,语言文字 ［联］vernacular 方言
lingual *adj.* 舌头的,舌旁的 *n.* 舌音 ［联］sublingual 舌下的
bilingual *adj.* 两种语言的 ［联］multilingual 多种语言的
linguistic *adj.* 语言(学)的 ～s *n.* 语言学 ［联］linguist 语言学家

linqu=leave 离开

[delinquent(失职者)一词借自中古法语 delinquant,源自拉丁语 delinquent,源自 delinquere]

delinquency *n.* 失职,过失,犯罪 〈-ency ……性质或状况〉
relinquish *vt.* 放弃,松手放开 〈re-=back 回,向后〉
derelict *adj.* 疏忽的,被抛弃的 〈de- 加强意义〉
eclipse *n.* (日/月)食,使失色 〈ec-=out 出〉
relic *n.* 遗物,纪念物 ［同］remnant 残余
relict *adj.* 残存的 *n.* 遗物,遗孀 ［联］delict 犯罪

lith,lite=stone 石头

[lithic(石的)一词出现于 18 世纪后期,源自希腊语 lithikos,源自 lithos(stone)]

megalith *n.* 巨石 ［联］monolith 独石(块)
neolithic *adj.* 新石器时代的 ［同］paeolithic 旧石器时代的
eolithic *adj.* 原始石器时代的 〈eo-=old 旧的,超〉
lithic *adj.* 石的,结石的 ［同］lithical 石的,结石的
lithify *vi.* &*vt.* (使)岩化 ［联］lithification 岩化
lithology *n.* 岩石学 ［联］lithological 岩石的
lithosphere *n.* 岩石圈,地壳 〈sphere 圈〉
lithograph *n.* &*vt.* 平版印刷 ～y *n.* 石印 ［联］lithoprint 石版印刷
aerolite *n.* 陨石 〈aero-=air 空气〉
oolite *n.* 鲕石,鱼卵石 〈oo=egg 卵,蛋〉
topazolite *n.* 黄榴石 〈topaz 黄玉,黄宝石〉
zoolite *n.* 化石动物 〈zoo=animal 动物〉

liv, life=to live 生存

[live(生存)一词源自原始日耳曼语 liben,与德语 leben 同源,源自史前印欧语词根 leip(continue)]

live *vi.* 生存 *adj.* 生动的 *adv.* 实况地 ［联］liven 具有活力
liv(e)able *adj.* 可住的,适于居住的 ［联］lively 活泼的

livelihood *n.* 生计，谋生 [联]liveliness 活泼
livelong *adj.* 整个的 [同]entire 整个的
alive *adj.* 活着的，活泼的 [同]extant 现存的
livestock *n.* 家畜，牲畜 〈stock 家畜〉
life *n.* 生命，生活 ～r *n.* 职业军人 [联]lifesome 生动的，有力的
lifeman *n.* 先发制人者 [联]lifemanship 先发制人
lifesaver *n.* 救生者，水难救生员 [联]lifesaving 救命的
lifespan *n.* (动植物的)寿命 [同]lifetime 寿命
lifestyle *n.* 生活方式 [联]lifework 毕生的事业
lifeward *adv.* 回生地，趋向生命地 〈-ward 朝向……〉

loc, low＝place 地方，放置

[local(地方的)一词借自古法语 local，源自后期拉丁语 localis，源自 locus(place)]

local *adj.* 地方的，局部的 ～ism *n.* 地方主义 [同]locale 现场，场所
localize *vt.* 使局部化 ～ation *n.* 局部化 [联]localizable 能地方化的
localtraffic *n.* 本市通话(业务)，地方交通 〈traffic 通信量，交通〉
localite *n.* 本地人，当地居民 [联]locality 位置，地点
locate *vt.* 定位，查找 ～ion *n.* 场所 [同]relocate 重新安置
dislocate *vt.* 使脱节，弄乱 ～ion *n.* 脱臼 〈dis-＝away 离开〉
allocate *vt.* 分配，分派 ～ion *n.* 分配 [联]collocate 搭配，组合
locomobile *adj.* &*n.* 自动推进的车辆 [联]locomotion 运动，移动
locomotive *n.* 机车，动力 *adj.* 移动的 [联]motive 运动的
radiolocator *n.* 雷达，电测器 [联]radiolocation 无线电定位
lieu *n.* 代替，场所，处所 [联]in lieu of 代替
allow *vt.* 容许，承认，给予 [联]allowance 津贴，零用钱

log(y), logu＝to speak, word 说，话

[logic(逻辑)一词借自古法语 logique，源自拉丁语 logica，源自希腊语 logike，源自 logos(word，reason)]

logic *n.* 逻辑(学) ～s *n.* 逻辑学 [联]logistics 后勤，物流
logical *adj.* 逻辑(上)的 [联]illogical 不合逻辑的
logician *n.* 逻辑学家 [联]logistician 物流师
apology *n.* 道歉，谢罪，解释 [联]apologia 辩解(书)
apologize *vi.* 道歉，认错，辩护 [联]apologetic 道歉的
brachylogy *n.* 简明，省略语 〈brachy-＝short 短的〉

eulogize *vt.* 颂扬，称赞 〈eu-＝good 好，优秀〉
eulogist *n.* 赞颂者 ～ic *adj.* 赞颂的 [联]eulogy 颂词，颂文
catalogue *n.* 目录，一览表 〈cata-＝down 向下〉
decalogue *n.* 摩西的十诫 〈deca-＝ten 十〉
monologue *n.* 独白，独角戏 [联]dialogue 对话
neologism *n.* 新词 [反]cliche 陈词滥调
prologue *n.* 前言，序曲 [联]epilogue 尾声，后记
philology *n.* 语文(言)学 [联]sociology 社会学
tautology *n.* 赘述，同义反复 〈tauto＝the same 同样〉
tautologize *vt.* 重复使用同义字 〈-ize＝make 使……〉
tautologist *n.* 反复用同义字的人 [联]tautological 同义反复的
trilogy *n.* (小说、戏剧、音乐等)三部曲 〈tri-＝three 三〉

long，leng，ling＝long 长的

[along(沿着)一词源自古英语 andlang，源自原始日耳曼语"ant＋lang"，与 long 有关]

long *adj.* 长的 *vi.* 渴望 ～ish *adj.* 略长的 ‖ long price 高价
longevity *n.* 长命，长寿 [联]longeval 长命的
longitude *n.* 经度，经线 [联]latitude 纬度
longitudinal *adj.* 经度的，纵的 [联]latitudinal 纬度的
elongate *vt.* 延长，伸长 [同]prolong 延长，延期
oblong *adj.* 长方形的，矩形的 *n.* 长方形 [联]square 正方形
length *n.* 长度，一段 ～en *vt.* 延长 〈-th ……动作或过程〉
daylong *adj.* 整天的 [反]nightlong 整夜的
lifelong *adj.* 终生的 [联]womb-to-tomb 终生的
linger *vi.* 徘徊，逗留 [联]finger 手指，指状物
lunge *vi.* 冲，冲刺 [联]plunge 跳水，使陷入

loqu，locut＝to speak 说

[eloquence(雄辩)一词借自古法语 eloquence，源自拉丁语 eloquentia，由"ex-＋loqui (speak)"构成]

loquacious *adj.* 多嘴的，吵闹的 [联]loquacity 多舌，饶舌
colloquial *adj.* 会话的 ～ism *n.* 口语 [联]colloquy 谈话，对话
elocution *n.* 演说艺术 ～ary *adj.* 雄辩术的 [联]locution 惯用语
eloquent *adj.* 雄辩的，感动人心的 [联]eloquence 口才，雄辩
interlocution *n.* 对话，问答 [联]circumlocution 托词

interlocutory *adj*. 对话的，对话体的 [联]interlocutor 考官，问话者
obloquy *n*. 辱骂，遭中伤，遭指责 〈ob-=against 反对〉
soliloquy *n*. 自言自语，独白 〈sol=alone 单独〉

lumin, luc, lust, lustr=light, shine 光，照射

[lucid(清楚的)一词借自拉丁语 lucidus，源自 lucere(shine)，源自 lux(light)]

luminary *n*. 天体，发光体，杰出人物 [联]luminosity 光辉，光度
luminous *adj*. 闪光的，发亮的，灿烂的 〈-ous 拥有或充满……的〉
illuminate *vt*. 照亮 ～ion *n*. 照明，阐明 〈il- 加强词义或语气〉
relumine *vt*. 重新点燃，使重新照亮 〈re-=again 再〉
Lucifer 撒旦，金星 〈fer=bear, carry 携带〉
lucency *n*. 光亮，透明 〈-ency ……程度或状况〉
elucidate *vt*. 阐明，解释 〈e-=out 出〉
noctilucent *adj*. 夜里发光的，夜光的 〈nocti-=night 夜〉
pellucid *adj*. 透明的，清澈的 〈pel-=through 透过〉
translucent *adj*. 半透明的 [同]semitransparent 半透明
illustrate *vt*. 说明 ～ion *n*. 说明，图解 [联]illustrious 辉煌的
luster *n*. 光泽，光彩 [联]lustrous 有光泽的，光彩的
lusty *adj*. 强壮的，精力充沛的 [同]vigorous, robust

lud, lus=sport, play 玩弄，游戏

[词根 lud, lus 来自拉丁语 ludere 及其过去分词 lusum，其含义是"to play or mock"]

allude *vt*. 提及，暗指 [联]allusion 暗指，引喻
delude *vt*. 欺骗 [联]delusion 欺骗，迷惑
elude *vt*. 躲避 [联]elusion 逃避，规避
prelude *n*. 序曲，先驱 [联]prelusion 前奏，序幕
collude *vi*. 密谋，共谋 [联]collusion 共谋，勾结
illude *vt*. 欺骗，置……于幻觉中 [联]illusion 错觉，幻觉
elusive *adj*. 难懂的，难以捉摸的 [联]illusive 幻影的
ludicrous *adj*. 滑稽的，可笑的 [同]ridiculous, absurd

lun=the moon 月亮

[lunatic(精神错乱的)借自拉丁语 lunaticus，源自 luna，相传人的发狂受月亮女神 Luna 的影响]

Luna *n*. 露娜(罗马神话中的月亮神) [联]Selene 月亮女神

lunar *adj*. 月的，月形的　　[联]solar 太阳的
lunate *adj*. 新月形的，月牙形的　　〈-ate ……性质的〉
lunacy *n*. 疯狂，精神错乱　　[联]lunatic 疯狂的，疯子
lunarnaut *n*. 登月宇航员　　〈naut＝sailor 水手〉
semilunar *adj*. 半月形的，月牙形的　　〈semi-＝half 半〉

mach, mechan＝machine 机器，机械

[machine(机器)一词借自中古法语 machine，源自拉丁语 machina，源自希腊语 makhana (device)]

machinery *n*. [总称]机器　　[同]mechanism 机制，机械装置
machineshop *n*. 机工车间，机器房　　[联]workshop 车间，研究会
machining *n*. 加工　　〈-ing 构成不可数名词〉
mechanic *n*. 技工 ～s *n*. 力学，机械学　　[联]machinist 机械师，机工
mechanical *adj*. 机械的 ～ly *adv*. 机械地　　〈-al 具有……特征的〉
mechanize *vt*. 使机械化 ～ation *n*. 机械化　　〈-ize＝make 使……化〉

mag＝sorcery 魔术

[magician(魔术师)一词借自法语 magique，源自拉丁语 magica，与希腊语 magike 和波斯语 magos 有关]

magic *adj*. 魔术的，不可思议的 *n*. 魔法　　‖ magic mirror 哈哈镜
magician *n*. 魔术师，巫师　　[同]magus 魔术家，占星家
magical *adj*. 迷人的 ～ly *adv*. 神奇般地　　〈-al 属于……特征的〉
magicam *n*. 魔相机　　[联]magicsquare 幻方
magazine *n*. 杂志　　[联]magazinist 杂志编辑

magn, maj, max, mega＝great, important 巨大，重要

[mayor(市长)与 major(主要的)同源，借自古法语 maire，源自拉丁语 major(larger)]

magnanimous *adj*. 大度的，宽宏大量的　　〈anim＝spirit 心神→气度〉
magnate *n*. 富豪，权贵，大企业家　　[联]magnifico 高官，要人
magnify *vt*. 放大 ～ication *n*. 放大(率)　　〈-fy＝make 使……〉
magnificent *adj*. 壮丽的，雄伟的　　[联]magnificence 壮丽，壮严
magniloquent *adj*. 夸大的　　〈loquent 说话的〉
magnitude *n*. 巨大，重大　　[联]amplitude 广大
Majesty *n*. 陛下，主权，王权　　[联]majestic 威严的，壮丽的
major *adj*. 主要的 ～ity *n*. 多数，法定年龄　　[反]minor 次要的

maxim *n.* 格言,座右铭,普遍真理 [同]motto 座右铭
maximin *n.* 使得点最多的战术,极大极小 〈min=small 小〉
maximize *vt.* 把……增加到最大限度 [反]minimize 极度轻视
maximum *adj.* 最大的 *n.* 最大,最多 [反]minimum 最小量
climax *n.* 顶点,高潮,极点 〈←culmination〉
megalith *n.* 巨石 ~ic *adj.* 巨石的 〈lith-=stone 石〉
megacycle *n.* 兆周 [联]megahertz 兆赫
megaphone *n.* 扩音器 [联]muffler 消音器
megawatt *n.* 兆瓦 〈watt 瓦特〉
megacephalous *adj.* 大头的 〈cephal 头;-ous ……的〉
master *n.* 师傅,能手 [联]masterpiece 杰作,名作

magnet, magnes=loadstone 磁铁,磁石

[magnet(磁铁)一词借自古法语 magnete,源自拉丁语 magnetum,源自希腊语 magnesia]

magnetism *n.* 磁力,磁性 [联]magnetist 磁学家
magnetite *n.* 磁铁矿 [联]ore 矿石,矿砂
magnetize *vt.* 使磁化 ~ation *n.* 磁化 [联]magnetizable 可磁化的
magnetic *adj.* 有磁性的 ~s *n.* 磁学 [联]ceramics 陶瓷工艺
magnetograph *n.* 地磁强度记录仪 [联]magnetoscope 磁力检验器
magnetomotive *adj.* 磁势的,磁动力 〈motive 运动的〉
magneton *n.* 磁子 [联]magnetor 磁电机
magnetosphere *n.* 磁层 〈sphere 球体,层〉
magnetron *n.* 磁控电子管 〈-on ……管〉
magnesium *n.* 镁 〈-ium ……元素〉

make=to form, to produce 做

[make(制造)一词源自西日耳曼语 makon(kneading),与 match 有关]

maker *n.* 制造者,制造商 [同]peacemaker 调解人
mak(e)able *adj.* 可制作的 [联]makeup 化装,体格
makeshift *n.* 将就,权宜之计 *adj.* 凑合的 [联]makeweight 充数的人(物)

mal=bad 坏,病

[malady(弊病)一词借自古法语 maladie,源自拉丁语"male(ill) | habitus(having)"]

malaise *n.* 不舒服,小病 [同]malease 不舒服
maladdress *n.* 不圆滑,笨拙 〈address 举止〉

maladjusted *adj*.（精神）失常的	[联]maladjustive 引起失调的
maladjustment *n*. 失调	〈-ment ……的行为或结果〉
maladminister *vt*. 胡乱处理，瞎搞	[联]maladministration 暴政，乱政
maladroit *adj*. 笨拙的，愚钝的	〈adroit 熟练的←右手〉
malafide *adj*. 不守信义的，不诚实的	〈fid=trust，faith 信任〉
malaria *n*. 瘴气，疟疾	〈aria=air 空气〉
malconformation *n*. 难看，丑	〈formation 形态〉
malcontent *adj*. 抱怨的，不满的	〈content 满意〉
mal de mer [法]晕船	〈mer=sea 海〉
malevolent *adj*. 恶毒的，有恶意的	〈vol=wish 希望〉
malfuction *n*. &*vi*. 失灵，出故障	[同]breakdown 故障
malnutrition *n*. 营养不良	〈nutrition 营养〉
maledict *vt*. 咒骂 ～ion *n*. 咒骂	〈dict=speak 说〉
malefaction *n*. 罪恶，犯罪行为	〈fact=do 做〉
malefactor *n*. 犯罪分子，坏人	[反]benefactor 恩人
maleficent *adj*. 有害的，做坏事的（to）	[反]beneficent 行善的
malentendu [法]*n*. 误解 *adj*. 误解的	〈entendu 理解的〉
malfeasance *n*. 非法行为，渎职罪	[联]malfeasant 犯罪者
malicious *adj*. 恶意的 ～ly *adv*. 有敌意地	[联]malice 恶意，怨恨
malign *adj*. 有害的 ～ance *n*. 恶意	[反]benign 善良的
malignant *adj*. 恶（性）意的	〈gn=benign 良性的〉
malignity *n*. 恶意，（病的）恶性	〈-ity ……性质或状态〉
dismal *adj*. 灰暗的，阴郁的，沉闷的	[同]depressing，gloomy

man=a human being，mankind 人

[man(人类)一词来自印欧语系，源于梵文 manu(mankind)，经日耳曼语 mann 传入古英语]

manmade *adj*. 人造的，合成的，人为的	[联]artificial 人工的
mankind *n*. 人类，男性，男子	[同]human 人类
manly *adj*. 男子气概的，果断的	[同]manlike 男人似的
manliness *n*. 刚毅	[同]manhood 男子气概
mannequin *n*. 服装模特儿，人体模型	〈equin=equal 相等〉

mancy=augury 占卜

[geomancy(风水)一词借自古法语 geomancie,源自中古拉丁语 geomantia,源自希腊语 geomanteia]

aeromancy *n.* 气卜　[联]bibliomancy 圣经卦

chiromancy *n.* 手纹占卜,相手术　〈chiro-=hand 手〉

geomantic *adj.* 风水的　〈mant=mancy 预测〉

meteoromancy *n.* 气象占卜　[联]zoomancy 动物占卜

necromancy *n.* 向亡魂问卜的巫术　〈necro-=death,dead body〉

pyromancy *n.* 火卜,火占术　[联]gyromancy 圈卜

man,main=to handle/control,hand 管理,手

[manage(管理)一词借自意大利语的 maneggiare,源自拉丁语 manus(hand)]

manage *vt.* 管理 ~ment *n.* 经营,管理　[联]manageable 易处理的

manager *n.* 经理,管理人员,管理器　[联]manageress 女经理

managerial *adj.* 管理上的,经理的　[联]managerialdata 管理资料

manifest *adj.* 明白的 *vt.* 表明,证明　[联]manifesto 宣言

manipulate *vt.* 熟练地使用,操作　[联]manipulator 操作者

manner *n.* 方式,样式,方法　[同]mode,fashion

manoeuvre *n.* 策略 *vt.* 调动(部队)　〈oeuvre 操作〉

manicure *n.* 修整指甲 *vt.* 修剪,修平　[联]manure 肥料

manual *adj.* 手工的 *n.* 手册　〈-al 属于……的〉

manacle *n.* [常用复数]手铐　〈-acle=small 小〉

manus *n.* (四肢动物的)手,前掌　[联]hindleg 后腿

manufacture *vt.* &*n.* 制造 ~r *n.* 制造商　〈fact=do 做〉

manuscript *n.* 手稿,底稿　〈script=writing 抄写〉

emancipate *vt.* 解放 ~ion *n.* 解放　〈e=out 从他人手中解脱〉

maintain *vt.* 保持 ~able *adj.* 可维持的　〈tain=hold 握住〉

maintenance *n.* 维持,保持　〈ten=hold 握住〉

man,main,mans=to stay,remain 停留,留下

[remain(留下)一词借自古法语的 remain,源自拉丁语 remanere(to remain)]

permanent *adj.* 永久的 ~ly *adv.* 永久地　[联]permanence 永久,持久

remainder *n.* 残余,剩余物　[联]wastage 废物,消耗

remains *n.* 残余,遗迹　[同]residue 残余(物)

remnant *n.* 残余，剩余 *adj.* 剩余的 〈re-＝again 再〉
manse *n.* 牧师住宅，豪宅 [联]mansion 大厦

mand，mend＝to order 命令

[command(命令)一词借自古法语 comander，源自拉丁语"com-＋mandare(order，entrust)"]

mandate *n.* (书面)命令，训令 [联]mandatory 命令的，强制的
commander *n.* 指挥官，司令官 [同]commandant 司令官
countermand *vt.* 取消，撤回 [同]annul 取消，宣告无效
commend *vt.* 推荐，表扬，托付 〈com-＝together 一起〉
demand *vt.* &*n.* 要求，查问 〈de-＝formally 加强语气〉
demanding *adj.* 费力的，要求高的 〈-ing 构成形容词〉
remand *vt.* &*n.* 送回，召回 〈re-＝back 回〉
recommend *vt.* 推荐 ～ation *n.* 推荐 〈re-＝back 回〉

Exercise 5

Directions: *Study the following roots and example words, and then guess the meanings of the roots.*

Root	Word	Root Meaning
1. grad	graduate	________
2. graph	biographic	________
gram	epigraph	________
gramo	gramophone	________
3. grav	gravity	________
griev	aggrieve	________
4. gress	aggression	________
5. habit	inhabit	________
hibit	exhibit	________
6. haust	exhaust	________
7. heir	heirdom	________
here	heredity	________
her	heritage	________
8. her	cohere	________
hes	hesitate	________
9. hon	honorary	________

honor	honorific	
10. hor(r)	horrify	
11. hum	exhume	
12. idea	idealist	
ideo	ideograph	
13. iden	identify	
14. idol	idolize	
15. ject	projection	
16. jour	journal	
17. jud	judge	
judi	judicial	
jur	injury	
juri	jurist	
18. junct	juncture	
join	adjoin	
19. labour	labourer	
labor	elaborate	
20. later	bilateral	
21. lax	relax	
22. leas	release	
23. lect	collect	
24. leg	legalize	
legis	legislation	
25. letter	lettered	
liter	literature	
26. lib(r)	library	
27. liber	liberate	
liver	deliver	
28. lic	licence	
29. lig	obligate	
ly	ally	
30. lith	monolith	
31. loc	local	

loco	locomotive	________
low	allow	________
32. log	logician	________
logy	apology	________
logu	epilogue	________
33. logy	chronology	________
34. long	longevity	________
leng	lengthy	________
ling	linger	________
35. loqu	loquacious	________
locue	locution	________
36. magn	magnificent	________
max	maximum	________
mega	megascope	________
megalo	megalomania	________
37. mal	malady	________
38. man	manage	________
main	manipulate	________
39. man	permanent	________
main	remain	________
40. mand	commander	________
mend	commend	________

第五节 mar—peal

mar,ocean=sea 海,海洋

[marine(海的)一词借自中古法语 marin，源自古法语 marin,源自拉丁语 marinus(of the sea)]

marine *adj*. 海的,海军的 ～r *n*. 水手,海员 [同]maritime 海(事)的

marigraph *n*. 海潮记录仪 〈graph=write→记录仪〉

mariculture *n*. 海水养殖 〈culture 栽培,文化〉

aeromarine *adj*. 海上飞行的 〈aero 空气→飞行〉
transmarine *adj*. (来自)海外的 [同]ultramarine 海外的
submarine *n*. 潜水艇 *adj*. 海底的 〈sub-＝below 在……下〉
marsh *n*. 沼泽地 [同]morass 沼泽,困境
ocean *n*. 海洋,大海 ～ic *adj*. 海洋的 [联]Oceania 大洋洲,澳洲

mar, march, mart＝to walk 行军←战神

[March(三月)借自盎格鲁法语 marche,借自古法语 marz,源自拉丁语 Martius,源自 Mars]

Mars *n*. 战神,火星 〈←希腊神话中的战神〉
martian *n*. 火星人 〈-ian ……人〉
march *vi*. 行进,行军 ～er *n*. 行军者 [联]March 三月
martial *adj*. 军事的 ～ly *adv*. 好战地 〈-al 属于……特征的〉

mark, marc, marg＝sign 记号,标记

[mark(标志)一词源自原始日耳曼语 marko,源自拉丁语 margo,源自印欧语 merg (edge)]

marker *n*. 标记,特征 [同]signal 信号,暗号
demark *vt*. 区分,区别 〈de-＝down 向下〉
demarcate *vt*. 区分,划界线 ～ion *n*. 划界 [联]demarcator 立界物
margin *n*. 页边的空白 ～al *adj*. 边缘的 [同]edge,rim

mar, market, merc, merch＝trade, busine 贸易

[market(交易)一词借自古法语 market,源自拉丁语 mercatus(trade)]

marketing *n*. 市场交易,销售 〈-ing ……行为〉
mercy *n*. 怜悯,仁慈,恩惠 〈-y 有……特性的〉
merciful *adj*. 仁慈的,怜悯的 [反]unmerciful 无情的
merchant *n*. 商人 ～able *adj*. 可销售的 [同]trader,trafficker
merchandise *n*. 商品(总称) [同]commodity 商品
commerce *n*. 商业,贸易 [同]dealings 交易,买卖
commercial *adj*. 商业的 ～ism *n*. 重商主义 [联]commercialize 商业化
mercenary *n*. 雇佣兵 *adj*. 唯利是图的,图利的 〈-ary 与……有关的〉

mash, mush, mass＝to beat into a soft mash 捣碎

[mash(糊状物)一词源自原始日耳曼语 maisk,源自 maisch,与英语 mix 有关]

mash *vt*. 捣碎,挑逗 ～er *n*. 搅糊机 [同]crumble 弄碎

mush *n.* 糊状物，玉米粥 〈音变：m*a*sh→m*u*sh〉
massacre *n.* 大屠杀 *vt.* (大规模)屠杀 [同]slaughter 屠杀
smash *vt.* 打碎，撞击，扣球 ～er *n.* 打碎者 [同]crush，shatter

mate，match=a companion 伙伴，同伴

[mate(伙伴)一词借自中古低地德语 mate，源自西日耳曼语 gamaton(一起吃饭)]

matey *adj.* 友好的，好交际的，友善的 [同]chummy 友好的
classmate *n.* 同班同学，级友 [联]schoolmate 校友
flatmate *n.* 合住一套公寓的人 [联]playmate 玩伴
roommate *n.* 室友 [同]shipmate 同船水手
runningmate *n.* 竞选搭档，领跑者 [联]soulmate 知音
deskmate *n.* 同坐一张课桌的学生 [联]workmate 同事
match *n.* 匹配，对手 *vt.* 和……相配 [联]matchmaker 媒人

mater，mother=source，mother 源泉，母亲

[mother(母亲)一词源自原始日耳曼语 mothaer，源自拉丁语 mater，源自印欧语 mater (mother)]

almamater *n.* 母校 〈alma 养育〉
matter *n.* 事件，物质 〈←mother〉
material *n.* 物质 *adj.* 物质的 ～ism *n.* 唯物主义 [联]materiel 物料，军品
materialist *n.* 唯物主义者 [联]materialistic 唯物论的
materiality *n.* 物质性 [联]spirituality 精神性
materialize *vt.* 使物化 [联]spiritualize 使精神化
mother-in-law *n.* 婆母，岳母 [联]father-in-law 岳父
mother-to-be *n.* 孕妇，准妈妈 [联]gravida 孕妇
motherliness *n.* 慈母心 [联]fatherliness 父爱
motherlike *adj.* 母亲似的 [联]fatherlike 如父亲的
motherland *n.* 祖国 [联]fatherland 祖国

math，mathem=mathematics 数学

[mathematics(数学)一词借自古法语 mathematique，源自拉丁语 mathematica，源自希腊语 manthanein(learn)]

maths *n.* 数学(mathematics) [联]algebra 代数
mathsort *n.* 数学排序 〈sort 将……排序〉
mathematic *adj.* 数学的 [联]mathematical 数学的

mathematician *n.* 数学家 〈-ian 精通……的人〉

matern, matri=mother 母亲

[matrix(子宫)一词借自古法语 matrice(womb), 源自后期拉丁语 matrix, 源自 mater (mother)]

maternal *adj.* 母亲的,母性的 [联]paternal 父亲的
maternity *n.* 母性,产科医院 [联]paternity 父子关系
matriarch *n.* 女家长 ~y *n.* 母权制 [联]matriarchal 女族长的
matricide *n.* 杀母者,弑母 [联]matricidal 杀母的
matriclan *n.* 母系氏族 [联]matriline 母系
matrilateral *adj.* 母系的 [联]patrilateral 父系的
matrilocal *adj.* 婚后居住在女方的 〈local 当地的〉
matrimony *n.* 婚姻(生活),婚礼 [联]matrimonial 婚姻(礼)的
matrix *n.* 母体,模型 [联]patrix 阳模
matronymic *n.* 取自母名的名字 〈-nym=name 名〉
metropolis *n.* 大城市 〈polis 城市→母城〉
matron *n.* 主妇,保姆 [同]mistress 主妇
metropolitan *adj.* 首都的,大都市的 〈polit=polis 城市〉

matur, matut=ripe, timely 成熟,早

[mature(成熟)一词出现于中古英语后期,源自拉丁语 maturus(timely, ripe),与 matins 有关]

maturate *vi.* 成熟 ~ion *n.* 成熟,化脓 〈-ate=make 使……〉
mature *adj.* 成熟的,到期的 *vi.* 成熟 [反]immature 不成熟的
maturity *n.* 成熟,完备 〈-ity ……性质或状态〉
premature *adj.* 早产的 ~ly *adv.* 过早地 〈pre-=early 先,早〉
matutinal *adj.* 早的,清早的 [同]morning 早晨

may, main, might=have power 能,有力量

[main(主要的)一词源自古斯堪的那维亚语 megn(strong),源自原始日耳曼语 maginam (be able)]

may *aux.* 可能 *n.* 青春,壮年 [联]maybe 或许
main *adj.* 主要的 ~ly *adv.* 主要地,基本上 [联]fain 乐意的
mainland *n.* 大陆,本土 〈main+land〉
mainstay *n.* 支柱,柱石,骨干 [联]mainmast 主桅

dismay *vt.* 使灰心,使沮丧 [联]undismayed 不泄气的
might *n.* 力量,权力 [联]mighty 强有力的
mightily *adv.* 强烈地,非常地 [联]mightiness 强大
almighty *adj.* 全能的,无所不能的 〈al-=all 全部〉

maz, amaz(e)=bewilder, confuse 迷惑,迷宫

[maze(迷惑)一词源自古英语 amasian(使人变傻),与 amaze 有关]

mazed *adj.* 迷惘的,困惑的 [联]amazed 吃惊的
mazy *adj.* 迷宫般的 [联]dizzy 晕眩的
amaze *vt.* 使惊奇 ~ment *n.* 惊奇 〈a-=on 使……〉
amazing *adj.* 令人惊讶的 ~ly *adv.* 惊人地 [同]prodigious 惊人的

meal, mill=flour 面粉

[meal(一餐)一词有两个词源:①源自日耳曼语,与荷兰语 maal 和德语 mahl(meal)有关;②源自日耳曼语,与荷兰语 meel 和德语 mehl 有关, 源自拉丁语 molere(to grind),源自印欧语 melo(to measure)]

meal *n.* 餐,饭 [联]peal 钟声
mealiness *n.* 粉状,甜言蜜语 〈-ness ……状态〉
mill *n.* 磨坊 *vt.* 磨面 ~er *n.* 磨坊主 [联]watermill 水力磨

mean=indicate, say 意思,意指

[mean(意思是)一词源自西日耳曼语的 mainijanan,与德语 meinen 有关,与 mind 同源]

mean *vt.* & *vi.* 打算,意味着 [联]dean 教务长
meaning *adj.* 有意思的 ~ful *adj.* 有意义的 [联]meaningless 无意义的

meas, mens, meter, metr=测量

[measure(测量)一词借自古法语 mesurer, 源自拉丁语 mensura, 源自 metiri(measure)]

measure *n.* & *vt.* 测量,估量 ~r *n.* 测量器 [联]measurement 测量法
immense *adj.* 无边际的,浩瀚的 [同]measureless 无限的
metre *n.* 米 [联]metric 公制的,米制的
ammeter *n.* 电流计,安培计 〈am=ampere 安培〉
diameter *n.* 直径 [联]semidiameter 半径
geometry *n.* 几何学 [联]trigonometry 三角(学)
thermometer *n.* 温度计 [联]barometer 气压计
metrology *n.* 计量学,度量衡学 [联]metrologist 计量学家
chronometer *n.* 精密时计 〈chrono-=time 时间〉

anemometer *n.* 风力计,风速表 [联]optometer 视力计
biometry *n.* 生物统计学,寿命测定 〈bio-=life 生命,生物〉
lucimeter *n.* 亮度计 [联]gravimeter 比重计
heliometer *n.* 太阳仪,测日镜 [联]goniometer 测角器
cyclometry *n.* 测圆法 〈cycl(o)=circle 圆,环〉
parameter *n.* 参数 〈para-=side 旁,周围〉
perimeter *n.* 周边,周长 〈peri-=around 周围,近〉
seismometer *n.* 地震仪 〈seismo-=earthquake 地震〉
spherometer *n.* 测球仪,球径计 [联]spirometer 肺活量计
stereometer *n.* 体积计 [联]pyrometer 高温计
pluviometer *n.* 雨量计 〈pluvi=rain 雨〉
oleometer *n.* 验油计,油量计 [联]gasometer 煤气表,气量表
pneumatometer *n.* 呼吸测定器 〈pneumato-=breath 呼吸〉
symmetrical *adj.* 对称的,匀称的 〈sym-=the same 相同,相等〉
symmetry *n.* 对称(性),匀称 [联]asymmetry 不对称
mete *vt.* 分配,分给,边界,测量 〈met=measure 量度〉

med, medic=to heal 治愈

[词根 med 来源于拉丁语 medicus(to heal)。医学之父 Hippocrates 认为人之所以得病,是因为身体里面的各种体液不调和,医生通过控制饮食、内服药物等方法,使体液恢复到中间平衡状态]

remedial *adj.* 治疗的,补救的 [同]medicinal,curative
remedy *n.* 治疗法 *vt.* 改进,补救,治疗 [同]treat,heal,cure
medicable *adj.* 可治疗的 ~ly *adv.* 医学上 [反]immedicable 不可救药的
medical *adj.* 医疗的,内科的 [联]surgical 外科的
medicament *n.* 药物(剂) ~ous *adj.* 药物的 [同]medicine 医学
medicaster *n.* 江湖医生 〈-ster 从事……的人〉
medicate *vt.* 用药治疗 ~d *adj.* 含药的 [同]embrocate 涂擦药液
medicative *adj.* 有疗效的 〈-ative 有……倾向的〉

med, mid, mean=middle, between 中间

[mediate(调解)一词借自拉丁语 mediatus,源自 mediare,源自 medius(middle)]

medial *adj.* 中间的,中央的 [同]median 中间的,中部
mediator *n.* 调解人 ~ory *adj.* 斡旋的 [联]mediaperson 记者
medieval *adj.* 中世纪的 〈ev=age 年代〉

mediocre *adj.* 中等的，平庸的 〈ocre＝mountain 山峰〉
Mediterranean *n.* 地中海 〈terr＝earth 地〉
medium *n.* 中间，媒介，手段 [联]mediashy 不愿被采访的
immediate *adj.* 立即的，最接近的 [联]intermediate 中间的
mid *adj.* 中间的 [联]midway 中途，半路
midbandwidth *n.* 中心带宽 [联]midbin 中间仓
midboard *n.* 中墙 [联]midbody 中间体
midcourse *n.* 中途 *adj.* 中途的 [联]midcourt 中场区
midsection *n.* 中央部分，上腹部 [联]midsole 鞋底夹层
midsemester *n.* 学期期中，期中考试 [同]midterm 期中考试
midsummer *n.* 仲夏，夏 [联]midwinter 冬至
midline *n.* 中间线，中线 [联]midpoint 中点，正中央
midwife *n.* 接生婆 ～ry *n.* 助产术 [联]midlife 中年
midday *n.* 正午 [联]midnight 午夜
midland *n.* 中部地方，内地 [联]midwood 丛林，密林
middle *n.* 中间 *adj.* 中间的 [联]meddle 干涉
amid *prep.* 在……中间，在……当中 〈a-＝in/on〉
mean *adj.* 中间的 *n.* 中间 [联]means 手段，财富
meantime *n.* 同时 *adv.* 当时 [同]meanwhile 同时

melan＝black 黑

[Melanesia(美拉尼西亚，即"黑人群岛")，源自希腊语"melas(black)＋nēsos(island)"]

melancholia *n.* 忧郁症 〈chol＝bile 胆汁→坏脾气〉
melanin *n.* 黑色素 [联]melanosis 黑变病
melanian *adj.* 黑色人种的 〈-ian 属于……人的〉
melanoderm *n.* 黑皮肤的人，黑人 〈derm＝skin 皮肤〉
melanoid *adj.* 黑变病的 〈-oid 似……的〉
melanoma *n.* 黑素瘤，胎记瘤 〈-oma＝tumor 瘤〉
melanophore *n.* 载黑素细胞 〈-phore＝bearer 携带者〉
melanotic *adj.* 患黑变病的 〈-otic 患……的〉
melanuria *n.* 黑尿症 〈uria 尿(症)〉
Melanochroi *n.* 黑发白肤的高加索人 〈ochr＝pale 浅色的〉
xanthomelanous *adj.* 头发黑色皮肤黄色的 〈xantho-＝yellow 黄〉

member, membr=limb 四肢,部分

[member(成员)一词借自古法语 membre,源自拉丁语 membrum,源自史前印欧语 mems (flesh)]

member *n.* 成员,部分 ~ship *n.* 会员身份 [联]timber 木材
dismember *vt.* 肢解,瓜分 ~ment *n.* 分割 〈dis=apart〉
membrane *n.* 膜,隔膜 [联]tissue 薄纸
membranaceous *adj.* 膜的,膜状的 〈-aceous=-ous ……似的〉
membranophone *n.* 膜质乐器 〈-phone 声音〉

member, memor, mourn, martyr=记忆,纪念

[memory(记忆)一词借自古法语 memorie,源自拉丁语 memoria,源自 memor(mindful)]

remember *vt.* 记得,想起 ~ance *n.* 记忆力 [反]forget 忘记
memorandum *n.* 备忘录 [联]memento 纪念品
memorable *adj.* 值得纪念的 ~s *n.* 难忘的事物 [联]memorial 纪念碑(物)
memorize *vt.* 记住,默记 〈=learn by heart〉
commemorable *adj.* 值得纪念的 〈com- 加强意义〉
commemorate *vt.* 纪念 ~ion *n.* 纪念(仪式) 〈-ate=make 使……〉
immemorial *adj.* 无法追忆的,古老的 〈im=without 无〉
mourn *vi.* 哀悼,哀痛 ~ing *n.* 哀悼 [同]deplore 悲悼
martyr *n.* 烈士 *vt.* 杀害 ~dom *n.* 殉道 〈需要记住的人〉
amnesia *n.* 记忆丧失,健忘症 〈a-=not 不〉
amnesty *n.* 大赦,特赦 〈←forgetfulness 不记罪过〉

mend=free from fault, repair 改错,修理

[emend(修改)一词源自拉丁语 emendare(correct, revise),由"e-+menda(fault)"构成]

mend *vt.* 修理,改正 ‖ mend or end 不改则废
amend *vt.* 修正 ~ment *n.* 修订,修改 [联]amendable 可修正的
amender *n.* 改正者,修正者 [联]amends 赔偿,赔罪
emend *vt.* 校订,修改 ~ation *n.* 校订 [联]commend 推荐

merg, mers=sink, to dip 沉,消失

[merge(混合)一词源自拉丁语 mergere(to dip, plunge),源自史前印欧语 mezg(to dip)]

merge *vi.* 合并,相融 〈沉下→融为一体〉
emerge *vi.* 浮现,暴露 [反]submerge, submerse
emergence *n.* 出现,发生 [反]submergence, submersion

emergency *n.* 紧急情况　　[联]emergent 浮现的,紧急的
demersal *adj.* 居于水底的　　〈de-＝down 向下〉
emersed *adj.*（水生植物等）伸出水面的　　[反]submersed 生于水下的
immerse *vt.* 沉浸,沉迷……中　　[联]immersion 沉浸,洗礼

merit＝worth,value 优点,长处

[merit(优点)一词借自古法语 merite,源自拉丁语 meritum(due reward),源自 mereri(earn, deserve)]

merit *n.* 优点 *vt.* 值得 ～ed *adj.* 应得的　　[反]demerit 缺点
meritable *adj.* 长处的　　[同]meritorious 值得称赞的
meritocracy *n.* 学术界名流,能人统治　　[联]meritocrat 英才
meritoriousness *n.* 立功　　[同]merit 功德,功绩

merr, mirth＝gay, joyful 欢乐

[merry(快活的)一词源自原始日耳曼语 murgijaz,源自史前印欧语 mreghu(short),与 mirth 有关]

merry *adj.* 愉快的,有趣的　　[联]harry 骚扰
merriment *n.* 欢乐,愉快　　[同]gaiety 快乐,高兴
mirth *n.* 欢笑,欢乐 ～ful *adj.* 愉快的　　[同]glee,joy

meta＝change 变化

[metaphor(隐喻)一词借自中古法语 metaphore,源自希腊语 metaphora,源自 metapherein(transfer)]

metabolic *adj.* 新陈代谢的　　〈bol(ball)施加力量〉
metabolism *n.* 新陈代谢　　〈-ism ……行为〉
metaphor *n.* 隐喻,象征　　[联]metamorphism 变形,变态
metastasis *n.* 转移　　〈st＝stand 站立〉
metapsychology *n.* 超心理学　　[联]metaphysics 形而上学

metal, medal＝metal 金属

[metal(金属)一词借自古法语 metal,源自拉丁语 metallum,源自希腊语 metallon(metal)]

metal *n.* 金属 ～lic *adj.* 金属的　　[联]medal 奖章,奖牌
metallurgy *n.* 冶金学,冶金术　　[联]metallurgical 冶金学的

mete(or)＝of the atomosphere,lofty 大气的,高耸的

[meteor(流星)一词借自中古法语 meteore,源自拉丁语 meteorum,源自希腊语 meteoros]

meteor *n.* 流星,大气现象 ～ology *n.* 气象学　　[联]comet 彗星

meteorite *n.* 陨石,流星 [联]meteoritic 陨石的
meteorograph *n.* 气象计 〈-graph ……计〉
biometeorology *n.* 生物气象学 〈bio-=life 生物〉
hydrometeor *n.* 水汽现象,水汽凝结体 〈hydro-=water 水,流体〉
micrometeorology *n.* 微气象学 [联]micrometeoroid 微流星体

migr=to move 移居,移民

[migrate(迁移)一词借自拉丁语 migratus,源自拉丁语动词 migrare]

migrant *n.* 候鸟 *adj.* 移居的 [联]immigrant 移民(的)
migrate *vt.* 使移居 ～or *n.* 候鸟,移居者 [联]migration 迁移,移居
migrancy *n.* 移住,迁移,移栖 〈-ancy ……行为或过程〉
migronaut *n.* 无国籍游民 〈naut 船,水手〉
migratory *adj.* 移居的,移栖的,漂泊的 〈-ory 有……性质的〉
emigrate *vi.* 移居国外 [反]immigrate 移入
emigration *n.* 移居外国,移民 [反]immigration 移居
emigre *n.* 移居者,流亡者 [同]emigree 移居者,流亡者
intermigration *n.* 互相迁移 〈inter- 互相之间〉
transmigrate *vi.* 轮回,移居 [联]transmigration 轮回

milit=soldier,battle 军人,战斗

[military(军事的)一词借自中古法语 militaire,源自拉丁语 militaris,源自 militis(soldier)]

militia *n.* 民兵组织,民兵 [同]militiaman 民兵
militancy *n.* 战斗性,战斗精神 [同]militance 战斗性(状态)
militant *adj.* 好战的 ～ly *adv.* 好斗地 [同]bellicose 好战的,好斗的
military *adj.* 军事的,好战的 [联]militaria 军用物品
militarily *adv.* 以武力地,以军事行动地 〈-arily=-ly 以……方式〉
militarist *n.* 军国主义者,军事家 [联]militarism 军国主义
militate *vi.* 产生作用或影响 〈-ate=make 使……→用兵〉
militarize *vt.* 军事化 ～ion *n.* 军事化 [反]demilitarize 解除武装

min=to project 突出

[prominent(杰出的)一词借自拉丁语 prominentem,源自拉丁语动词 prominere(stand out)]

eminent *adj.* 卓越的 ～ly *adv.* 突出地 [同]prominent 突出的
imminent *adj.* 临近的,逼近的 [联]impending 即将发生的
preeminent *adj.* 卓越的 ～ly *adv.* 杰出地 [联]supereminent 卓越的

min(i)=small 小

[miniature(小型的)一词借自意大利语 miniatura,源自拉丁语 miniare, 源自 minium(red lead)]

miniaturize *vt.* 使微型化 ~ation *n.* 小型化 〈-ize=make 使……化〉
miniboom *n.* 短暂繁荣 [联]minicrisis 短暂危机
minibus *n.* 小型公共汽车 [联]minicab 微型出租汽车
minify *vt.* 使缩小 [反]magnify 放大
minimal *adj.* 最低限度的 [反]maximal 最大的
minimize *vt.* 使减到最小 [反]maximize 最大化
minimum *n.* 最小量,最低限度 [反]maximum 最大量
minister *n.* 部长,大臣 [联]ministry 部,神职
minor *adj.* 较小的 ~ity *n.* 少数,未成年 [反]major 主要的
minus *prep.* 减 [反]plus 加
minuscule *adj.* 非常小的,极不重要的 〈-ule=small 小〉
minute *n.* 一会儿,分钟 [联]minute *adj.* 微小的
administer *n.* 管理,执行 [联]administration 管理
administrative *adj.* 管理的,行政的 [同]managerial 管理上的
diminish *vi.* & *vt.* 使缩小,减少 [同]curtail,reduce

mind, ment=精神,意向,提醒

[mind(智慧)一词源自原始日耳曼语 gamundiz,源自史前印欧语词根 men(think,remember)]

remind *vt.* 提醒,使想起 ~er *n.* 提醒物 [同]suggest,prompt
amnesty *n.* 大赦,赦免 〈a-=not 不,mn=mind〉
amentia *n.* 智力缺陷,精神错乱 〈a-=without 无,缺乏〉
dement *n.* 狂人 *vt.* 使发狂 ~ation *n.* 发狂 [联]demented 疯狂的
mental *adj.* 精神的 ~ity *n.* 心理,智力 [反]physical 身体的
mention *n.* 提及 *vt.* 提到 〈-ion ……行为或状态〉
mentor *n.* 良师,益友 〈提醒→劝告者〉
vehement *adj.* 热情的,激烈的 [联]ferment 发酵
monitor *n.* 班长,告诫者 [联]janitor 看门人
comment *v.* 评论,注释 ~ary *adj.* 评论 [联]cement 水泥
commentate *vt.* 注释,评论 ~ion *n.* 时事评论 [同]annotate
monument *n.* 纪念碑 ~al *adj.* 不朽的 〈-ment ……的结果〉

mine=ore, mine 矿

[mine(矿)一词借自古法语 mine,与威尔士语 mwyn(ore, mine)有关]

mine *n.* 矿(井) *vt.* 开采 ～r *n.* 矿工 [联]landmine 地雷
mineable *adj.* 可开采的 [同]exploitable 可利用的
mineshaft *n.* 竖井,矿井 〈shaft 轴〉
mineral *n.* 矿物 *adj.* 矿物的 ～ogy *n.* 矿物学 [同]ore 矿,矿石

mir, marvel=wonder, look 惊奇,看

[miracle(奇迹)一词借自法语 miracle,源自拉丁语 miraculum, 源自 mirari, 源自 mirus (wonderful)]

mirage *n.* 海市蜃楼,幻景 [同]delusion 错觉,妄想
miraculous *adj.* 像奇迹一样的,非凡的 [同]marvelous 非凡的
mirror *n.* 镜子,反光镜 *vt.* 反映,反射 [同]reflect 反射
admire *vt.* 钦佩,羡慕 ～r *n.* 羡慕者 [联]admiration 钦佩,赞美
marvel *n.* 奇迹 ～ous *adj.* 非凡的 [同]wonder 奇迹

miser=wretched 悲惨,痛苦

[misery(痛苦)一词借自古法语 miserie, 源自拉丁语 miseria, 源自 miser(wretched)]

miserable *adj.* 悲惨的 ～ness *n.* 痛苦,悲惨 [联]miserably 痛苦地
miserablism *n.* 愁苦主义 [联]miserliness 吝啬,贪婪
miser *n.* 守财奴,吝啬鬼 ～ly *adj.* 小气的 [同]miserablist 吝啬鬼
commiserate *vt.* 同情,怜悯 ～ion *n.* 怜悯 [同]sympathize 同情
immiserize *vt.* 使贫苦 ～ation *n.* 悲惨化 〈-ize=make 使……化〉

mis=hatred 憎恨

[misanthrope(厌世者)一词源自希腊语 misanthropos, 由"misein+anthropos(man)"构成]

misocapnic *adj.* 厌恶香烟的 〈capno- 烟的或煤烟状的〉
misocyny *n.* 厌犬症 〈cyno-=dog 犬〉
misogamy *n.* 厌婚症 〈gamy=marriage 婚姻〉
misogamist *n.* 憎恨结婚的人 [联]misogynist 憎恶女人的人
misogyny *n.* 憎恶女人,厌恶女症 〈gyno-=woman 女人〉
misology *n.* 厌恶理论(说理) 〈-ology ……学说或理论〉
misoneism *n.* 厌新,憎恨变动 〈ne(o)-=new 新的〉
misopedia *n.* 嫌子女症 〈ped=boy→children〉

mise, miss, mit, mess=to send, put forth 派遣,放出

[词根 mit 和 miss 的构词特点是:mit 构成动词,miss 常构成名词或形容词;mis 是 miss 的变体]

demise *n.* 让位 *vt.* 遗赠	[联]surmise 推测,猜测
premise *n.* 前提	[联]premises 房屋
promise *n.* 允诺 *vt.* 答应	[联]compromise 和解,妥协
missile *n.* 导弹,飞弹	〈-ile 与……有关的〉
mission *n.* 代表团,使命 *v.* 派遣	[联]missionary 传教士
commissariat *n.* 军粮供应	[同]provisions 供应品
commission *n.* 委员会 *vt.* 委任 ~er *n.* 委员	[同]committee 委员会
dismiss *vt.* 开除,免职,解散	〈dis-=away 离开〉
emissary *n.* 使者,间谍	〈e-=out 出〉
emission *n.* 发出,发射	[联]omission 省略,删节
remiss *adj.* 疏忽的,不小心的	〈re-=back 回〉
admit *vt.* 让……进入	[联]admission 承认,入场费
admissible *adj.* 可采纳的	[反]inadmissible 不可接受的
commit *vt.* 犯(错误),把……交托给	[联]omit 漏掉,删掉
commissary *n.* 委员,代表	〈-ary ……的人〉
demit *vi.* 辞职	[联]emit 发出,发射
intermittent *adj.* 间歇的,断断续续的	〈inter- 在……中间〉
immit *n.* 投入,注入	[联]immission 投入,注入
intromit *vt.* 插入,送入	[联]intromission 插入
permit *vt.* 允许,许可	[联]permission 许可,允许
permissible *adj.* 可允许的,准许的	〈per-=through 通过〉
remit *vt.* 汇款,免除 ~tance *n.* 汇款(额)	[同]pardon,forgive
submit *vi.* &*vt.* 服从,提出	[联]submission 提交,投降
transmit *vt.* 传送,传播	[联]transmission 传送
mess *n.* 混乱,杂乱	〈mess←miss 放〉
message *n.* 信息 *vt.* 通知 ~r *n.* 信使	〈-age ……动作或结果〉
remise *vt.* 转让	〈re-=again 再〉

misc, miscall, mix(t), mingle=to mix 混合

[mingle(混合)一词源自原始日耳曼语 mangjan,源自史前印欧语 mag(knead),与 among 有关]

miscegenation *n.* 混血　〈gen=bear 生殖←race 人种〉
miscible *adj.* 可混合的,易混合的　[反]immiscible 不融合的
promiscuous *adj.* 混杂的,杂乱的　[联]promiscuity 混杂,乱交
miscellany *n.* 混杂,杂物,杂集　[联]miscellaneous 混杂的
mix *vt.* 混合,调制 ~er *n.* 搅拌器,调音师　[联]mixblood 混血儿
admix *vt.* 掺和,使混合　[同]amalgamate 混合
endomixis *n.* 内融性,内合　〈endo-=inside 内部〉
commix *vt.* 混合 ~ture *n.* 混合　[联]intermix (使)混合
immix *vt.* 混合,掺合 ~ture *n.* 混合　[同]commingle 混合,掺和
mingle-mangle *n.* 杂乱的混合物　〈mangle 乱砍,损坏〉
among *prep.* 在……中间　〈mong=mingle 混合〉
meddle *vi.* 干涉 ~some *adj.* 爱管闲事的　〈=mix,mingle〉

mod, mold, mould=measure, manner 量度,模样

[mode(方式)一词借自法语 mode,源自拉丁语 modus(measure),源自印欧语词根 mete]

modal *adj.* 形式的,形态的　[联]model 模型
outmoded *adj.* 过时的,旧式的　[同]antiquated 过时的
moderate *adj.* 中等的 *adv.* ~ly 适度地　[反]immoderate 过度的
modern *adj.* 现代的 ~ize *vt.* 使现代化　〈-ern ……方向的〉
modest *adj.* 谦虚的,适中的 ~ly *adv.* 谦虚地　[反]pretentious 狂妄的
modesty *n.* 谦虚,稳重　[反]immodesty 无礼
modify *vt.* 更改,减轻 ~ication *n.* 改良　[同]change,adjust
module *n.* 模数,系数,舱　[联]capsule 航天舱
modulate *vt.* 调整,调节　〈-ate=make 使做为……〉
modus *n.* 方法,样式　〈[单]-us→[复]-i〉
commodity *n.* 商品,日用品　〈com-=together 共同〉
commodious *adj.* 宽敞的,便利的　〈-ious 充满……的〉
accommodate *vt.* 容纳,供应 ~ion *n.* 膳宿　[同]supply 供给,提供物
remodel *vt.* 改变……的结构(形状)　〈re-=again 再〉
mould *n.* 模子 *vt.* 用模子做　[联]moulding 模制(件)
morose *adj.* 脾气坏的,抑郁的　〈mor=mod;-ose 多……的〉

moll=soft 软

[mollify(使变软)一词借自法语 mollifier,源自拉丁语 mollificare, 源自 mollis(soft)]

emollient *adj.* 使柔软的 *n.* 润滑剂 〈e-=out;-ent ……的〉
emolliate *vt.* 使柔软,软化 〈-ate=make 使……〉
emollience *n.* 软化作用(性质) 〈-ence ……性质或状况〉
mollify *vt.* 使变软,使平静,抚慰 [联]mollification 缓和,变软
mollusc *n.* 软体动物 〈usc=husk 壳,外皮〉
mollisol *n.* 软土,松软土 〈sol=soil 土〉

mon, mun=duty, service 尽责,服务

[common(普通的)一词出现于中古英语时期,借自古法语 comun, 源自拉丁语 communis]

common *adj.* 普通的,共有的 ~ly *adv.* 通常 [反]uncommon 不寻常的
commonplace *adj.* 平凡的,平常的 *n.* 平常话 [同]trivil 不重要的
commons *n.* 平民,公共用地 [同]populace, civilian
commonsense *adj.* 常识的 〈sense 道理,意思〉
communism *n.* 共产主义 [联]communist 共产主义者
communicate *vt.* 交际,传达 ~ion *n.* 交流 〈-ate=make 使成为……〉
communal *adj.* 公社的,公民的,公共的 〈-al 具有……特征的〉
commune *n.* 公社 *vi.* 谈心,密切联系 [联]communize 使共有化
community *n.* 社区,社会团体,共同体 [联]immunity 免疫力
immune *adj.* 有免疫力的,免疫的,免除……的 〈im-=without 无〉
municipal *adj.* 市政的,市的 ~ity *n.* 自治市 〈cip=take 抓,握住→担任〉
munificent *adj.* 慷慨的,(礼物)丰厚的 〈fic=do 做〉

mon=to warn or remind 告诫,提醒

[money(金钱)一词借自古法语 monoie,源自拉丁语 moneta,源自 monere(warn.),与 Juno Moneta 有关]

admonish *vt.* 警告,劝告 ~ment *n.* 警告 [联]premonish 预先警告
monster *n.* 怪物,恶魔 *adj.* 巨大的,庞大的 [联]monstrous 丑陋的
monition *n.* 告诫,警告,(法院的)传票 [联]premonition 预兆
monitor *n.* 班长,监视器 *vt.* 监控,监听 〈-or ……的人或物〉
summon *vt.* 传讯,号召 ~er *n.* 召唤者 [联]unsummoned 未被召集的

monstr, must=show, point out 显示,指出

[demonstrate(演示)一词借自 demonstratus(pointed out),源自 demonstrare]

demonstrator *n.* 证明者,示范者,游行示威者 [联]demonstration 示范
demonstrable *adj.* 可论证的 ~ly *adv.* 确然 [反]indemonstrable 无法证明
demonstrative *adj.* 感情外露的,指示的 [反]undemonstrative 含蓄的
remonstrate *vi.* 抗议,抱怨 [同]chide 斥责,责备
muster *n.* 召集,集合 [同]recruit 征募,招聘

mon, moon=the moon 月亮

[semester(学期)源于拉丁语 semestris,由 sex(six)和 mensis(month)构成]

month *n.* 月,月份 〈←moon〉
monthly *adj.* 每月的 *adv.* 每月 *n.* 月刊 [联]bimonthly 双月刊
moonface *n.* 圆脸 ~d *adj.* 圆脸的 [联]moonbeam 月光
mooncraft *n.* 登月飞船 [联]moonflight 月球飞行
moonish *adj.* 如月的,反复无常的 [同]capricious 多变的
moon *n.* 月亮 *adj.* ~less 无月光的 [同]moonlet 小月亮
moonlighter *n.* 同时兼两个职业的人 [联]moonlight 月光
moonnik *n.*(苏联的)月球火箭(卫星) 〈sputnik (苏)卫星〉
moonport *n.* 月球火箭发射场 [联]moonpath 水波月影
moonscope *n.*(人造)卫星观测(望远)镜 [联]moonscape 月的表面
moonscooper *n.*(在月亮上挖土的)宇宙车 [联]moonbuggy 月球车
moonset *n.* 月落(时刻) [反]moonrise 月光,月出时分
moonshine *n.* 月光,空谈,妄想 [联]moonshiner 烈酒私酿者

mont, mount=to go up 登上,山,安装

[mountain(山)一词借自法语 montagne,源自拉丁语 montanus,源自 mont(mountain)]

montane *adj.* 山区的 [同]montanic 山区的,多山的
monticule *n.* 小山冈,小丘陵 〈-ule=small 小〉
promontory *n.* 海角,岬,隆起 〈-ory 起……作用的〉
mount *n.* 山峰 *vt.* 安装 ~ed *adj.* 安装好的 [联]amount 数量
mounting *n.* 装备,衬托纸 〈-ing ……行为的产物〉
mountable *adj.* 可登上的 [联]mutable 易变的
mountain *n.* 山,山脉 ~ous *adj.* 多山的 [联]wetland 湿地
dismount *vi.* 下马,下车 *vt.* 卸下 〈dis-=apart 离开〉
insurmountable *adj.* 不能克服的,不可逾越的 [反]surmountable 可战胜的
paramount *adj.* 最高的,至上的 〈para-=beyond 超越〉

surmount *vt.* 超越,克服 [联]remount 再上,重登
tantamount *adj.* 相等的,相当的 〈tant=equal 相等〉
mountebank *n.* 江湖骗子 〈bank=bench〉

mor=manner, custom 规矩,风俗

[moral(道德的)一词借自古法语 moral,源自拉丁语 moralis, 源自 mos, mor(custom)]

mores *n.* 风俗,民德,道德观念 [联]moron 傻子
moral *adj.* 道德的 ~ly *adv.* 道德上 [反]unmoral 不道德的
morale *n.* 士气,道德 [同]enthusiasm 热情
moralless *adj.* (故事等)无寓意的 〈-less 没有……,无……〉
moralist *n.* 道德家,说教者 ~ic *adj.* 说教的 [联]moralise 教化, 讲道
morality *adj.* 道德的 *n.* 道德 [联]moralis 道德准则
amoral *adj.* 无道德感的 ~ity *n.* 非道德主义 [联]amorality 非道德,超道德
demoralize *vt.* 使道德败坏,使士气低落 〈de-=down 向下〉
immoral *adj.* 不道德的 ~ity *n.* 淫荡,不道德 [联]nonmoral 与道德无关的

mord, mors=to bite 咬

[mordant(尖锐的)一词借自中古法语 mordant,源自拉丁语 mordere,源自史前印欧语词根 mer(rub away)]

mordacity *n.* 尖锐,刻薄 〈-acity 多……特点的〉
mordacious *adj.* 锐利的,刻薄的 [同]pungent 尖刻的
mordant *adj.* 刻薄的,腐蚀的 [同]caustic 刻薄的
morsel *n.* 一口,少量 〈-el ……小东西〉
remorse *n.* 懊恼,悔恨,自责 〈re-=again 再〉

morph=form or shape 形状

[amorphous(模糊的)一词借自近代拉丁语 amorphus, 源自希腊语 amorphos(shapeless)]

anthropomorphic *adj.* 人形的 〈anthropo-人类的〉
dimorphic *adj.* 二形的,二态的 〈di-=two 二〉
geomorphology *n.* 地貌学 〈geo-=earth 地〉
homomorphic *adj.* 同形的,同态的 [反]heteromorphic 异形的
isomorph *n.* 同形(体) ~ous *adj.* 同形的 〈iso-=same 相同的〉
piscimorph *n.* 鱼形的 [联]ophiomorphic 蛇形的
idiomorphic *adj.* (矿物)自形的 〈idio-=self 自己的〉

metamorphosis *n.* 变形,变大,蜕变 〈meta-=super- 超,过〉
morphology *n.* 形态学,词法 〈-ology ……学问〉
morphogenesis *n.* 形态发育 〈genesis 起源,发生〉
morphometry *n.* 形态测量学 〈metry=measure 测量〉
morphoneme *n.* [语]形态音位,词素音位 〈phone=sound 声音〉
pantomorphic *adj.* 具有各种形态的 [联]polymorphic 多形的
pseudomorph *n.* 假象 ~ic *adj.* 假象的 〈pseudo-=false 假的〉

mort, morb, murd=to die 死亡,杀害

[mortal(凡人)一词借自古法语 mortel,源自拉丁语 mortalis,源自史前印欧语词根 mer (to die)]

immortal *adj.* 不死的 ~ize *vt.* 使永恒 [反]mortal 终有一死的
immortality *n.* 不朽,不朽的声名 [反]mortality 死亡率
mortgage *n.* 抵押,责权 *vt.* 抵押 〈gage 抵押品〉
mortify *vt.* 克制,抑制 [联]mortifying 抑制的
mortiferous *adj.* 致死的 〈fer 产生,致〉
mortuary *n.* 停尸室,殡仪馆 〈-ary=place 地方〉
morbid *n.* 病态的, 恐怖的 〈-id 有……特性的〉
moribund *adj.* 垂死的 *n.* 垂死的人 〈bund=bound 一定〉
murder *n.* &*vt.* 谋杀,凶杀 ~ous *adj.* 杀人的 [同]slaughter 大屠杀
murderer *n.* 杀人犯, 凶手 [联]murderee 被谋杀者
postmortem *n.* 死后的,验尸的 *adv.* 在死后 〈post-=after 在……以后〉

mouse, mus=mice 鼠

[mouse(老鼠)一词源自原始日耳曼语 mus,源自拉丁语和希腊语共享的印欧语词根 mus(mouse)]

mousey 多鼠的,像老鼠的 [联]mousery 养鼠房(场)
mouser *n.* 捕鼠动物 [联]mousetrap 捕鼠夹
muscle *n.* 肌肉 〈-cle=small 小〉
muscular *adj.* 肌(肉)的,强有力的 〈-ar ……状的,似……的〉

mov, mot, mat, mob, mo(ment)=move, shift 运动,移动

[motor(发动机)一词借自拉丁语 motor,源自 movere(to move),"汽车"的含义始于 19 世纪中期]

movement *n.* 运动,动作 [同]motion 运动,手势

movie *n.* 电影 ［同］film，talkie
remove *vt.* 移动，除去 *vi.* 迁移，搬家 ［联］move 移动，行动
motion *n.* 运动 *vi.* 打手势 ～less *adj.* 静止的 ［联］lotion 洗剂
motive *n.* 动机，目的 *adj.* 发动的，运动的 〈-ive ……倾向的〉
motivate *vt.* 促动，刺激 ～ion *n.* 动机 ［联］impel 推动
motorable *adj.* 可行驶汽车的 ［联］movable 可移动的
motorama *n.* 汽车展览 ［联］panorama 全景画
motorbicycle *n.* 摩托车 ［联］motorbike 摩托车
motorboat *n.* 摩托艇 ［联］motorcab 出租车
motorbus *n.* 公共汽车 ［同］motorcoach 公共汽车
motorcade *n.* 汽车行列 〈cade＝parade 列队行进〉
motorcar *n.* 汽车 ［联］motordom 汽车王国
motorconverter *n.* 电动机 〈converter 变换器〉
motordrome *n.* 汽车试车场，赛车道路 〈drome 飞机场〉
motorfan *n.* 电扇 ［联］motorman 司机
motorlorry *n.* 运货(载重)汽车 ［联］motorplane 动力飞机
motormouth *n.* 说话快并且健谈 〈mouth 嘴巴〉
emotion *n.* 情绪，感情 ～al *adj.* 易动感情的 ［联］commotion 暴动，骚乱
promote *vt.* 促进，促销，晋升 ～ion *n.* 促销 ［反］demote 使降级(职)
remote *adj.* 遥远的 ～ness *n.* 遥远 〈re-＝away 离开〉
automate *vi.* &*vt.* (使)自动化 ［联］automatic 自动的
mob *n.* 暴徒 *vt.* 围攻 ～bish *adj.* 暴徒似的 ［联］mop 拖把
mobile *adj.* 可移动的 ～ity *n.* 流动性 ［反］immobile 固定的
mobilize *vt.* 调动，动员 ～ion *n.* 动员 ［反］demobilize 遣散
mobster *n.* 暴徒，匪徒 ［联］mobocrat 暴徒首领
automobile *n.* 汽车 *adj.* 自动的 〈auto-＝self 自己〉
moment *n.* 瞬间，时刻 ～ary *adj.* 短暂的 〈mo＝move 运动〉

mur＝wall 墙壁

[mural(壁画)一词借自法语 mural，源自拉丁语 muralis，源自 murus(wall)]

muralist *n.* 壁画家 ［同］painter 画家
intramural *adj.* 内部的，校内的 ［反］extramural 市外的
mure *vt.* 监禁，禁锢 〈用墙围起来〉
immure *vt.* 监禁，禁闭 ～ment *n.* 监禁，禁闭 〈im-＝inside 内部〉

countermure *n.* 支壁，副壁 〈counter-＝against〉

mus, muse＝literature, art, music 文学，艺术，音乐

［在希腊神话中有9位司文艺和科学的女神，她们被通称为"the Muses"，她们是宙斯的女儿］

Muse *n.* 文艺、美术、音乐等的缪斯女神 ［联］museum 博物馆

music *n.* 音乐 ～al *adj.* 音乐的 ［联］musician 音乐家

amuse *vt.* 给……娱乐 ～ment *n.* 娱乐 〈a-＝make 使……〉

amusing *adj.* 逗人笑的，引人乐趣的 ［同］comical 滑稽的

mut＝to change 变换

［mutable(可变的)一词源自拉丁语 mutabilis，源自 mutare(to change)］

mutable *adj.* 易变的，可变的 ［反］immutable 不可改变的

mutability *n.* 易变性，性情不定 ［反］immutability 不变(性)

mutant *adj.* 变异的 *n.* 突变 〈-ant 促进……作用的〉

mutual *adj.* 相互的 ～ly *adv.* 相互地 ［同］reciprocal 相互的

mutiny *n.* 兵变 *vi.* 叛乱，暴动 ［联］mutinous 叛变(的)

commute *vt.* 同……交换 ［联］commutable 可取代的

commutate *vi.* 交换，整流 ［联］commutator 转接器

permute *vt.* 变更 ～ation *n.* 序列，排列 〈per- 加强意义〉

transmute *vt.* 使变形 ［联］transmutable 可变形的

molten *adj.* 熔化的，浇铸的 〈molt＝mut；-en ……的〉

myst＝initiated person, secret 神秘

［mystery(神秘)一词借自古法语 mistere，源自拉丁语 mysterium，源自希腊语 musterion］

mysterious *adj.* 神秘的 ～ly *adv.* 神秘地 ［同］mystifying 神秘的

mystagogue *n.* 引人入秘教者，秘法家 〈agogue 引导〉

mystic *adj.* 神秘的 ～ism *n.* 神秘主义 ［联］mystical 神秘的

mystify *vt.* 使神秘化，使迷惑 ［同］perplex，bewilder

mystique *n.* 神秘性，奥秘 ［同］charisma 魅力

myth(o)＝an ancient story 神话

［myth(神话)一词借自法语 mythe，源自近代拉丁语 mythus，源自希腊语 muthos(story)］

mythic *adj.* 虚构的，神话的 ［同］mythical 神话的

mythology *n.* 神话(学)，虚构的事实 ［联］mythological 神话的

mythopeic *adj.* 神话时代的 ［联］mythopoet 神话诗人

mythos *n.* 虚构的故事　[同]mythoi 神话，虚构理论
mythgenesis *n.* 神话起源　〈genesis 起源〉

nam，nomen，nomin，onym，noun＝name 名字

[name(名字)一词源自原始日耳曼语 namon，源自由拉丁语和希腊语共享的词根 nomn (name)]

namely *adv.* 即，亦即　[联]nameless 无名的
nameboard *n.* 站名牌　[联]nameplate 姓名牌
namecalling *n.* 骂人，中伤　[同]abuse 辱骂
byname *n.* 别名，绰号，诨名　[同]nickname，cognomen
forename *n.* 名　[联]lastname 姓
surname *n.* 姓，姓氏，别名 *vt.* 给……加姓　〈sur-＝super 在上〉
namesake *n.* 同名的人，同名物　[联]nametape 名条
nomenclature *n.* 命名(过程)，专门名称　〈clature＝calling〉
misnomer *n.* 使用不当的名字或名称　〈-er ……人或物〉
nominate *vt.* 提名，任命 ～ion *n.* 提名，任命　[同]appoint，designate
denominate *vt.* 命名，称呼　[联]denomination 教派
nominal *adj.* 名义上的，有名无实的　[联]veritable 真正的
onymous *adj.* 署名的，有名字的　[反]anonymous 无名的
anonym *n.* 无名氏 ～ous *adj.* 匿名的　[同]pseudonym 假名，笔名
anonymity *n.* 无名，匿名　〈-ity ……性质或状态〉
antonym *n.* 反义词　[反]synonym 同义词
cryptonym *n.* 匿名，假名　〈crypt 隐，匿〉
patronymic *adj.* 源于父名的　[联]matronymic 取自母名的
homonym *n.* 同音(形)异义词　〈homo＝the same 相同〉
hyponym *n.* 下义(位)词　〈hypo-＝sub- 低，下〉
synonymous *adj.* 同义的，同义词的　〈-ous 拥有……的〉
noun *n.* 名词　[联]pronoun 代词
renown *n.* 名望，声誉 ～ed *adj.* 著名的　〈nown＝nomin＝name〉

narr＝depict，recount 叙述

[narrate(叙述)一词源自拉丁语 narratus，源自 narrare，源自 gnarus(knowing)]

narrater *n.* 叙述者　[联]narration 故事，讲述
narrative *n.* 叙述 *adj.* 叙述的　[联]anecdote 趣闻，轶事
narratology *n.* (文学中的)叙述学　〈-ology ……学问〉

nas, nos, nostr=nose 鼻子

[nose(鼻子)源自原始日耳曼语 nusus,与德语 nase 同源,源自史前印欧语词根 nas(nose)]

nasal *adj*. 鼻的 *n*. 鼻音 ～ize *v*. 使鼻音化 [联]guttural 喉的
nasopharyngeal *adj*. 鼻咽的 〈pharyngeal 咽的〉
nasturtium *n*. 旱金莲属植物 〈turt=twist 旋转〉
nosebag *n*. 马粮袋 〈挂在马头下的袋子〉
nosebleed *n*. 流鼻血 〈bleed 流血〉
nosedive *vi*. 俯冲,骤降 *n*. 暴跌 〈dive 跳水〉
nosy *adj*. 好打听的 [同]prying 爱打听的
nostril *n*. 鼻孔 〈-il 与……有关的〉

nat, nasc, nais, naive=to be born 出生,生长

[nation(民族)一词借自古法语 nacion,源自拉丁语 nationem, 源自拉丁语 nasci(be born)]

natal *adj*. 出生的,先天的 ～ity *n*. 出生(率) 〈-al 属于……特征的〉
antenatal *adj*. 出生以前的,产前的 [反]postnatal 出生以后的
connate *adj*. 同族的,同生的 [联]cognate 同根的
nation *n*. 民族,国家 ～al *adj*. 国家的 [同]country 国家
national *adj*. 国家的 ～ity *n*. 国籍 [联]international 国际的
nationwide *adj*. 全国性的 *adv*. 全国范围内 [联]countrywide 全国的
native *adj*. 本地的,天然的 [联]naive 天真的
nature *n*. 自然界,性质 [联]natural 自然的
nascent *adj*. 初期的,初生的 [联]renascent 再生的
nascency *n*. 发生,起源 〈-ency ……行动或过程〉
renascence *n*. 新生,复兴 [联]Renaissance 文艺复兴
renaissant *adj*. 文艺复兴时期(风格)的 〈-ant 处于……状态的〉

nav, naut=ship 船

[navy(海军)一词借自古法语 navie, 源自拉丁语 navigia, 源自拉丁语 navis(ship)]

naval *adj*. 海军的,船的 [同]military 陆军的
navigate *vi*. 航行 ～ion *n*. 航行(学) [联]navigator 航海者
navigable *adj*. 可航行的,可通航的 [联]navicular 船状的
astronavigation *n*. 宇宙航行 〈astro-=star 星→宇宙〉
circumnavigate *vi*. 环航世界 〈circum-=circle 圆→周围〉
nausea *adj*. 航海的,船舶的 〈-a 疾病名称〉

nautical *adj*. 航海的,船舶的 〈-al 属于……特征的〉
aeronautic *adj*. 航空(学)的 ～s *n*. 航空学 [联]aeronautical 航空的
astronaut *n*. 宇航员 ～ic *adj*. 太空航行的 [联]aeronaut 飞船驾驶员
cosmonaut *n*. 宇宙航行员 ～ics *n*. 航天学 〈cosmo-秩序→宇宙〉

near, nect, neigh, nex=to bind 连接,邻近

[near(近的)一词源自古斯堪的那维亚语 na 的比较级 nær(nearer)]

nearby *adj*. 附近的 *adv*. 在附近 [同]contiguous 邻近的
nearly *adv*. 差不多,几乎 [同]approximately 大约
nearsighted *adj*. 近视的,浅见的 [反]farsighted 远视的
connect *vt*. 连接,联结 ～ion *n*. 联系,亲戚 [联]connexion 联系
connected *adj*. 有联系的 ～ly *adv*. 有关联地 [联]connectedness 连通性
connecter *n*. 联结者,联结物 [联]connecting 管接头,套管
connective *adj*. 连接的 ～ity *n*. 连接性 [联]connectible 可联结的
neighbour *n*. 邻居,邻近的人(物) [联]neighbourhood 邻近,街坊
annex *vt*. 附加,兼并 〈an- 加强语气〉
next *adj*. 紧接的 *adv*. 其次 [联]successive 连续的
nexus *n*. 联结, 关系 〈-us 名词词尾〉

neg, ny, naugt=to deny 否定

[negate(否定)一词借自拉丁语动词 negare 的过去分词 negatus(denied)。Utopia(乌托邦)一词由希腊文"ou(no)+topos(place)"构成,字面意思是"乌有之乡"]

abnegate *vt*. 放弃 ～ion *n*. 放弃 〈ab-=away 离开〉
negate *vt*. 否定,取消 ～ion *n*. 否定 [联]negative 否定的
neglect *vt*. 忽略,疏忽 [联]neglectful 疏忽的
negligence *n*. 疏忽,粗心大意 [联]negligent 疏忽的
negligible *adj*. 不可忽略的,微不足道的 〈-ible 可……的〉
negotiate *vi*. 谈判,协商 ～ion *n*. 协商,谈判 〈oti=leisure 闲暇〉
negatron *n*. 负电子,负阻管 〈-on ……物〉
renegade *vi*. 背叛 *adj*. 背叛的 *n*. 叛徒 〈-ade ……个人或集体〉
deny *vt*. 否认,拒绝(承认) [联]denial 否定,否认
deniable *adj*. 可否认的,可拒绝的 [反]undeniable 不可否认的
naught *n*. 无,零 [联]naughty 顽皮的,粗俗的

nerv, neur＝nerve 神经

［nerve(神经)一词借自古法语 nerf，源自拉丁语 nervus，与希腊语 neuron(nerve)有关］

nervous *adj*. 神经的，紧张的 ～ness *n*. 紧张　［联］neural 神经(系统)的
neurasthenia *n*. 神经衰弱　〈asthenia 衰弱〉
neurogenic *adj*. 起源于神经组织的　〈gen＝bear 生〉
neuralgia *n*. 神经痛　〈-algia＝pain 痛〉
neurology *n*. 神经病学　［联］neurologist 神经学家
neuropathy *n*. 神经病　［联］neurosis 神经机能病
dermatoneuritis *n*. 神经性皮炎　［联］neuritis 神经炎
neurofibril *n*. 神经原纤维　〈fibr 纤维〉
neuroma *n*. 神经瘤　〈-oma ……的肿瘤〉
neurotoxic *adj*. 毒害神经的　〈tox 毒害〉

neut, neutr＝neither 两者都不

［neuter(中性的)源自拉丁语 neuter，由"ne-(not)＋uter(either)"构成］

neutral *adj*. 中立的 *n*. 中立国 ～ity *n*. 中立　［同］impartial 公平的
neutralist *n*. 中立主义者 ～ic *n*. 中立主义的　［联］neutralize 使中立化
neutron *n*. 中子　［联］proton 质子

nihil＝nothing 零，无

［annihilate(歼灭)一词借自古法语 annichiler，源自拉丁语 annihilare］

nihil *n*. 无，虚无 ～ism *n*. 虚无主义　［联］nihilist 虚无论者
nihility *n*. 无，虚无　〈-ity ……性质或状态〉
annihilation *n*. 灭绝　［同］destruction 毁灭

noc, nuis, nox＝poison, hurt 毒，害

［innocent(无罪的)一词借于古法语的 inocent，最初源自拉丁语 innocentem］

innocence *n*. 清白，无罪　〈-ence ……状况或性质〉
nocuous *adj*. 有害的，有毒的　［反］innocuous 无害的
innocuity *n*. 无害，无毒　〈-ity ……性质或状态〉
nuisance *n*. 损害，讨厌的东西　〈-ance ……行为或过程〉
noxious *adj*. 有毒的 ～ness *n*. 有害性　［反］innoxious 无毒的
obnoxious *adj*. 讨厌的，易受伤害的　〈ob-＝to 对，向〉

noct=night 夜

[equinox(春分或秋分)借自古法语 equinoce，源自拉丁语 aequinoctium，由"aequi-+nox"构成]

noctiflorous *adj.* (植物)夜间开花的 〈flor=flower 花〉
noctiluca *n.* 夜光虫 〈luc 光；-a 名词后缀〉
noctilucent *adj.* 夜间发光的 〈luc=light 光〉
noctambulant *adj.* 梦游的 [同]noctivagant 夜游的
noctambulist *n.* 梦行者 [同]somnambulist 梦游者
noctilucent *adj.* 夜发光的，生物发光的 〈-ent 处于……状态的〉
nocturne *n.* 夜曲，夜景 [同]nocturn 夜祷
nocturnal *adj.* 夜间的 [反]diurnal 白天的
equinoctial *adj.* 昼夜平分(时)的 〈equi=equal 相等〉
pernoctation *n.* 彻夜不眠(归) 〈per-=through 贯穿〉

nom(y)=study, arrangement, law 学，术，法，治

[gastronomy(美食学)一词借自法语 gastronomie，源自希腊语 gastronomia，是 gastrologia 的变体]

economic *adj.* 经济的 ～al *adj.* 合算的 [联]economics 经济学
bionomics *n.* 生态学 [联]bionics 仿生学
nomology *n.* 法理学，法则论 〈-ology=science ……科学〉
astronomy *n.* 天文学 [联]astronomer 天文学家
astronomical *adj.* 天文学的，极大的 [同] astronomic 星学，天文学的
anthroponomy *n.* 人类进化学 〈anthrop- 人，人类〉
antinomy *n.* 自相矛盾 [联]autonomy 自治(权)
autonomous *adj.* 有自主权的，自治的 [联]autonomic 自主的
agronomy *n.* 农艺学，农学 [联]agronomic 农艺学的
economy *n.* 经济，理财，节约 [联]bionomy 生理学，生态学
heteronomy *n.* 他治，受外人统治 〈hetero-=different 异，其他〉

norm=rule 标准，规则

[norm(规范)一词借自法语 norme，源自拉丁语 norma(precept, carpenter's square)]

normal *adj.* 正常的 ～ly *adv.* 通常地 [反]abnormal 变态的
normalize *vt.* 使正常化 ～ion *n.* 正常化 〈-ize=make 使……〉
enormity *n.* 巨大，暴行 〈e-=ex- 超过〉

enormous *adj*. 巨大的，庞大的　　[同]huge，immense
subnormal *adj*. 低于正常的，低能的　　[联]supernormal 非凡的

nost，nostr＝home 家

[nostrum(秘方)一词源自拉丁语 nostrum，源自史前印欧语词根 nos(we)，源自 nost＋rum→家里的药物→民间药]

nostalgia *n*. 怀旧　　〈alg＝pain，-ia ……病〉
nostomania *n*. 怀疑病，怀疑狂　　〈mania 狂躁，狂热〉
nostology *n*. 老人病学　　〈-ology ……学〉
nostradamus *n*. 占卜者　　[同]prognosticator 占卜者
nostopathy *n*. 怀乡病　　〈pathy＝feeling 感觉〉

not＝know，mark 知道，注记，通告

[denote(指示)一词借自中古法语 denoter，源自拉丁语 denotare]

note *n*. 笔记，记录 *vt*. 记下　　[联]noted 闻名的
notable *adj*. 值得注意的　　[同]noteworthy 值得注意的
notice *n*. 注意 *vt*. 通知，注意到　　[联]notion 概念，见解
notorious *adj*. 臭名昭著的　　[同]infamous 声名狼藉的
annotate *vt*. 给……作注解 ～ion *n*. 注释　　〈an- 加强语气〉
connote *vt*. 意味着　　〈con-＝together 一起〉
connotation *n*. 内涵，含义，言外之意　　[联]denotation 外延

nounc，nunci＝to speak or tell 说，讲

[announce(宣布)一词借自法语 annoncer，源自拉丁语 annuntiare，源自 nuntius(messenger)]

announcement *n*. 通告，预告　　[联]announcer 播音员
denounce *vt*. 谴责　　〈de- 加强语气〉
pronounce *vt*. 宣布，宣判，发音　　[联]renounce 否认，拒绝
pronunciation *n*. 发音(法)　　〈-ation ……行为或状态〉
enunciate *vt*. 清晰地发(音) ～ion *n*. 发音　　〈e-＝out 出〉

nour，nurs，nurt，nutr＝营养，养育

[nourish(滋养)一词借自古法语 noriss，源自拉丁语 nutrire(feed，cherish)]

nourishment *n*. 营养品，食物　　[同]nutriment 营养品
undernourished *adj*. 营养不良的　　[反]nourished 滋养的
nurse *n*. 护士 *vt*. 给……喂奶 ～ry *n*. 托儿所　　[联]purse 钱包
nurture *n*. 营养物 *vt*. 养育，教养　　[联]nature 自然，天性

nutritive *adj*. 营养的，富于营养的食物　［联］nutrient 营养品，营养的
nutrimental *adj*. 有营养的　［同］nutritional 营养的
nutrition *n*. 营养，滋养（物）　［联］nutriology 营养学
nutritious *adj*. 有营养的　［反］innutritious 缺少养分的
innutrition *n*. 营养不良，缺乏营养　［同］malnutrition 营养不良

nov，neo，new＝fresh，recent 新

［new 一词借自原始日耳曼语 newjaz，源自由拉丁语 novus 和希腊语 neos 共享的印欧语词根 nava(new)］

novate *vt*. 用新事物代替 ～ion *n*. 更新　〈-ate＝make 使成为……〉
novel *adj*. 新奇的 ～ty *n*. 新奇（的事物）　［同］original 新颖的
novel *n*. 小说 ～ist *n*. 小说家　［联］novelette 短篇小说
novelese *n*. 〈贬〉拙劣小说的写作文体　〈-ese ……用语或风格的〉
noveletish *n*. 柔情的，低级趣味的　〈-ish 有……特征的〉
novelistic *adj*. 小说的　〈-ic 有……特性的〉
novice *n*. 新手，初学者，新信徒　［同］tyro 初学者，新手
innovate *vi*. 革新，创新 ～ion *n*. 创新　［联］renovate 更新，修复
neoplasm *n*. 肿瘤，新生物　〈plasm 原生质〉
newspaper *n*. 报纸　［联］newsorgan 新闻喉舌
newsmonger *n*. 爱传播新闻的人，饶舌者　［联］newsman 新闻记者
renew *vi*. & *vt*. （使）恢复 ～al *n*. 更新　［同］refresh 翻新

nu，nuc，nut＝core，kernel 核，果仁

［nucleus（核心）一词借自拉丁语 nucleus，源自史前印欧语词根 kneu(nut)］

nuclear *adj*. 核心的，原子核的　〈-ar ……状的〉
nut *n*. 坚果，难事　‖ hard nut 难对付的人
chestnut *n*. 栗子　［联］coconut 椰子
walnut *n*. 胡桃（树）　［联］peanut 花生
gallnut *n*. 五倍子　〈gall 胆汁，五倍子〉

nul(l)＝none 毫无，没有

［null（零）一词借自法语 nulle，源自拉丁语 nullus，源自"ne(not)＋ullus(any)"］

nullify *vt*. 使无效，取消，废弃　［反］validate 使生效
nullification *n*. 无效，取消　〈-ation ……过程或状态〉
annul *vt*. 取消，废除 ～ment *n*. 宣告无效　〈an- 加强语气〉

numer＝数，计算

[number(数目)一词借自古法语 nombre，源自拉丁语 numerus；词根 number 是 numer 的变体]

numeral *adj*. 数的 *n*. 数字	[同]numerical 数字的
numeration *n*. 计算	[联]numerator 计算器
numerous *adj*. 无数的，有许多的	[同]myriad 无数的
numerable *adj*. 可数的，可计数的	[联]innumerable 无数的
enumerate *vt*. 数，列举 ～ion *n*. 列举	〈-ate＝make 使……〉
supernumerary *adj*. 额外的 *n*. 临时雇工	〈-ary 与……有关的〉

nyct(o)＝night 夜

[nyctophobia(黑夜恐怖症)一词源自希腊语 nux，源自"nukt(night)＋phobia(fear)"]

nyctanthous *adj*. (花)夜开的	〈anth＝flower 花〉
nyctophilia *n*. 嗜夜癖	〈phil 爱；-ia 病〉
nyctalope *n*. 夜盲者	〈al＝blind；op＝eye〉
nyctalopia *n*. 夜盲症	〈ops＝eye；-ia ……病〉
nyctitropic *adj*. (树叶等)夜间变换方向的	[联]nyctitropism 感夜性

ocul＝eye 眼

[oculist(眼科医生)一词借自法语 oculiste，源自拉丁语 oculus(eye)]

ocular *adj*. 眼睛的，视觉的	[联]ocularist 制造假眼的人
oculomotor *adj*. 眼球运动的	〈mot＝move 运动〉
oculonasal *adj*. 眼与鼻的	〈nasal 鼻的〉
binocular *adj*. 双目的 ～s *n*. 双目望远镜	[联]monocular 单筒的
multocular *adj*. 多眼的，复眼的	〈mult-＝many 多〉
subocular *adj*. 眼下的	[同]suborbital 眼眶下的

od＝song 歌曲

[ode(颂歌)一词借自法语 ode，源自希腊语 oide，源自史前印欧语词根 wed(to speak)]

epode *n*. 抒情诗	〈ep-＝out〉
odic *adj*. 颂诗的，颂歌的	〈-ic 以……为特征的〉
odeum *n*. 音乐厅，剧场	〈-um＝place 场所〉
prosody *n*. 诗体学，韵律	[联]prosodic 节律的

od=path, way 路,走,电极

[anode(阳极)一词出现于19世纪,源自希腊语 anodos, 由"ana(up)+hodos(way)"构成]

anode *n.* 阳极,正极　[反]cathode 负极,阴极
diode *n.* 二极管　[联]triode 三极管
episode *n.* 情节,插曲 ～ic *adj.* 插曲般的　〈epi-=up 在上,向〉
method *n.* 方法,条理 ～ic *adj.* 有方法的　〈meth=meta=after 在后〉
period *n.* 时期 ～icity *n.* 定期,周期性　〈peri-=around 周围〉
periodical *n.* 期刊 *adj.* 周期的　[同]periodic 周期的

odont, dont=tooth 牙,齿

[odontoid(齿状的)一词源自希腊语 odontoeides, 由"odont(tooth)+eidos(form)"构成]

odontalgia *n.* 牙痛　[联]odontalgic 牙痛的
odontic *adj.* 牙齿的　〈-ic 与……有关的〉
odontoscope *n.* 检齿镜　〈-scope 镜〉
homodont *adj.* 同形齿的　〈homo-=the same 相同〉
macrodont *adj.* 有巨齿的　[反]microdont 有小齿的
odontologist *n.* 牙科医生　[同]dentist 牙科医生
xanthodontous *adj.* 有黄牙齿的,黄牙的　〈xanth-=yellow 黄〉

ol(e)=oil 油

[petroleum(石油)一词源自中古拉丁语 petroleum,由拉丁语"petra(rock)+oleum(oil)"构成]

petrol *n.* 石油,汽油 ～ic *adj.* 石油的　〈petr=stone 石头〉
oleate *n.* 油酸盐　〈-ate ……盐类〉
oleic *adj.* 油的,油酸的　〈-ic 有……特性的〉
oleiferous *adj.* 产油的　〈fer=bear 携带〉
olein *n.* 油精　〈-in ……精,素〉
oleograph *n.* 石印油画　[联]olemeter 验油计
oleomargarine *n.* 人造黄油,代黄油　〈margarine 人造黄油〉
oleresin *n.* 含油树脂　〈resin 树脂,松香〉
olesaccharum *n.* 油糖　〈sacchar 糖〉

omen, omin=预兆

[abominable(可恶的)一词借自古法语 abominable, 源自拉丁语 abominat(deprecated)]

omen *n.* 预兆 *vt.* 预示　[联]omelette 煎蛋

ominous *adj.* 不祥的 ～ly *adv.* 不吉利地 [反]auspicious 吉利的
abominably *adv.* 恶劣地，令人厌恶地 〈-ly 至……程度〉
abominate *vt.* 憎恨 ～ion *n.* 嫌恶 〈-ate=make 使……〉

one, an, uni=single, sole 单一

[one 一词源自原始日耳曼语 ainaz，源自拉丁语 unus，源自史前印欧语 oino]

alone *adj.* 独一无二的 *adv.* 单独地 [同]lone 孤独的
lonely *adj.* 孤独的，寂寞的 [同]desolate 凄凉的
none *pron.* 没有人 〈no+one〉
any *adj.* 任何一个 ～body *pron.* 任何人 [联]anything 任何事
union *n.* 联合，联邦 [联]onion 洋葱
unicellular *adj.* 单细胞的 〈celluar 细胞的〉
unify *vt.* 统一，使一元化 [联]unification 统一，联合
unilateral *adj.* 单边的 ～ly *adv.* 单方面地 〈lateral=side 边〉
unique *adj.* 唯一的 ～ly *adv.* 独特地 [同]sole，only
unit *n.* 单位，单元，装置 [联]unity 统一体
unite *vt.* 联合，团结 ～d *adj.* 联合的 [反]divide，separate

oner=load 负担

[onerous(繁重的)一词借自古法语 onereus，源自拉丁语 onerosus，源自 onus(burden)]

onus *n.* 负担，责任 [联]bonus 奖金
exonerate *vt.* 免除，解除，证明无罪 [联]exoneration 免罪，免除

oper=work, effort 劳动，出力

[opera(歌剧)一词借自意大利语 opera，源自拉丁语 opera(work，effort)]

operatic *adj.* 歌剧的，歌剧风格的 [同]dramatic 戏剧性的
operant *adj.* 动作的 *n.* 工作的人或物 [联]operable 可动手术的
operate *vt.* 操作 ～ing *adj.* 运行的 [联]cooperate 合作
operation *n.* 操作，手术 ～al *adj.* 操作的 [联]operator 操作员
operative *adj.* 起作用的，手术的 [同]effective 有效的
opulence *n.* 财富，富裕，丰富 〈opul=oper=work〉
opulent *adj.* 富裕的，豪华的，繁茂的 〈-ent 显示……的〉

ophthalm=eye 眼

[ophthalmic(眼科的)一词借自拉丁语 ophthalmicus，源自希腊语 ophthalmikos，源自 ophthalmos(eye)]

ophthalmology *n.* 眼科学　　[联]ophthalmologist 眼科专家
ophthalmoscope *n.* 检眼镜　　〈-scope 镜〉
ophthalmitis *n.* 眼炎　　〈-itis 炎症〉
ophthalmotomy *n.* 眼球切开术　　〈tomy 切〉
exophthalmia *n.* 突眼症　　〈ex-外；ia 病〉
ichthyophthalmite *n.* 鱼眼石　　〈ichthy- 鱼；-ite 石(矿物)〉

opt, optim＝choose, wish 选择

[opt(选择)一词借自法语 opter，源自拉丁语 optare(choose, wish)]

option *n.* 选择，供选择的事物　　[同]choice 选择
adopt *vt.* 采取，收养 ～able *adj.* 可采用的　　〈ad-＝again 再〉
optimal *adj.* 最佳的，最满意的　　〈-al 具有……特征的〉
optimism *n.* 乐观，乐观主义　　[反]pessimism 悲观
optimistic(al) *adj.* 乐观的 ～ly *adv.* 乐观地　　[反]pessimistic 悲观的
optimize *vt.* 使最优化 ～ation *n.* 最优化　　〈-ize＝make 使……〉
optimum *n.* 最适条件 *adj.* 最适的　　[同]ideal, perfect

op, ops, opt＝eye, sight, light 眼睛，视力，光

[optic(眼睛的)一词借自法语 optique 或中古拉丁语 opticus，源自希腊语 optikos，源自 optos(seen)]

hemiopia *n.* 半盲，半视症　　〈hemi- 半；-ia 病〉
hyperopia *n.* 远视　　〈hyper- 超过〉
hemalopia *n.* 眼内渗血　　〈hemal 血的〉
myope *n.* 近视的人　　〈my-＝shut 闭上〉
myopia *n.* 近视，缺乏深谋远虑　　[反]hyperopia 远视
myopic *adj.* 近视的　　[反]hyperopic 远视的
achromatopsia *n.* 色盲，全色盲　　〈a- 无；chromat 色；-ia 病〉
xanthopsia *n.* 黄视症　　〈xanth＝yellow 黄〉
autopsy *n.* 验尸，尸体解剖　　[联]biopsy 活体解剖
synopsis *n.* 提要，概要　　〈syn-＝same 共同，全〉
optic *adj.* 光学的 ～s *n.* 光学　　[同]optical 视觉的
optometry *n.* 验光　　[联]optometrist 验光师
panoptic *adj.* 展示全景的　　〈pan-＝all 全〉
orthoptic *adj.* 矫正斜视的，正视的　　〈orth-＝right 正，矫正〉
synoptical *adj.* 概要的，大纲的　　〈-al 具有……特征的〉

or, orat=spoken 口,说

[oral(口头的)一词源自后期拉丁语 oralis, 源自拉丁语 os, 源自史前印欧语 os(mouth)]

oracle *n.* 神谕,先知　[同]prophet, predictor

oral *adj.* 口头的 ~ly *adv.* 口头地　[联]aural 耳的,听觉的

orifice *n.* 孔,洞口　〈fic=do 做〉

adore *vt.* 崇拜,喜欢　[联]adorable 可爱的

inexorable *adj.* 无情的,不屈不挠的　[反]exorable 可说服的

perorate *vi.* 作长篇演说 ~ion *n.* 结论　〈per-=through 贯穿〉

orator *n.* 演说者 ~ical *adj.* 演说的　[同]elocutionist 演说家

oram=looking, sight 观看,景象

[panorama(全景画)一词由希腊语"pan-(all)+horama(view)"构成,源自 horan(see)]

cosmorama *n.* 照片展览,西洋景　〈cosm 世界〉

cyclorama *n.* 圆形画景　〈cyclo- 圆,圆周〉

diorama *n.* 西洋景,透景片　〈di-=dia-=through 穿透〉

georama *n.* 内壁绘有世界地图的空心大圆球　〈ge-=earth 地〉

myriorama *n.* 万景画　〈myri-=many 万〉

orb, orbit=circle 圆周

[orbit(轨道)一词借自古法语 orbite 或拉丁语 orbita,源自拉丁语 orbis(ring)]

orb *n.* 球,天体,圆形物　[同]globe 球(状物)

orbicular *adj.* 圆的,环状的,完整的　〈-ar ……状的〉

orbital *adj.* 眼窝的,轨道的　[联]mortal 凡人

exorbitant *adj.* 过分的,过度的　〈ex-=out;-ant ……的〉

order, ordin=command, sequence 命令,顺序

[order(秩序)一词出现于中古英语时期,借自古法语 ordre, 源自拉丁语 ordo, ordin (row, series, rank)]

disorder *n.* 混乱 *vt.* 使混乱　[反]order 次序

ordinary *adj.* 平凡的,普通的　[联]extraordinary 特别的

ordinarily *adv.* 平常地,通常地　[同]normally 正常地

ordinal *n.* 序数 *adj.* 序数的 ~s *n.* 序数词　[反]cardinal 基数(的)

primordinal *adj.* 初始的,最早的　〈primo-=first 第一,最初〉

ordinance *n.* 法令,条例　〈-ance ……性质或状况〉

coordinate *vi.* 协调,协作　[联]coordinator 协调者

inordinate *adj*. 无节制的，过度的　　[联]subordinate 下级的

organ=instrument 工具，器官

[organ(器官)一词借自古法语 orgene，源自拉丁语 organa，源自希腊语 organon]

organic *adj*. 器官的，有机的　　[反]inorganic 无机的

organism 有机体，生物体　　[同]creature 生物

organize *vt*. 组织，创立 ～d *n*. 有条理的　　[反]disorganize 扰乱

organization *n*. 组织，机构　　[反]disorganization 瓦解

reorganize *vt*. 改组，改编　　〈re-=again 再〉

ori, ort=origin, rising 溯源，升起

[origin(起源)一词借自古法语 origine，源自拉丁语 originem，源自 oriri(to rise)]

orient *n*. 东方 *vt*. 标定方向 ～al *adj*. 东方的　[联]occident 西方

orientalist *n*. 东方学专家，东方学者　　[联]occidentalist 西化主义者

orientate *vt*. 定位 ～ion *n*. 定位，取向　　[反]disorientate 使迷失方向

reorient *vt*. 重新定向，重定方位　　[联]disorient 使迷失方向

original *adj*. 原始的，独创的 ～ly *adv*. 起初　〈-al 属于……特征的〉

originate *vi*. 发生，发源 ～ion *n*. 发源　　[同]give rise to

aborigine *n*. 原始居民，土人　　〈ab-=from 从……〉

aboriginal *adj*. 土著人的 ～ity *n*. 原生态　　〈-al 属于……特征的〉

abortion *n*. 流产，失败 ～al *adj*. 失败的　　〈ab-离开，刚开始就离开〉

abortive *adj*. 早产的，失败的　　[同]miscarrying 流产

orn=to adorn 装饰

[ornament(装饰)一词借自古法语 ornement，源自拉丁语 ornamentum，源自 ornare (adorn)]

ornate *adj*. 装饰的，过分装饰的，华而不实的 [反]inornate 朴素的

ornamental *adj*. 装饰的 ～ly *adv*. 装饰地　　[同]decorative 装饰的

ornamentalize *vt*. 装饰　　〈-ize=make 使……〉

ornamentation *n*. 装饰，饰物　　[同]decoration 装饰

adorn *vt*. 装饰 ～ment *n*. 装饰(品)　　〈ad-=to〉

suborn *vt*. 收买，贿赂 ～ion *n*. 收买　　〈sub-在下面〉

orth(o)=straight, upright, correct, right 直，正直，正确

[orthodox(正统的)一词借自后期拉丁语 orthodoxus，源自希腊语 orthodoxos，源自 orthos(right)]

orthogon *n.* 长方形，矩形　[联]orthogonal 矩形的
orthodoxy 正统，正教　[反]heterodoxy 非正统
orthograde *adj.* 直立行走的　〈grade＝to step 行走〉
orthograph *n.* 正射投影图　[联]orthography 正字法
orthopaedic *adj.* 整形外科的 ～s *n.* 整形术　〈paed(ped)＝child〉

ot＝ear 耳

[otitis(耳炎)一词借自近代拉丁语 otitis，源自希腊语 ous，由"ot＋-itis"构成]

otophone *n.* 助听器　[联]otoscope 耳镜
otolaryngology *n.* 耳鼻喉科学　[联]otology 耳科学
otolaryngologist *n.* 耳鼻喉科专家　〈-ist 精通……的〉
parotitis *n.* 腮腺炎　〈par-＝side 旁边〉

out，ut＝away from inside 在外，往外

[out 一词源自日耳曼语 uz，源自史前印欧语 ud(up，out)]

outboard *adj.* 外侧的，向舷外的　〈board 木板，船舷〉
outbound *adj.* 开往外地的，开往外国的　〈bound 开往……去〉
outbreak *n.* (战争的)爆发，(疾病的)发作　[联]outburst 爆发
outcamp *n.* 偏远的营地　[联]outfield 边境，外场
outcast *adj.* 被逐的 *n.* 被驱逐者，流浪者　〈cast 抛，投射〉
outcome *n.* 结果，成果　[联]outcomer 外来者
outcry *n.* 大声疾呼　[联]watchout 留意，提防
outcurve *vt.* 使外曲 *n.* 外曲　[反]incurve 向内弯曲
outdiffuse *vi.* 向外漫射　〈diffuse 漫射，传播〉
outdoor *adj.* 室外的 ～s *adv.* 在户外的　[联]outdoorsy 户外的
outerface *n.* (磁带，纸带的)外面　[联]outercoat 大衣
outermost *adj.* 最外面的，最远的　[同]outmost 最外面的
outerwall *n.* 外壁　[联]outfall 河口
outerwear *n.* [总称]外衣，外套　[同]overclothes 外衣，罩衣
outflung *adj.* 扔出的，张开的　〈flung←fling 扔〉
outflux *n.* 外向通量，外流，出口　[联]outflow 流出(物)
outgo *n.* 支出，消耗 *vt.* 优于　[联]outgoing 开朗的
outguess *vt.* 看透，猜出……的意图　[联]outgush 涌出，喷出
outhouse *n.* 外屋，厕所　[同]toilet，jakes，john

outing *n.* 外出，旅行，散步　　[同]excursion 远足
outland *n.* 偏僻地区 ～ish *adj.* 奇异的　　[联]outlander 外地人
outleap *vt.* 向外跳，跃出……之外　　〈leap 跳跃〉
outlet *n.* 出口，出路　　[同]inlet 进口
outlie *vi.* 露营 ～r *n.* 露宿者，局外人　　[联]outline 大纲，轮廓
outlay *n.* 费用 *vt.* 花费　　[同]expense，spending
outlook *n.* 景色，风光，观点，见解，前景　　[联]lookout 警戒，前途
outlying *adj.* 无关的，题外的，边远的　　[同]extraneous 无关的

ov＝egg 卵

[oval(卵形的)一词借自法语 oval，源自近代拉丁语 ovalis，源自拉丁语 ovum(egg)]

ovate *adj.* 卵形的　　[联]obovate 倒卵形的
ovary *n.* 卵巢，子房　　〈-ary 与……有关的〉
oviparous *adj.* 卵生的　　〈par＝bear 生〉
oviparity *n.* 卵生　　〈-ity ……性质或状态〉
ovoid *n.* 卵形的　　[同]oviform 卵形的

ow(e)，own，ought＝to possess 拥有

[owe(欠……债)一词源自日耳曼语，源自梵文共享的印欧语词根 is(possess，own)]

owing *adj.* 欠着的，未付的　　‖ owing to 由于
own *adj.* 自己的 *vt.* 拥有 ～er *n.* 物主　　[联]‖ ownership 所有权
ought *v. aux* 应该，应当　　‖ ought to 应该干……

ox(y)＝acid，sharp 氧化

[oxygen 一词借自法语 oxygene，源自希腊语“oxys＋gene(creation)”]

oxygen *n.* 氧气，氧 ～ate *vt.* 供氧，输氧　　[联]oxyhydrogen 氢氧的
oxide *n.* 氧化物　　[联]oxidize 使氧化
oxidation *n.* 氧化(作用)　　〈-ation ……行为或状态〉
dioxide *n.* 二氧化物　　[联]monoxide 一氧化物

pac，peac，peas＝peace 和平

[peace(和平)一词借自古法语 pais，源自拉丁语 pacem(agreement)]

pacific *adj.* (爱好)和平的　　〈-ic 有……特性的〉
pacify *vt.* 使镇定　　[联]repacify 再平息
pacifier *n.* 安抚奶嘴，镇静剂(物)　　[联]comforter 安慰者，奶头
pacification *n.* 平定，平息，绥靖　　[联]pacificator 平定者

pacifism *n.* 和平主义,不抵抗主义 〈-ism ……主义〉
peaceable *adj.* 和平的,息事宁人的 [联]appeasable 平息得了的
peaceful *adj.* 和平的,宁静的 [反]unpeaceful 不平静的
appease *vt.* 安抚 ～ment *n.* 平息,缓和 〈ap-＝make 使……〉

pac(e), pass＝a step 步伐,走,通过

[pace(步幅)一词借自古法语 pas, 源自拉丁语 passus, 源自 pandere(spread out)]

paced *adj.* 步测的,步调的,步伐的 [联]passed 及格的
pass *vt.* 经过,通过 ～er *n.* 过路人 [反]fail 不及格
impasse *n.* 死路,绝境 〈im-＝not 不〉
passage *n.* 段落,走廊 [联]passage-way 走廊,过道
passenger *n.* 乘客,旅客 [联]passer-by 过路人
passport *n.* 通行证,护照 [同]visa 签证
pastime *n.* 消遣,娱乐 〈pas(pa)渡过〉
encompass *vt.* 包围,包括 [联]compass 指南针
surpass *vt.* 超越,胜过 [同]exceed, overstep
trespass *vi.* 侵犯 〈tres-＝trans- 横穿〉

pact, pag＝fasten, tight, bind 包裹,紧的,结合

[pact(条约)一词借自古法语 pacte, 源自拉丁语 pactum, 源自史前印欧语词根 pag (unite)]

compact *n.* 契约,合同 *adj.* 紧密的 [同]pact 条约,公约
dispatch *vt.* (迅速地)派遣 〈dis-＝off 离开〉
impact *n.* & *vt.* 撞击,冲击 ～ion *n.* 嵌入 〈im-＝into 进入〉
page *n.* 页,页面 *vi.* 翻页,浏览 [联]page-boy 小听差
paginal *adj.* 每页的 [联]marginal 边的
propaganda *n.* 宣传 〈pro-＝before 先前〉
propagate *vt.* 宣传,繁殖 ～ion *n.* 宣传 [同]spread, transmit

pain, pen, pun＝penalty, pain 惩罚,痛苦

[pain(痛苦)一词借自古法语 peine, 源自拉丁语 poena, 源自希腊语 poine(penalty)]

painful *adj.* 痛苦的,讨厌的 [同]distressful 使苦恼的
penal *adj.* 刑事的 ～ty *n.* 惩罚,刑罚 〈-al 与……有关的〉
penalize *vt.* 惩罚,使处于不利地位 〈-ize＝make 使……〉
penance *n.* (赎罪的)苦行 [同]penitence 忏悔

penitent *adj*. 悔罪的 ～iary *n*. 教养所　　[同]impenitent 不悔悟的
penology *n*. 刑法学　　[同]penologist 刑罚学者
repent *vi*. 悔改,后悔 ～ance *n*. 悔悟,后悔　　[同]rue,regret
punish *vt*. 处罚,严厉对付～ment *n*. 惩罚　　[反]pardon,excuse

paint, pict＝to draw 描画

[paint(绘画)一词借自古法语 peintier,源自拉丁语 pingere,源自史前印欧语词根 peik (to cut)]

painter *n*. 画家,油漆匠　　[同]limner 画家
picture *n*. 画像,电影　　[联]picturesque 美丽的
pictograph *n*. 象形文字　　〈graph＝write 写〉
depict *vt*. 描绘,描写　　[同]describe,portray

pan＝bread 食物,面包

[companion(同伴)一词借自古法语 compaignon, 源自通俗拉丁语 companio, 由"com-＋panis"构成]

pancake *n*. 薄煎饼　　[联]panacea 万应灵药
pantry *n*. 餐具室　　〈-try ……的地方〉
companionship *n*. 友谊,伙伴关系　　[同]friendship 友谊
company *n*. 公司,陪伴 *vt*. 陪伴　　[同]group,association
accompany *vt*. 伴随,陪同　　〈ac- 加强语气〉
accompaniment *n*. 伴奏,伴随物　　〈-ment ……行为或结果〉

pand, pans＝to spread out 扩张

[expand(扩张)一词借自法语 espandre,源自拉丁语 expandere(to spread out)]

expandable *adj*. 可扩张的　　[同]expandible 可扩张的
expansive *adj*. 使扩张的　　[联]expansivity 扩张性
expansible *adj*. 可膨胀的,可扩展的　　[反]inexpansible 无法扩张的
expansibility *n*. 可扩张(膨胀)性　　[反]inexpansibility 不可膨胀性
expansile *adj*. 扩张的,膨胀的　　[同]expansible 能扩张的
expansion *n*. 扩张 ～ary *adj*. 膨胀的　　[联]expanse 扩张,苍天
expansionism *n*. 扩张主义(政策)　　[联]expansionist 扩张主义者

par, pair, peer＝equal 一对,相等

[pair(一对)一词借自古法语 paire, 源自拉丁语 paria(equal things)]

par *n*. 同等,标准,常规　　[联]bar 条,棒

parity *n.* 同等，平价，平等 [反]imparity 不平等
disparate *adj.* 根本不同的，种类全异的 〈dis-=not 不〉
disparity *n.* 不相等，差异 [同]discrepancy 矛盾
disparage *vt.* 轻视，贬低 ～ment *n.* 轻视 〈dis-=not 不〉
parable *n.* 寓言，比喻 [同]myth，fable
parallel *adj.* 平行的，类似的 [同]similar，analogy
compare *vt.* 比较，比作 [联]comparison 比较，对照
comparable *adj.* 可比较的 [反]incomparable 无比的
nonpareil *adj.* 无比的，独特的 〈non-=without 无〉
omniparity *n.* 全平等，一切平等 〈omni-=all 全〉
peer *n.* 同辈 *vi.* 凝视 ～less *adj.* 无比的 〈par 的变体〉
compeer *n.* (能力等)相同的人 〈com-=together 共同〉

par, pair=to prepare 准备，安排

[prepare(准备)一词借自中古法语 preparer，源自拉丁语 praeparare]

apparel *n.* 衣服，外观，外表 [同]attire 服装
apparatus *n.* 仪器，装置 〈-atus ……装置〉
parade *n.* 游行，阅兵 ‖ on parade 在游行
pare *vt.* 剪修，给……削皮 [同]peel 剥皮
prepared *adj.* 准备好的 ～ness *n.* 有准备 [同]unprepared 无准备的
preparation *n.* 准备，配制 [联]reparation 赔偿，补偿
preparatory *adj.* 准备的 〈-atory 起……作用的〉
reparable *adj.* 可修理的，可修补的 [反]irreparable 不可补救的
reparative *adj.* 修理的，赔偿的 〈-ative 做……的〉
repair *vt.* 修理 〈re-=again 重复〉
disparate *adj.* 根本不同的，不能互相比拟的 〈dis-=away 离开〉
separate *vt.* 分离，隔开 ～ion *n.* 分离 〈se-=apart 离开〉
separable *adj.* 可分的，可分离的 [同]inseparable 不可分的

par, parent=bear, produce 生产，生孩子

[parent(先辈)一词借自古法语 parent，源自拉丁语 parentem，源自史前印欧语词根 pere (to bring forth)]

parental *adj.* 父母的 [联]marital 夫妻的
parentage *n.* 出身，门第 〈-age ……地位，身份〉
primipara *n.* 初产妇 [联]primiparous 初产的

oviparous *adj*. 卵生的 〈ovi＝egg 卵〉
uniparous *adj*. 每次产一卵(子)的 [联]biparous 产双胎的
multiparous *adj*. 一胎多子的,多产的 [联]multi-＝many 多
gemmiparous *adj*. 生芽的,发芽生殖的 〈gemm＝bud 芽〉

par, pear＝come in sight, appear 看见,出现

[appear(出现)一词借自古法语 apparoir,源自拉丁语 apparere。词根 par 有四种含义:(1)bring birth;(2)come in sight;(3)get ready;(4)equal]

apparent *adj*. 明显的 ～ly *adv*. 显然地 [联]transparent 透明的
apparition *n*. 幻象的出现,幽灵,鬼 〈-ition ……行为或状态〉
transparence *n*. 透明,透明度 [同]transparency 透明
appearance *n*. 外貌,出现 [反]disappearance 消失
peer *vi*. 盯着看,凝视 〈appear 的缩略词〉

para＝beside, disordered, like 一旁,失调,类似

[parallel(平行的)一词借自中古法语 parallele,源自希腊语 parallelos,由"para＋allelos(one another)"构成]

parable *n*. 比喻,寓言 〈ble＝bol 抛,投〉
parabolic *adj*. 比喻的,抛物线的 〈bol 抛〉
paradox *n*. 自相矛盾的话 〈dox ……说,观点〉
paragon *n*. 模范,典范 [同]model,pattern
paragraph *n*. 段,节 〈graph＝write 写〉
paralyse *vt*. 使麻痹,使瘫痪 [联]paralytic 麻痹的
parameter *n*. 参数,参量 [联]parametric 参数的
parametrization *n*. 参数化 〈-ation ……行为或状态〉
paraphrase *n*. 释意 〈phrase 注语〉
parasite *n*. 寄生虫 [联]parasitic 寄生的
parody *n*. 打油诗,拙劣的模仿 〈ody＝ode＝song 歌〉

parl＝to speak or talk 言谈,讨论

[parley(和谈)一词借自中古法语 parlee,源自拉丁语 parabola(speech,discourse)]

parlor *n*. 客厅,起居室,休息室 [同]parlour 客厅
parlance *n*. 谈话,说法,用法 [同]speech 说话,谈话
parliament *n*. 议会,国会 〈-ment ……的行为或结果〉
parol *n*. 口头言词 *adj*. 口头的 [联]parole 假释,暗号

part，pars，port＝part，divide 部分，划分，分开

[part(部分)一词借自古法语 part，源自拉丁语 partem，源自史前印欧语词根 pere(to allot)]

parting *adj*. 临别的，分离的，临终的　[同]leaving 离开
partake *vt*. 分享 *vi*. 参加　[同]take part in 参加
partial *adj*. 偏袒的 ～ly *adv*. 部分地　[反]impartial 公正的
participant *n*. 参加者　〈cip＝take 采取〉
participate *vi*. 参加，参与(in)　〈-ate＝make 使……〉
participle *n*. 分词　〈-le ……小，倾向于……〉
particle *n*. 粒子，微粒　〈-cle 小的〉
particular *adj*. 特殊的 ～ly *adv*. 特别地　[联]particulars 细节
parcel *n*. 小包 *adj*. 部分的　〈-cel 小〉
partisan *n*. 党徒，游击队员　〈-san ……人〉
partition *n*. 分开，隔开部分　〈-ition ……行为或状态〉
party *n*. 党，社交聚会，伙伴　[联]partner 伙伴
apart *adj*. 分离的，隔离的　[联]apartment 房间
compart *vt*. 分隔 ～ment *n*. 隔间　〈com- 加强语气〉
compartmental *adj*. 分割 ～ize *vt*. 划分　〈-al 具有……特征的〉
compartmentation *n*. 分为小房，分门别类　〈-ation ……行为或状态〉
counterpart *n*. 副本，相对物　[同]equivalent 对等物
depart *vi*. 离开，出发 ～ure *n*. 离开　〈de- 离去＋part 部位〉
department *n*. 部门 ～al *adj*. 部门的　〈-ment ……过程或状态〉
departmentalize *vt*. 把……分为各部　〈ize＝make 使……〉
impart *vt*. 给予，传授 ～ible *adj*. 不可分的　〈im- 向里，分成部分〉
jeopardy *n*. 危险　〈jeo 笑话；pard＝part〉
parse *vt*. 从语法上分析，解析　‖ parse line 分列线
portion *n*. 一部分，嫁妆 ～less *adj*. 无嫁妆的　[同]section，segment
apportion *vt*. 分配，分摊　〈ap-＝make 使……〉
proportion *n*. 比率 ～al *adj*. 成比例的　〈-ion ……行为或状态〉

pater，patr(i)＝father 父亲，祖国

[patriot(爱国者)一词借自法语 patriote，源自希腊语 patriotes，源自 pater(father)]

pater *n*. 父亲，爸爸　[联]mater 母亲，妈妈
paternal *adj*. 父亲的　[联]maternal 母亲的

patriarch *n.* 家长，族长 ～al *adj.* 父权的　［联］matriarch 女家长
patricide *n.* 杀父(者)　［联］matricide 弑母者
patrimony *n.* 祖传的财产，遗产　［联］matrimony 结婚
patriot *n.* 爱国者 ～ic *adj.* 爱国的　［同］patriotism 爱国心
compatriot *n.* 同胞，同国人　［同］countryman 同胞
expatriate *vi.* &*vt.* 把……逐出国外，移居国外　［联］repatriate 遣送回国
patron *n.* 保护人，赞助人 ～ize *vt.* 资助　〈-on ……人或物〉
patronymic *adj.* 来源于父名的(姓)　〈onym＝name 名〉
pattern *n.* 典范，模型，句型　［联］extern 走读生

path＝feeling, suffering, illness 感情，痛苦，疾病

［apathy(冷淡)一词借自法语 apathie，源自拉丁语 apathia，源自希腊语 apatheia］

pathetic *adj.* 可怜的，令人同情的　［反］apathetic 冷淡的
pathogen *n.* 病菌，病原体　［联］pathogenetic 致病的
pathology *n.* 病理学　［联］pathologic 病理的
zoopathology *n.* 动物病理学　［联］phytopathology 植物病理学
hippopathology *n.* 马体病理学　〈hippo＝horse 马〉
neuropathy *n.* 神经病　［联］neuropathic 神经病的
dermatopathy *n.* 皮肤病　〈dermato- 皮，皮肤〉
psychopathy *n.* 心理病态，精神变态　［联］psychopathic 精神病的
acetopathy *n.* 醋酸疗法　〈acet-醋酸〉
antipathy *n.* 反感，厌恶　［联］antipathic 反感的
electropathy *n.* 电疗法　〈electro- 电，电子的〉
empathy *n.* 移情作用，神入　［联］empathic 感情移入的
hydropathy *n.* 水疗法　［联］hydropathist 水疗法者
osteopathy *n.* 骨病治疗法，疗骨术　〈osteo-＝bone 骨〉

pati, pass＝to bear, to suffer; feeling 忍耐，遭受，情感

［patient(病人)一词借自古法语 pacient，源自拉丁语 patientem(suffering)］

patient *adj.* 有耐性的　［反］impatient 不耐烦的
patience *n.* 耐心，耐性　［反］impatience 不耐烦
compatible *adj.* 可和谐共存的　［反］incompatible 不相容的
compatibility *n.* 适合，兼容性　［反］incompatibility 不兼容
passion *n.* 激情 ～less *adj.* 没热情的　［同］emotion 情感

passionate *adj*. 热情的 ～ly *adv*. 热情地　[反]dispassionate 不动情感的

passive *adj*. 被动的 ～ness *n*. 被动性　[联]passivity 消极，被动

compassion *n*. 同情，恻隐之心　[联]compassionate 有同情心的

impassion *vt*. 使激动　〈im-＝make 使……〉

impassive *adj*. 冷漠的 ～ness *n*. 无感情　[反]eager 热心的

peal, pell, puls, push＝drive, push 推动，推进

[同源异形根 pel 和 puls 的构词规律：pel 加上前缀构成动词，plus 则构成相应的名词和形容词]

peal *n*. (敲击的)钟声　[联]peel 剥，削

appeal *vi*. 呼吁，要求 *vt*. 控诉　[联]repeal 撤销，废除

compel *vt*. 迫使 ～lable *adj*. 可强迫的　[联]impel 推动，推进

expel *vt*. 开除，驱逐 ～ler *n*. 驱逐者　[联]dispel 驱使，赶跑

expulsion *n*. 驱逐　〈ex-＝out 出〉

propel *vt*. 推进，推动 ～ler *n*. 螺旋桨　〈pro-＝forwards 向前〉

repel *vt*. 击退，抵制 ～lent *adj*. 排斥的　〈re-＝backwards 向后〉

appellant *adj*. 上诉的 *n*. 上诉人　〈-ant 进行……动作的人〉

pulse *n*. 脉搏 *vt*. 搏动，使跳动　[联]pulsate 搏动，悸动

compulsion *n*. 强制，强迫　〈com- 加强语气〉

compulsory *adj*. 强迫的，必修的　[同]required 必须的

impulse *n*. &*vt*. 推动　〈im＝in 往内〉

impulsive *adj*. 冲动的 ～ness *n*. 易冲动　〈im-＝into 进入〉

propulsion *n*. 推进(力)　[联]propulsive 有推进力的

polish *vt*. 磨光，擦亮　〈pol＝pel＝push〉

pulsate *vi*. 脉动，跳动，振动　〈-ate＝make 使……〉

repulse *vt*. 打退，反驳　〈re-＝back 回〉

push *vt*. /*n*. 推动 ～y *adj*. 固执己见的　[联]bush 灌木

Exercise 6

Directions: *Study the followings roots and example words, and then guess the meanings of the roots.*

Root	Word	Root Meaning
1. mar	market	__________
merc	commerce	__________

merch	merchant	______
2. mar	submarine	______
3. mark	marksman	______
4. mater	maternal	______
matr	matriarch	______
metr	metropolis	______
5. matur	immature	______
6. medic	medicine	______
med	remedy	______
7. med	medial	______
mid	middle	______
med	mediate	______
8. memor	memory	______
member	remember	______
9. mend	amend	______
10. ment	mental	______
mind	reminder	______
11. mens	dimension	______
meas	measure	______
metr	barometric	______
meter	thermometer	______
12. merge	emerge	______
13. mess	messenger	______
miss	dismiss	______
mit	admit	______
14. migrate	emigrate	______
15. milit	military	______
16. mini	minimize	______
min	minor	______
min	minute	______
17. mon	admonish	______
monit	monitor	______
18. mono	monogamy	______

19. mor	unmoral	______
20. mort	immortal	______
21. mod	modern	______
mould	remould	______
22. mount	mountain	______
mont	promontory	______
23. mov	movement	______
mot	motion	______
mob	mobilize	______
24. muni	municipal	______
25. muse	museum	______
26. mut	transmute	______
27. name	namesake	______
nomer	misnomer	______
nom	innominate	______
onym	anonymous	______
28. nat	innate	______
29. nav	navigate	______
naut	aeronautics	______
30. nect	connect	______
31. neg	neglect	______
32. nomy	economy	______
33. norm	normal	______
34. not	notice	______
35. nounce	announcement	______
36. nunci	enunciate	______
37. nour	nourishment	______
nutri	nutrition	______
38. nov	novelty	______
39. omni	omnipresence	______
40. oper	cooperate	______
41. or	orator	______
42. or	orient	______

orig	originate	________
43. ordin	ordinary	________
order	orderly	________
44. orn	ornament	________
45. pain	painstaking	________
pen	penalty	________
pun	punishment	________
pent	repent	________
46. pair	parity	________
par(e)	compare	________
47. pare	parasol	________
48. para	paralyse	________
49. pare	prepare	________
50. pater	paternal	________
patri	patriarch	________
patr	patron	________

第六节　ped—saw

paed,ped,ped=child 儿童

[pedagogue(教师)一词借自古法语 pedagoge,源自拉丁语 paedagogus,源自希腊语 paidagogos]

paediatric *adj*. 儿科学的 ～s *n*. 小儿科	[联]paediatrician 儿科医生
pedagog *n*. 教授，教育者 ～y *n*. 教育学	[同]professor 教授
pedagogic *adj*. 教师的 ～s *n*. 教育学	[同]pedagogical 教师的
pedagogism *n*. 老师气质(派头)	[联]pedaguese 教师行话
pedant *n*. 学究,书呆子 ～ic *adj*. 学究气的	[联]pedantry 卖弄学问
pedology *n*. 儿科学,土壤学	〈-ology ……学〉
pedobaptism *n*. 婴儿洗礼	〈baptism=dipping 洗礼〉

ped,pod=foot 足

[pedal(脚镫子)一词借自法语 pedale，源自意大利语 pedale，源自拉丁语 pedalis，源自史前印欧语词根 ped(foot)]

peddle *vi.* 沿街叫卖　[同]vend,hawk

pediform *adj.* 足状的　〈-form 具有……形状〉

expedite *vt.* 加快……进展,迅速完成　[联]expeditious 敏捷的

expedition *n.* 远征(队),考察(队)　〈ex-=out 出〉

expedient *adj.* 方便的,权宜的　[联]expedience 方便,权宜

impede *vt.* 妨碍,阻碍　[联]impediment 障碍(物)

impedance *n.* 阻抗,电阻抗　〈-ance ……性质或状况〉

pedestrian *n.* 步行者 *adj.* 徒步的　〈-ian 带有……特征的人〉

pedicab *n.* 脚踏三轮车　〈cab 出租车〉

pedicure *n.* 脚疾治疗,修脚指甲　〈cure 治疗〉

pedigree *n.* 家系,系谱　〈←crane's foot〉

uniped *n.* 单蹄的(兽)　[联]biped 两足动物

multiped *n.* 多足动物　[联]centipede 蜈蚣

quadruped *n.* 四足动物　〈qudru-=four 四〉

soliped *n.* 单蹄的(兽)　〈soli-=single 单〉

fissiped *n.* 裂足动物　〈fissi-=split 裂〉

podiatry *n.* 脚病学,脚病治疗　〈-ry=-ery ……技术或职业〉

podagric *adj.* 足痛风的　〈-ic 有……特征的〉

cephalopod *n.* 项足类动物(乌贼、章鱼等)　〈cephalo-=head 头〉

isopodous *adj.* (动物的)等足的　〈iso-=equal 相等的〉

tripod *n.* 三脚架　〈tri-=three 三〉

impeach *vt.* 非难,控制,检举　〈peach=ped〉

pen,penn,pinn=feather 羽毛

[pen(笔)一词借自古法语 pene，源自拉丁语 penna(feather)，源自后期拉丁语 pen]

pennate *adj.* 羽状的　[联]longipennate 长羽的

penniform *adj.* 羽状的　〈-form 有……形状的〉

penniferous *adj.* 有羽毛的,生羽的　〈fer=carry,bear 具有,生〉

pinna *n.* 正羽,翼,鳍　〈-a 名词后缀〉

pinnule *n.* (植物)小羽片　〈-ule=small 小〉

pen,pun＝to punish,punishment 惩罚

[punish(处罚)一词借自古法语 puniss，源自拉丁语 punire，源自 poena(penalty)]

penal *adj*. 刑事的 ～ty *n*. 刑罚,罚金 [联]penalize 惩罚,惩处
penance *n*. (赎罪的)苦行,苦修 〈-ance ……行为或过程〉
penitent *n*. 后悔者 *adj*. 后悔者的 [同]repentant 悔悟的
repent *vi*. 悔悟,悔改 ～ance *n*. 悔悟,悔改 〈re-＝again 反复〉
punish *vt*. 处罚 ～ment *n*. 惩罚,严厉对待 〈-ment ……的行为或结果〉
punitive *adj*. 惩罚的,苛刻的 [同]corrective 矫正的
impunity *n*. 不受惩罚,不受损失 〈im-＝not 不〉

pend,pens＝to hang,expend 悬垂,付出

[同源异形根 pend 和 pens 来自拉丁动词 pendere 和它的动名词 pensum。pendere 有三个意思:(1)to hang;(2)to weigh;(3)to pay。这与古罗马时用天平“称量”金银“支付”费用的做法有关,而称量的东西需要“悬挂”在天平上,故其基本含义为“悬挂”]

pendent *adj*. 悬垂的,未决的 [联]pendant 挂件
pendency *n*. 悬垂,未决 〈-ency ……性质或状况〉
pending *adj*. 悬垂的,未决的 [同]undecicded 未解决
pendular *adj*. 钟摆运动的,摆动的 〈-ar 有……特性的〉
pendulum *n*. (钟的)摆 〈-ulum 小物〉
perpendicular *adj*. 垂直的 〈per-＝through 完全〉
append *vt*. 附加,添加 ～age *n*. 附属物 〈ap-←ad- 加〉
appendicitis *n*. 阑尾炎 〈-itis ……炎症〉
appendix *n*. 附录,阑尾 [同]addendum 附加物
depend *vi*. 依靠,依赖 ～able *adj*. 可靠的 〈de＝down;挂在上面〉
dependence *n*. 依靠,依赖 [反]independence 独立
dependent *adj*. 依靠的,依赖的 [反]independent 独立的
interdepend *vi*. 相互依赖 〈inter- 相互〉
impend *vi*. 悬挂,逼近 ～ing *adj*. 逼近的 〈im-＝on 在上〉
expend *vt*. 花费,耗尽 ～iture *n*. 花费,支出 [同]spend 花费,度过
spent *adj*. 用尽的 [联]repent 感到懊悔
suspend *vt*. 吊,暂停,无力支付 [联]suspense 悬而未决
suspensive *adj*. 可疑的,(使)挂心的 [联]pensive 沉思的
pension *n*. 年金,养老金,津贴 [联]suspension 悬挂
suspensory *adj*. 悬挂的,悬而未决的 〈-ory 起……作用的〉

compensable *adj*. 可补偿的　〈com-＝together 一起〉
recompense *n*. 回报，回礼 *vt*. 给……以补偿　〈re-＝again 再〉
compensate *vi*. 赔偿，弥补 ～ion *n*. 赔偿　[联]compensator 补偿者
dispense *vt*. 分配，配(药)　[联]expense 花费，收费
expensive *adj*. 豪华的，昂贵的　[反]inexpensive 便宜的
dispensable *adj*. 非必需的　[反]indispensable 不可缺少的
propensity *n*. 倾向，习性　〈pro- 先，前〉
perpend *vi*. 思考，考虑　〈per-＝thorough 完全〉
poise *n*. 平衡，沉着　〈pois＝pens 称量→重量〉
ponder *vi*. 沉思，仔细考虑
～ous *adj*. 笨重的　[联]pound 磅，镑
ponderance *n*. 重量，重要性　〈-ance ……性质或状况〉

penet(r)＝to enter into 穿透，刺入

[penetrate(穿透)一词借自拉丁语 penetratus，与 penitus(inner)有关]

penetrable *adj*. 可穿透的　[反]impenetrable 不能通过的
penetrability *n*. 穿透性，能穿透性　[反]impenetrability 不能通过
penetrant *adj*. 渗透的 *n*. 渗透剂　〈-ant ……物〉
penetrate *vi*. 穿透，刺入　[联]penetration 穿过，渗透
penetrating *adj*. 敏锐的，(声音等)尖锐的　[同]descerning 有洞察力的
penetrative *adj*. 渗透的，深刻的　[联]penetrativity 穿透性
penetralia *n*. 深处，内院，秘密的事情　〈-alia 与……有关的〉

peopl，popul，publ＝people 人民，大众

[people(人民)一词借自盎格鲁诺曼法语 people，源自拉丁语 populus(populace)]

popular *adj*. 大众的 ～ity *n*. 流行，名望　〈-ar 有……特性的〉
popularize *vt*. 普及 ～ation *n*. 普及　[联]populate 居住于，移民于
population *n*. 人口(数字)　〈-ation ……行为或状态〉
populous *adj*. 人口稠密的，人口众多的　〈-ous 充满……的〉
public *n*. 公众 *adj*. 公众的
～ation *n*. 出版(物)　[联]republic 共和国
publication *n*. 出版(物)，发表　[联]republication 再版
publicize *vt*. 宣传，推广　[同]advertise 做广告
publish *vt*. 公布，出版 ～able

adj. 可出版的　　[联]republish 再版

peri,pert=to try 试验,尝试

[peril(危险)一词借自古法语 peril,源自拉丁语 periculum(an attempt)]

perilous *adj.* 危险的,冒险的　　[同]parlous 危险的
imperil *vt.* 使处于危险,危害　　〈im-=make 使……〉
experience *n.* 试验 *vt.* 经历 ～d *adj.* 老练的　　[同]undergo 经历
experiential *adj.* 经验的,根据经验的　　〈-ial 具有……特性的〉
experiment *n.* &*vi.* 试验 ～al *adj.* 实验的　　[同]test,try out
empirical *adj.* 凭经验的 ～ly *adv.* 任经验　　〈piri=peri〉
expert *n.* 专家 *adj.* 熟练的　　[反]novice 新手
expertise *n.* 专家评价,专门知识或技能　　[同]know-how 专门知识

pet,petit,peat=ask,seek 要求,寻找

[appetite(食欲)一词借自古法语 apetit, 源自拉丁语 appetitus, 源自 appetere(desire)]

petition *n.* 请求,请愿书　　[同]plea,appeal
appetence *n.* 强烈的欲望　　〈ap-(to)+pet 追求〉
appetizing *adj.* 促进食欲的　　[联]appetizer 开胃品
appetent *adj.* 有欲望的　　〈-ent 处于……状态的〉
compete *vi.* 竞赛,竞争,比得上　　[联]competition 比赛
competitor *n.* 竞争者,比赛者　　[同]antagonist 敌手
competitive *adj.* 竞争的 ～ly *adv.* 竞争地　　〈com-=together〉
centripetal *adj.* 向心的　　[反]centrifugal 离心的
competence *n.* 能力,胜任　　[联]competent 能胜任的
impetus *n.* 动力,刺激　　[联]impetuous 冲动的
perpetual *adj.* 永恒的,终身的　　〈per-=through 贯穿〉
repeat *vt.* 复述,重复 ～ition *n.* 重复　　〈re-=again 再〉
repetitious *adj.* 重复的,反复的　　〈-ous 多……的〉
propitiate *vt.* 获得宠爱,抚慰,调解　　〈pro-=forwards 向前〉
propitious *adj.* 幸运的,顺利的　　[同]auspicious 有利的

phas=outlook,state,show 外貌,状态,显示

[phase(侧面)一词借自法语 phase, 源自近代拉丁语 phases,源自希腊语 phasis(appearance)]

phase *n.* 阶段,侧面　　[同]passage,section
emphasis *n.* 加强,强调,突出　　〈em-=into 进入〉

emphasize *vt.* 强调 [同]stress 强调
emphatic *adj.* 强调的 *adv.* ~ally 明显地 〈-ic 有……特性的〉

phec,phet=speech,speak 言语,说

[prophet(预言家)一词借自古法语 prophete,源自拉丁语 propheta,源自希腊语 prophetes(spokesman)]

prophesy *vt.* 预言,预示 [联]prophecy 预言(能力)
prophetic *adj.* 预言的,告知的 [反]unprophetic 非预言的
prophetess *n.* 女预言家,女先知 [同]prophet 预言家

phil(e),pholio(us)=love 爱

[philosopher(哲学家)一词借自拉丁语 philosophus,源自希腊语 philosophos,由毕达哥拉斯创造]

philanthropy *n.* 慈善活动,博爱 [联]philanthropist 慈善家
philosophy *n.* 哲学 〈sophy=wisdom 智慧〉
philogyny *n.* 对女人的喜欢 〈gyn=woman 妇女〉
philology *n.* 语文学 [联]philologist 语言学者
philtre *n.* 春药,刺激 [联]philtrum 人中
Anglophile *n.* 亲英派 *adj.* 亲英派的 [联]Sinophile 亲华的
demophile *n.* 爱民众者,人民之友 [联]bibliophile 爱书者
anthophilous *adj.* 爱花的 〈antho-=flower 有……花的〉
dendrophilous *adj.* 喜爱树木的 〈dendro-=tree 树〉
photophilous *adj.* (植物)喜光的 〈photo-=light 光〉
cryophilic *adj.* (生物)好冷性的,喜寒的 〈cryo=cold 寒冷〉
hippophile *adj.* 爱马者 〈hippo=horse 马〉
xerophilous *adj.* (植物)喜旱的 〈xero-=dry 干旱〉

phon=sound,voice 声音

[phonetic(语音的)一词借自近代拉丁语 phoneticus,源自希腊语 phonetikos]

phone *n.* 电话 *vt.* 给……打电话 [联]cellphone 手机
dictaphone *n.* 录音机,口授留声机 [联]otophone 助听器
phoneme *n.* 音素,音位 [联]phonemics 音位学
photophone *n.* 光音器,感光电话器 〈photo=light 光〉
phonics *n.* 声学,发音练习 [联]phonetics 语音学
phonology *n.* 音韵学,语音体系 [联]phonologist 音韵学家

homophone *n.* 同音异义词 〈homo-＝equal 相同〉
phonograph *n.* 留声机，唱机 [联]phonogram 表音符号
phonolite *n.* 响石，响岩 〈lite 石，有声之石〉
symphony *n.* 交响乐 [联]symphonic 交响乐的
cacophony *n.* 刺耳的声音，不和谐的声音 [联]cacophonous 刺耳的
euphony *n.* 悦耳的声音 [联]euphonious 悦耳的
euphemism *n.* 委婉说法 [反]dysphemism 粗话
dysphonia *n.* 发音困难 〈dys-＝bad 坏的〉
telephone *n.* 电话 [联]gramophone 留声机
earphone *n.* 耳机 [联]acouophone 助听器
megaphone *n.* 扩音器 [同]microphone 麦克风
tautophony *n.* 同音反复 〈tauto-＝the same 相同〉
xylophone *n.* 木琴 〈xylo-＝wood 木头〉

phor＝bearing，bringing 携带的，运送的

[semaphore(打旗语)一词借自法语 semaphore，由希腊语 sema(sign)＋phoros(bearing)构成]

metaphor *n.* 隐喻 ～ical *adj.* 隐喻性的 〈meta- 在其中，在后〉
phosphor *n.* 磷，启明星 ～ous *adj.* 磷的 〈phos-＝photo＝light 光〉
electrophorus *n.* 起电盘 〈electro- 电〉

phos，phot＝light 光→照相，相片

[phosphorus(磷光体)一词借自拉丁语 phosphorus，源自希腊语 phosphoros，由"phos＋-phoros(bring)"构成]

photograph *n.* 照片，相片 〈graph＝write 写〉
photochrome *n.* 彩色照片 〈chrom＝colour 色〉
photocompose *n.* 照相排版 [联]photoprint 影印(画)
photoconductor *n.* 光电导体，光电导元件 [联]photoelectron 光电子
photogenic *adj.* 易上镜头的，发光的 〈gen 产生〉
photon *n.* 光子，量子 〈-on ……子，物〉
photojournalism *n.* 摄影新闻工作 〈journalism 新闻工作〉
photosynthesis *n.* 光合作用 〈synthesis 综合，合作〉
photometry *n.* 测光法 〈metry＝measure 测量〉
photosphere *n.* (包围太阳的)光球 〈sphere 圈子，范围〉
holophote *n.* 全光反射装置 〈holo-＝all 全〉

phras=to speak 说

[phrase(短语)一词借自后期拉丁语 phrasis，源自希腊语 phrasis，源自 phrazein(tell)]

phrasal *adj.* 词组的，短语的　〈-al 具有……特征的〉

antiphrasis *n.* 反话法，词义反用法　〈anti-=opposite〉

metaphrase *n.* & *vt.* 直译，逐字翻译　〈meta- 在其中，在后〉

periphrase *vt.* 委婉地说，拐弯抹角地说　[联]paraphrase 意译

periphrastic *adj.* 委婉的，迂回的，冗长的　[联]paraphrastic 说明性的

phys=naure 自然，物理

[physics(物理学)一词借自拉丁语 physica，源自希腊语 physika，源自 physis(nature)]

physical *adj.* 自然界的，物理的　‖ physical beauty 人体美

physician *n.* 内科医生 ～ship *n.* 医生职位　[联]physicist 物理学家

physic *n.* 医学，医术，泻药　[联]physique 体格，体形

physiotherapy *n.* 物理疗法　[同]physiatrics 物理疗法

physiatrist *n.* 物理治疗医师　[联]physiologist 生理学者

physicochemical *adj.* 物理化学的　〈chemical 化学的〉

physiognomy *n.* 人相学，脸，相面术　〈-nomy ……法则，学科〉

metaphysics *n.* 玄学，形而上学　〈meta- 在后〉

pi，pit(e)=piety，pity 虔诚，怜悯，献身

[piety(虔诚)一词借自古法语 piete，源自拉丁语 pietas，源自 pius (kind，pious)]

piety *n.* 虔诚，孝顺　[反]impiety 不敬

pious *adj.* 虔诚的，孝敬的 ～ly *adv.* 虔诚地　[反]impious 不虔诚的

pitiable *adj.* 可怜的 ～ness *n.* 可怜　〈-able 可……的〉

pitiful *adj.* 令人怜悯的 ～ly *adv.* 可怜地　[同]piteous 可怜的

pittance *n.* 少量，一点点　〈-ance ……总量或程度〉

pity *n.* 怜悯，同情　‖ out of pity 出于怜悯

pick，peck，pink=to pierce 掘，摘，拾，啄

[pick(摘)一词借自古法语 piquer，源自通俗拉丁语 piccare(prick，pierce)]

picker *n.* 采摘者　[联]pecker 鹤嘴锄

peck *vt.* 啄，啄食，小口地吃　[联]check 检查

woodpecker *n.* 啄木鸟　[同]peckerwood 啄木鸟

pick *vt.* 挑选，摘　[联]toothpick 牙签

picked *adj.* 精选的，摘下的　[同]handpicked 精选的

picklock *n.* 小偷 [同]pickpocket 扒手
pink *vt.* 刺,扎 *adj.* 粉红色 [联]pinked 穿孔的,击穿的

pig,pict=to paint 上颜料,着色→画

[pigment(颜料)一词借自拉丁语 pigmentum,源自 pingere(to color,paint)]

pigment *n.* 颜料,色料 [同]dye 染料
picture *n.* 图画,照片 ~que *adj.* 美丽的 〈-ure ……行为的结果〉
pictograph *n.* 象形文字 ~ic *adj.* 象形文字的 〈-graph=write 写〉
pictorial *adj.* 绘画的 *n.* 画报 〈-ial 有……特性的〉
depict *vt.* 描绘,描画 ~ion *n.* 描写 [联]depicter 描写者

plac=place 放,地方

[place(地方)一词借自古法语 place,源自拉丁语 platea,源自希腊语 plateia(broad way)]

place *n.* 地方,职位 *vt.* 放置 [反]displace 移动
placenta *n.* 胎盘 [同]maza 胎盘
replace *vt.* 替换,取代 ~ment *n.* 代替 [同]substitute 替换
replaceable *adj.* 可代替的 [反]irreplaceable 不能代替的
fireplace *n.* 壁炉 [同]hearth 灶台

plac,plais,pleas=to please 取悦,使高兴

[please(使高兴)一词借自古法语 plaisir,源自拉丁语 placere(to soothe)]

placid *adj.* 平静的,安静的 ~ity *n.* 平静 [同]serene,tranquil
placable *adj.* 易安慰的,温和的 [反]implacable 难和解的
placate *vt.* 安抚,安慰 [同]appease 安抚,缓和
placatory *adj.* 安抚的,平息的 [同]placative 安抚的
placebo *n.* 安慰剂,宽心话 〈-ebo ……药品〉
complacent *adj.* 满足的,自鸣得意的 [联]complaisant 殷勤的
complacence *n.* 自满(情绪),满意 [联]complaisance 殷勤,亲切
pleased *adj.* 高兴的 [反]displeased 不开心的
pleasure *n.* 愉快,娱乐,令人高兴的事 [反]displeasure 不愉快
displease *vt.* 使不高兴 [反]please 使高兴
pleasant *adj.* 愉快的 [反]unpleasant 使不愉快的
pleasure *n.* 愉快,高兴 [反]displeasure 不愉快

plain,plan,plat=to smooth,flat 弄平,平面

[plane 一词借自古法语 plane,源自拉丁语 platanus,源自希腊语 platanos,源自 platus (broad)]

explanatory *adj*. 解释的,说明的　〈-ory 起……作用的〉
plain *n*. 平原 *adj*. 朴素的　[联]explain 解释,讲解
plan *n*. 计划,规划,平面图 *vt*. 计划　[联]plane 飞机,平面
planimetry *n*. 平面几何,测面法　〈-metry 测量〉
planish *vt*. 打平,压平　[联]banish 驱逐
plank *n*. 厚板　〈平→木板〉
plate *n*. 板,盘子 *vt*. 镀,覆盖　[联]plat 地图,小块地
platen *n*. 压盘,压板　〈=platten〉
plateau *n*. 高原　[同]tableland 高原
platform *n*. 平台,站台　〈form 结构〉
plating *n*. 电镀　〈-ing ……行为的产物〉
platitude *n*. 老生常谈　[联]latitude 纬度

plant=flora,plant 植物,工厂

[plant(植物)一词借自拉丁语 planta,源自 plantare,源自史前印欧语 plat(to spread)]

plantable *adj*. 可种植的　[同]cultivable 可耕种的
plantae *n*. 植物界　[同]plantage 植物界
plantation *n*. 耕地,种植园　[联]implantation 植入
plant *vt*. 种植 *n*. 植物　[同]planter 种植者,耕作者
planting *n*. 种植,栽培,装备　[联]plantling 植物苗,籽苗
plantlet *n*. 小植物,苗　〈-let=small 小〉
plantule *n*. 胚芽　〈-ule=small 小〉
implant *vt*. 插入,移植,灌输　[联]transplant 移植

plaud,plaus,plod,plos=to clap 鼓掌→爆炸

[explode(爆发)一词借自拉丁语 explodere。古罗马人看演出时,如果不满意会发嘘声喝倒彩,把演员轰下台去]

plaudit *n*. 鼓掌,喝彩,赞扬　[联]cheer 欢呼
applaud *vt*. 鼓掌欢迎　[联]applause 喝彩
implode *vi*. 向内聚爆,内爆　〈im-=into 进入〉
exploder *n*. 雷管,爆炸物　[同]detonator 雷管

explosion *n.* 爆炸 [联]implosion 内爆
explosive *adj.* 爆炸(性)的 *n.* 炸药 [联]implosive 闭塞的

ple,plen,plet,pli,ply,plish=to fill up 充满,补充

[plenty(丰富)一词借自古法语 plentee,源自拉丁语 plenitas,源自 plenus(full)]

plenary *adj.* 完全的,全体的 〈-ary 与……有关的〉
plenilune *n.* 满月,月满之时 [联]plenilunar 满月的
plenipotentiary *adj.* 有全权的 〈potent 权力,权能〉
plentiful *adj.* 丰富的 ~ness *n.* 大量,丰富 [同]bountiful 丰富的
plenitude *n.* 丰富,充足 〈-itude 抽象名词后缀〉
deplenish *vt.* 倒空,弄空 [联]replenish(再)填满
complement *n.* 补充(物) ~ary *adj.* 互补的 [联]compliment 恭维
complete *adj.* 完整的 *vt.* 完成 ~ly *adv.* 完全 [联]replete 充满的
implement *vt.* 实施 *n.* 工具,器械 [联]supplement 增补
accomplish *vt.* 完成 ~ment *n.* 成就 [同]complete 完成
compliance *n.* 答应(要求等),顺从 [反]incompliance 不顺从
compliant *adj.* 应允的,服从的,温顺的 [反]incompliant 不顺从的
supply *vt.* /*n.* 供应,供给 [联]supplier 供应商,供应者

ply,plic,plicate,plex,ploy=to fold,twist 折叠,弯曲

[apply(申请)一词借自法语 applieuer,源自拉丁语 applicare(connect),由"ad-(to)+plicare(to fold)"构成]

ply *vi.* &*vt.* 使用(工具),固定往来 [同]plywood 胶合板
pliers *n.* 钳子,老虎钳 [同]tongs 钳子
applicable *adj.* 能应用的,可适用的 [同]inapplicable 不适用的
applicant *n.* 申请人 [联]appliance 器具,装置
application *n.* 应用,运用,申请 〈-ation ……行为或状态〉
imply *vt.* 意指 [联]implication 含义,含蓄
simple *adj.* 简单(朴)的 [反]complex 复杂的
simplify *vt.* 简化,使单纯 〈sim 一次〉
suppliant *adj.* 恳求的 *n.* 哀求者 〈sup-=sub- 在下面〉
complicate *vt.* 使复杂化 ~d *adj.* 混乱的 [联]complication 错杂
complicity *n.* 同谋关系 〈-ity ……性质或状态〉
comply *vi.* 照做,遵守 [联]reply 回答
explicit *adj.* 清楚的 〈ex-=out 出〉

implicate *vt.* 牵连，暗示 ～ion *n.* 含义 〈im-＝into 进入〉
simplicity *n.* 简单，简易 [反]complexity 复杂性
complexion *n.* 外观，气色，面色 〈-ion ……行为或状态〉
perplex *vt.* 困惑 [联]baffle，confound
triple *adj.* 三倍的 *n.* 三倍的数量 [联]quadruple 四倍的
employ *vt.* 雇用，使用 ～ment *n.* 雇用 〈em-＝into 进入〉
employer *n.* 雇主，老板 [联]employee *n.* 雇员
exploit *vt.* 开采，利用 ～ation *n.* 开发 〈ex-＝out 出〉
deploy *vi.* 展开，部署 ～ment *n.* 部署 〈de-＝away 离开〉

plor＝weep，cry 哭，喊

[deplore(哀悼)一词借自法语 deplorer，源自拉丁语 deplorare，由“de-＋plorare(weep)”构成]

deplorable *adj.* 可悲的，可叹的 [同]lamentable 可悲的
explore *vt.* 探索，钻研 ～r *n.* 探险家 [联]exploration 探索，钻研
implore *vt.* 乞求，恳求 [联]imploration 乞求，恳求

point，punct，punch，pung＝a dot，to prick 点，刺

[point(点)一词借自法语 pointe，源自拉丁语 puncta(pricking)]

appoint *vt.* 任命，约定 ～ment *n.* 约会 [同]assign 选派
disappoint *vt.* 使失望 ～ment *n.* 失望 [联]disappointed 沮丧的
poignant *adj.* 刺激的，辛辣的，锐利的 〈poign＝pung 刺〉
punctual *adj.* 准时的 ～ality *n.* 准时 [同]precise，prompt
punctuate *vt.* 加标点于 ～ion *n.* 标点符号 〈-ate＝make 使成为……〉
puncture *n.* 刺，穿 *vt.* 刺 [联]acupuncture 针灸(疗法)
punctilio *n.* 细节 ～us *adj.* 拘谨的 [同]ceremony，formality
compunction *n.* 后悔，内疚 [联]expunction 消除，消去
punch *n.* 打孔机 *vt.* 在……打孔 [联]bunch *n.* 束，捆
expunge *vt.* 删去，擦掉 [同]annul，erase
pungent *adj.* 刺激(性)的，尖锐的 〈-ent 促进……作用的〉

pol，pul＝polar，axile 磁极，轴

[pole(地极)一词借自法语 pole，源自拉丁语 polus，源自希腊语 polos(pivot，axis)]

pole *n.* 极点，杆 [联]mole 痣
polar *adj.* 两极的 ～ity *n.* 极性，对立 [同]arctic 北极的

polarize *vt.* 使极化,使偏振 ～ation *n.* 极化 〈-ize=make 使……〉
pulley *n.* 滑轮,皮带轮 [联]bully 威吓

polic,polis,polit=state,city 国家,城市

[police(警察)一词借自法语 police, 源自中古拉丁语 politia,源自 polis(city)]

policeman *n.* 警察,警员 [联]policewoman 女警察
policy *n.* 政策,方针, 保险单 [联]policymaker 决策人
acropolis *n.* 卫城 [联]necropolis 大墓地
megalopolis *n.* 特大城市 [联]cosmopolis 国际都市
metropolis *n.* 主要都市 〈metro-=mother 母亲〉
politic *adj.* 有见识的 ～s *n.* 政治学 [反]impolitic 失策的
political *adj.* 政治的 ～ly *adv.* 从政治上 〈-al 有……特征的〉
polity *n.* 国家组织,政体 〈-ty ……的性质或情况〉

polish,polit=to polish 使光滑→礼貌

[polite(有礼貌的)一词借自拉丁语 politus,polire(to polish)]

polish *vt.* 擦亮,使优雅 ～er *n.* 磨光机 [联]Polish 波兰语
polite *adj.* 有礼貌的 ～ness *n.* 礼貌,礼节 [反]impolite 不礼貌的
politesse *n.* 礼貌,客气,礼节 [同]civility,courtesy

port,porch=a harbour 港口,大门

[portal(入口)借自古法语 portal,源自中古拉丁语 portale, 源自 porta(gate)]

opportune *adj.* 恰好的,及时的 [联]inopportune 不凑巧的
porch *n.* 入口处,门廊 [联]torch 火炬
portico *n.* 廊柱,(有圆柱的)门廊 〈←[拉]porticus 〉
importune *vt.* 纠缠,强求 [同]entreat 恳求

port=a harbour 运输,携带

[report(报告)一词借自古法语 reporter,源自拉丁语 reportare,由"re-+portare(carry)"构成]

port *n.* 港口 [联]portage 运输,运费
portable *adj.* 便于携带的 [同]conveyable 可搬运的
portfolio *n.* 公事包,文件夹 〈folio 叶子〉
comport *vt.* 表现 *n.* 举动,行为 [同]behave 表现
deport *vt.* 把……驱逐出境,举动 [联]deportee 被放逐者
disport *vt.* 作乐,自娱 [联]sport 游戏,运动

sportsman *n.* 运动员 ～ship *n.* 体育精神 [联]sports meet 运动会
export *vt.* 输出，传播，运走 *n.* 出口 [反]import 进口
exportable *adj.* 可输出的，适于输出的 [反]importable 可进口的
importance *n.* 重要(性)，价值 [联]impotence 无能为力
important *adj.* 重要 [联]impotent 无力的
reporter *n.* 记者，通讯员 [联]porter 搬运工人
purport *n.* 大意，要领，动机 〈pur-＝forward 向前〉
support *vt.* 支持，维持 ～er *n.* 支持者 〈sup-＝sub- 在下面〉
transport *vt.* 运送，运输 ～ation *n.* 运输 〈trans-＝cross 跨越〉

pos，posit，post，pon，pound＝to place 放置

[compose(构成)一词借自法语 composer，源自拉丁语 compos，由"com＋ponere(place)"构成]

pose *vt.* 把……摆正，提出，佯装 [联]hose 软管
positive *adj.* 积极的 ～ly *adv.* 肯定地 [反]negative 否定的
apposite *adj.* 适合的，适当的 〈ap- 加强语气〉
apropos *adj.* 适当的，恰好的 〈pro-＝forward 向前〉
apposition *n.* 并置，同位语 [联]position 位置，职位
appositive *adj.* 同位格的 *n.* 同位语 [同]appositional 同位格的
composer *n.* 作曲家 [联]composure 镇静，沉着
discompose *vt.* 使不安，扰乱 [联]decompose 分解
composite *adj.* 合成的，复合的 *n.* 混合物 [同]compositive 合成的
composition *n.* 写作，作文，构成 〈-ition ……行为或状态〉
dispose *vt.* 排列，布置 [联]disposal 处置，清理
disposed *adj.* 想干的，愿意的 [反]indisposed 不愿意的
depose *vt.* 免……的职 〈de-＝apart 离开〉
deposition *n.* 免职，罢官 [联]disposition 安排，性情
expose *vt.* 使暴露，揭发，使遭受 [联]impose 征税，强加
imposter *n.* 江湖骗子，冒名顶替者 [同]shammer 骗子
juxtapose *vt.* 把……并列，使并置 〈juxta-＝side 旁边〉
oppose *vt.* 反对，抗争，抵制 [联]opposition 反对，对抗
opposite *adj.* 对面的，相反的 [反]identical 相同的
preposition *n.* 介词 ～al *adj.* 介词的 [联]proposition 建议
propose *vt.* 提议，建议，打算 [联]proposal 提出，建议

purpose *n.* 目的,意图 ～ful *adj.* 故意的 〈pur-＝pro＝forth 向前〉
repose *n.* 睡眠,平静 *vt.* 把……寄托在 [联]transpose 转置,调换
reposit *vt.* 保存,贮藏 ～ory *n.* 仓库 [联]deposit 储蓄
suppose *vt.* 猜想 [联]supposition 假设,推测
post *n.* 岗位,邮政 *vt.* 邮寄 ～age *n.* 邮费 [联]posture 姿势
postpone *vi.* 推迟,延期 [反]advance 将……提前
component *adj.* 组成的 *n.* 组成的部分 [同]constituent 构成部分
compound *vt.* 混合 *adj.* 混合的 *n.* 混合物 [联]expound 详细说明,解释
propound *vt.* 提议,建议 [联]impound 扣押,监禁
opponent *n.* 对手,敌手 *adj.* 对立的,敌对的 [联]exponent 说明的,讲解的
propone *vt.* 提议,建议,陈述 [联]proponent 支持者,提倡者

poss,pot＝to be able 能力,潜力

[possible(可能的)一词借自古法语 possible,源自拉丁语 possibilis, 源自 posse(be able)]

possibly *adv.* 可能地,或许 [反]impossibly 不可能地
possibility *n.* 可能,可能性 [反]impossibility 不可能
potency *n.* 效力,潜能,权势 [同]potence 力量
potent *adj.* 有力的,强有力的 [反]impotent 无力的
potential *n.* 潜力 *adj.* 可能的,有潜力的 [同]latent 潜在的
multipotent *adj.* 能产生多种效果的 [联]omnipotent 全能的
prepotent *adj.* 占优势的,遗传优势的 [联]prepotence 优先遗传

pract＝practice,practical 实践,实际,实用

[practise(实习)一词借自古法语 practiser,源自中古拉丁语 practicare,源自希腊语 praktikos]

practicable *adj.* 能实行的,适用的 [反]impracticable 不切实际
practical *adj.* 实践的 ～ness *n.* 实践性 [反]impractical 不切实际的
practice *n.* 实践,练习 *vt.* 实行 [反]theory 理论,原理

prehend,prehens＝to seize,understand 掌握,领悟,理解

[comprehensive(有理解力的)一词借自法语 comprehensif, 源自后期拉丁语 comprehensivus]

apprehend *vt.* 理解,逮捕,担心 [联]comprehend 理解,领会
apprehension *n.* 理解,担心的,忧虑的 [同]comprehension 理解(力)
apprehensive *adj.* 有理解力的,担心的 [联]comprehensive 综合的

apprentice *n.* 学徒，新手 〈ap-＝to〉
prehensible *adj.* 能被抓住的，能被掌握的 [联]reprehensible 应谴责的
prehension *n.* 抓住，领会 〈-ion ……行为或状态〉
reprehend *vt.* 斥责，责备 [同]blame 指责

press＝to squeeze 压

[press(压)一词借自古法语 presser，源自拉丁语 pressare(to press)]

pression *n.* 压力 [同]procession 列队行进
compress *vt.* 压缩，压紧 ～ion *n.* 压缩 [联]depress 使萧条，压低
express *vt.* 表达，快递 ～ion *n.* 表达 [联]impress 使铭记，印象
oppress *vt.* 压迫，压制 ～ion *n.* 压迫 〈op-＝ob- 加强语气〉
repress *vt.* 镇压，压抑 ～ion *n.* 抑制 [同]suppress 镇压，压制

pric，priz，prec(i)，prais＝worth，value 价格，估价

[price(价格)一词借自古法语 pris，源自拉丁语 pretium(value，reward)]

priceless *adj.* 无价的，昂贵的 [同]invaluable 无价的
pricy *adj.* 价格高的，昂贵的 [同]costly 昂贵的，代价高的
precious *adj.* 珍贵的 [反]worthless 无价值的
appreciable *adj.* 可估价的，少许的 [同]appraisable 可估价的
appreciate *vt.* 欣赏，感谢，感激 [反]depreciate 轻视，跌价
appreciative *adj.* 感激的，有欣赏力的 [反]depreciative 贬值，蔑视
praise *n.* 赞扬 *vt.* 表扬 [联]appraise 估价，鉴定
interpret *vt.* 口译，解释 ～er *n.* 口译者 [联]translate 翻译，转化

prim，prem，prin，prior＝prime，first 最初，首要

[prime(首要的)一词源自拉丁语 primus(first)，源自史前印欧语 preis(before)]

prim *adj.* 一本正经的，拘谨的，整洁的 [同]dainty 精致的
primal *adj.* 最初的，原始的 [同]original 原始的
primary *adj.* 最初的，主要的，最早的 [联]primarily 主要地
primate *n.* 大主教，灵长目动物 〈-ate 具有……性质〉
primer *n.* 入门，初级读本 [同]handbook 手册，指南
primitive *adj.* 原始的 [同]primordial 原始的
primeval *adj.* 原始的，太初的 〈ev＝age 年代〉
primogenitor *n.* 祖先，始祖 〈gen＝bear 生〉
premier *n.* 首相，总理，省长 [联]ex-premier 前总理

prince *n.* 王子 [联]princess 公主
principal *adj.* 主要的 *n.* 校长 ～ly *adv.* 主要地 [联]principle 原则
prior *adj.* 优先的 ～ity *n.* 优先(权) [反]posterior 较晚的
protein *n.* 蛋白质 [联]proteinaceous 蛋白质的
prototype *n.* 原型,典型 〈type 类型〉

pris,priz=to seize,to prison 捕获,监禁

[prison(监狱)一词借自古法语 prisoun, 源自拉丁语 prensionem,源自 prehendere(to take)]

prison *n.* 监狱 *vt.* 监禁 ～er *n.* 犯人 [联]imprison 关押,监禁
comprise *vt.* 包括,构成 [联]apprise 告知,通知
enterprise *n.* 事业,进取心,企业 [联]enterpriser 企业家
surprise *n.* 突然袭击 *vt.* 使惊奇 [联]surprising 惊人的
surprised *adj.* 惊奇的,感到意外的 [反]unsurprised 不惊讶的
reprisal *n.* 报复,报复行为 [同]vengeance 报仇
prize *n.* 战利品,奖品 [同]premium,award
pry *vt.* 撬开,打听 [联]fry 油炸

priv=single,alone 单个的→私人的,秘密的

[private(私人的)一词借自拉丁语 privatus,源自 privare,源自 privus(individual)]

privation *n.* 匮乏,贫困 [同]poverty 贫穷,缺乏
privatize *vt.* 使私有化 ～ation *n.* 私有化 〈-ize=make 使……〉
privacy *n.* 隐私,秘密 [联]privity 默契
privy *adj.* 个人的,私人的 [同]private 私人的
privilege *n.* 特权 *vt.* 给……特权 〈leg 法权〉
deprive *vt.* 剥夺,使丧失 ～ation *n.* 剥夺,免职 [反]entitle 使有资格

proach,proxim=near 接近→近似

[approach(接近)一词借自法语 approcher,源自拉丁语 appropiare(draw near)]

approachable *adj.* 可接近的,可亲近的 [反]unapproachable 冷漠的
reproach *vt.* 责备 ～able *adj.* 应责备的 [同]denounce 公开指责
approximate *adj.* 大概的 *vt.* 接近 ～ly *adv.* 大约 [联]approximation 接近,大概
approximative *adj.* 接近的 ～ly *adv.* 近似地 〈-ative 有……倾向的〉
proximity *n.* 接近(度),邻近,亲近 〈-ity ……性质或状态〉

prob,proof,prov=to test,to prove 试验,证明

[proof(检验)一词借自法语 preuve,源自后期拉丁语 proba,源自拉丁语 probare(to prove)]

approbate *vt.* 许可,承认 ~ion *n.* 批准 [联]approbation 认可,批准
probate *vt.* 遗嘱认证 *adj.* 遗嘱认证的 [联]probation 查看,试用(期)
probe *n.* 探查,探头 *vi.* 探索,盘问 [同]investigate 调查,审查
probable *adj.* 可能的,大概的 *n.* 很可能的事 [反]improbable 不大可能的
probability *n.* 可能性,概率,或然性 [反]improbability 不可能性
probative *adj.* 检验的,试用的,鉴定的 [同]experimental 实验的
probity *n.* 正直,诚实 [同]integrity 正直
reprobate *n.* 恶棍,道德败坏的人 [联]reprobation 斥责
reproof *n.* 谴责,申斥,责备 [同]reproval 非难,指责
prove *vt.* 证明,证实 [联]rove 流浪,徘徊
approve *vt.* 批准,通过 [联]approval 赞成,批准
disprove *vt.* 反驳,反证 [联]disapproval 反对,非难
improve *vt.* 提高,改善 ~ment *n.* 改进 [联]improvable 可改进的
reprove *vt.* 责骂,谴责 [联]reproval 非难,责难

proper,propr=one's own,special 专用的→所有权→恰当

[proper(特有的)一词借自古法语 propre,源自拉丁语 proprius(one's own)]

proper *adj.* 适当的 ~ly *adv.* 适当地 [反]improper 不合适的
property *n.* 特性,性能,所有物 [同]possession 财产,所有物
proprietor *n.* 业主 ~y *adj.* 所有的 [同]owner,possessor
propriety *n.* 礼貌,规矩,适当 [反]impropriety 不适当
appropriate *adj.* 适当的 *vt.* 占用,拨出 [反]imapropriate 不恰当
appropriation *n.* 专用,费用,经费 〈-ation ……行为或状态〉
expropriate *vt.* 征用,没收 ~ion *n.* 征收 〈ex-=out 出〉

psych=soul,mind 灵魂,精神→心理

[psyche(灵魂)一词借自拉丁语 psyche,源自希腊语 psykhe(the soul, mind)]

psychic *adj.* 精神的,灵魂的,心灵的 [反]physical 身体的
psychiatry *n.* 精神病学 [联]psychiatric 精神病学的
psychology *n.* 心理学 [联]psychological 心理的
psychopath *n.* 精神病患者 ~y *n.* 心理变态 [联]psychopathic 精神病的
psychoanalyse *vt.* 用精神分析法治疗 [联]psychoanalysis 心理分析

psychoanalytical *adj*. 心理分析的　　[同]psychoanalytic 心理分析的
panpsychism *n*. 泛心论，万有精神论　　〈pan-＝all 全部〉

pugn＝to fight，battle 打，战斗

[impugn(非难)一词借自古法语 impugner，源自拉丁语 impugnare(assail)]

pugnacious *adj*. 好斗的，爱打架的　　〈-acious 以……为特征的〉
impugnation *n*. 攻击，指责　　〈-ation ……行为或状态〉
expugnable *adj*. 可突击的，可攻克的　　[同]conquerable 可征服的
repugnance *n*. 嫌弃，讨厌　　[联]repugnant 令人厌恶的

pur，purg，cast＝pure 纯，清，静

[pure(纯真的)一词借自古法语 pur，源自拉丁语 purus，源自史前印欧语 peue(cleanse)]

purify *vt*. 提纯，净化，精制　　[联]purification 洗净，涤罪
puritan *n*. 清教徒 ～ic *adj*. 清教徒的　　[联]purist 纯化论者
depurate *vt*. 净化，使无杂质 ～ion *n*. 净化　　[联]depurator 净化器，纯化剂
pure *adj*. 纯净的，真正的　　[反]impure 掺杂的
purity *n*. 纯洁，清白　　[反]impurity 污染
purge *vt*. &*n*. 清洗，清除　　[同]cleanse 净化，清洗
purgation *n*. 清除，净化，消除不良影响　　〈-ation ……行为或状态〉
expurgate *vt*. 删去，修订 ～ion *n*. 删去　　〈ex-＝out，away 去掉〉
caste *n*. 种姓，等级(制度)　　[联]rank 阶层，等级
castigate *vt*. 惩治，严厉批评　　[同]chastise 严惩某人
chaste *adj*. 纯真的 ～ness *n*. 贞操，纯洁　　〈chast＝cast＝pure 纯的〉
chasten *vt*. 惩罚，制止 ～ment *n*. 惩罚　　[联]chastening 惩戒性的

put＝calculate，think 计算，考虑

[compute(计算)一词借自法语 computer，源自拉丁语 computare(to count)]

computable *adj*. 可计算的，能计算出来的　　[反]incomputable 数不清的
computer *n*. 计算机　　[同]calculator 计算器
computation *n*. 计算，估计　　[同]enumeration 计数，列举
depute *vt*. 派(人)代理，委托　　[联]deputy 代表，代理人
dispute *vi*. 争论，辩论　　[联]disputation 辩论，争论
disputable *adj*. 可争辩的，有争议的　　[反]indisputable 无可争辩的
disputatious *adj*. 争辩的，好争辩的　　[同]disputative 爱争辩的
impute *vt*. 把……归咎于 ～ion *n*. 归罪　　[联]imputable 可归因的

repute *n.* 名誉 *vt.* 认为　　[反]disrepute 坏名声

reputation *n.* 名誉，荣誉，名望　　[同]distinction 荣誉，卓越

pyr＝fire，heat 火，热

[pyre(柴堆)一词借自拉丁语 pyra，源自希腊语 pyra，源自 pyr(fire)]

pyre *n.*（火葬用的）柴堆　　[联]pyretic 发烧的，热病的

pyromania *n.* 纵火狂 ～c *adj.* 纵火狂的　　〈mania 狂，癖好〉

pyrolatry *n.* 拜火教，对火的崇拜　　[联]pyrophobia 恐火症

pyrotechny *n.* 烟火制造术，放烟火　　[联]pyrotechnic 烟火的

pyrheliometer *n.* 日温计，太阳热量计　　〈helio-＝the sun 太阳〉

pyrology *n.* 热工学　　[联]pyrochemistry 高温化学

quaint＝know 知道→了解

[quaint(古怪的)一词借自古法语 cointe，源自拉丁语 cognitus，源自 cognoscere(get to know)]

quaint *adj.* 少见的 ～ness *n.* 古怪的事物　　[联]whimsy 怪念头，奇想

acquaint *vt.* 使了解，告诉，通知　　[联]acquaintance 熟人，相识

acquainted *adj.* 了解的，熟悉的　　[反]unacquainted 不熟悉的

qual＝of what kind 资格，某一种类

[quality(质量)一词借自古法语 qualite，源自拉丁语 qualitas，源自 qualis]

quality *n.* 质量，品质 *adj.* 优质的　　[同]property 特性，属性

qualitative *adj.* 质量的，定性的　　[联]quantitative 数量的

qualify *vt.* 使……合格(有资格)　　[反]disqualify 使……无资格

qualified *adj.* 有资格的，胜任的　　[反]unqualified 不合格的

qualification *n.* 资格，授权，条件，限制　　[同]disqualification 无资格

quant＝数量，多少

[quantity(数量)一词借自古法语 quantite，源自拉丁语 quantitas，源自 quantus(how much)]

quantify *vt.* 用数量表示　　[联]quantification 量化

quantitative *adj.* 数量的，定量的　　[反]qualitative 质量的

quantity *n.* 数量，定量　　[反]quality 质量

quantum *n.* 定量，总量　　〈-um 单数名词词尾〉

quart，quadr＝四，第四

[quart(夸脱)一词借自古法语 quarte，源自拉丁语 quarta，源自 quartus(fourth)]

quarto *n.* 四开，四开本的书　　[联]octavo 八开本

quarter *n.* 四分之一，一刻钟　　[联]quarterly 季度的；季刊

quarterfinal *n.* 四分之一决赛 〈final 决赛〉
quartet *n.* 四重唱 [联]duetto 二重唱
quartz *n.* 石英 〈四周透明的东西〉
quadrate *adj.* 方形的,长方形的 *n.* 方形 〈-ate 具有……特性的〉
quadratic *adj.* 二次的 *n.* 二次方程式 〈-ic 有……特性的〉
quadrennial *adj.* 连续四年的 〈enn=ann 年〉
quadruple *adj.* 四倍的 〈-ple ……倍〉
quarantine *vt.* 隔离 *n.* 隔离期,检疫 〈四十天的时间〉

quer,quir,quest,quist,quisit,quiz=to seek,to ask 寻求,询问

[question(问题)一词借自古法语 question，源自拉丁语 quaestionem，源自 quaerere(ask)]

query *n.* &*vt.* 询问,质问,疑问 [同]inquire 询问,打听
inquiry *n.* 询问,调查 [同]inquisition 调查
conquer *vt.* 征服,战胜 ～or *n.* 征服者 [反]surrender 投降
acquire *vt.* 取得,获得 ～ment *n.* 习得 [联]require 需要,要求
quest *n.* 寻找,探索 *vi.* 寻找 [联]request 请求,要求
conquest *n.* 征服,获得 [联]inquest 审问,调查
questionable *adj.* 可疑的 [反]unquestionable 毫无疑问的
questionnaire *n.* 调查表,调查问卷 〈-aire ……物〉
acquisition *n.* 获得,收获,探索 [联]disquisition 专题论文(演讲)
inquisitive *adj.* 好奇的,爱打听别人的 [同]speculative
exquisite *adj.* 精巧的,优美的 [联]perquisite 额外收入
prerequisite *adj.* 先决条件 [同]requirement 必要条件
requisite *adj.* 需要的 *n.* 必需品 [同]essential 必要的

quiet,quies,quil=calm,rest 平静,休息

[quiet(清静的)一词借自古法语 quiet,源自拉丁语 quietus(repose, quiet)]

quiet *adj.* 清静的 ～en *vt.* 使安静 [联]quietness 安静,平静
quietude *n.* 平静,寂静 [同]tranquility 平静
acquiesce *vi.* 默认 ～nce *n.* 默认,默许 [同]assent,consent
acquiescent *adj.* 默认的,默许的 [联]quiescent 静态的
quiescence *n.* 静止,寂静 〈-escence ……状态〉
inquietude *n.* 不安,动摇 〈in-=(not)不〉
tranquil *adj.* 平静的,安静的 [联]tranquilize 使平静

quit=free 自由

[quit(放弃)一词借自古法语 quiter，源自拉丁语 quietus，源自 quies(quiet)]

acquit *vt.* 宣判无罪 ～tal *n.* 宣告无罪 [同]exculpate 使无罪
quit *vt.* 放弃，停止，辞职 [同]desist 停止
quitclaim *n.* 放弃权利 *vt.* 放弃(权利) 〈claim 声明〉
requite *vt.* 报答，回报 ～al *n.* 报复，报酬 [同]repay 报答，偿还
ubiquitous *adj.* 无所不在的 〈ubi-=where〉

quot=how many 多少，数目

[quota(配额)一词借自中古拉丁语 quota，源自 quotus(how many)]

quota *n.* 定额，定量 [同]allotment 分配数
quote *vt.* 引用，开价 ～ation *n.* 引用 〈列举数目〉
unquote *vi.* 结束引语，引用结束 〈un-=not 不〉

rad，ras，raz=to scrape 擦，抹去

[raze(彻底摧毁)一词借自古法语 raser，源自拉丁语 radere 的过去分词 ras(scraped)]

abrade *vt.* 擦掉，磨 ～ant *adj.* 磨损的 〈ab-=away 离开〉
rash *adj.* 鲁莽的，性急的 *n.* 皮疹 〈在皮肤上搔痒〉
abrase *vt.* 磨损，擦除 ～ion *n.* 磨损 [联]abrasive 有摩擦力的
erase *vt.* 擦掉，删去 ～r *n.* 黑板擦 [联]razor 剃须刀
erasion *n.* 擦抹，消除 [同]elimination 根除
raze *vt.* 铲平，将……夷为平地 [同]demolish 摧毁

radi，radio，ray=root，spoke of a wheel，ray 根，轮辐，光(线)

[ray(光束)一词借自古法语 rai，源自拉丁语 radius(spoke，ray)]

ray *n.* 光线，射线 [同]beam，gleam，light
radicle *n.* 小根，幼根，胚根 [联]radical 根本的
radix *n.* 根，根本，词根，基数(数) 〈-x 名词后缀〉
radius *n.* 辐射光线，半径 〈-us 名词后缀〉
radicate *vt.* 使生根，确立 [反]eradicate 根除
eradicative *adj.* 消灭的，根除的 [联]eradicable 可根除的
radial *adj.* 辐射状的，半径的，光线的 〈-ial 有……特性的〉
radian *n.* 弧，弧度 〈-an 具有……特征〉
radiant *adj.* 照耀的，辐射的 [联]radiance 辐射，发光
radiate *vt.* 辐射，发射 ～ion *n.* 辐射 〈-ate=make 使成为……〉

irradiate *vi.* 照耀，启发 ～ion *n.* 照射 [联]reradiate 再辐射
radio *n.* 无线电 ～active *adj.* 放射性的 [联]radium 镭
radioacoustics *n.* 无线电声学 〈acoustics 声学〉
radioamplifier *n.* 高频放大器 〈amplifier 放大器〉
radioastronomy *n.* 射电天文(学) 〈astronomy 天文学〉
radioautogram *n.* 放射能照相 〈autogram 压印〉
radioelement *n.* 放射性元素 〈element 元素〉
radiography *n.* X 光线照相术 [联]radiometry 辐射线测定
radioscope *n.* 放射镜 〈scope 镜，眼界〉
radiosurgery *n.* 放射外科学 [联]radiotherapy 放射线疗法
radiothermics *n.* 射频加热学 〈thermic 热的〉
radiotoxic *adj.* 放射性毒的 〈toxic 有毒的〉
rascal *n.* 流氓 ～ity *n.* 流氓行为 〈rasc＝rad 根除→搜刮〉

rain，rig，hyet＝rain 雨，雨水

[rain 一词源自原始日耳曼语 regna，与荷兰语 regen 同源，源自史前印欧语 reg(wet)]

rainy *adj.* 下雨的，多雨的 [联]snowy 下雪的
rainbow *n.* 虹，彩虹 [同]caribou 驯鹿
rainfall *n.* (降)雨量，阵雨 [同]shower 阵雨
irrigate *vt.* 灌溉，冲洗 ～ion *n.* 水利 〈ir＝in 往里＋rig 浇水〉
hyetal *adj.* 雨的，雨水的 [联]hyena 鬣狗

rais，ris，rous＝to rise or arouse 升起，唤醒

[rise(上升)一词源自原始日耳曼语 risanan，与 reisen 同源]

rise *vi.* 增强，上升 [联]arise 升起，呈现
rising *adj.* 升起的，增大的，上升的 [联]rousing 令人振奋的
raise *vt.* 提高，饲养 [联]praise 赞扬，称赞
rouse *vt.* 使觉醒 [同]arouse 唤醒，激起

rage＝madness 疯狂，怒气

[rage(愤怒)一词出现于中古英语时期，借自古法语 rage，源自拉丁语 rabies 的变体]

raging *adj.* 猛烈的，非凡的 [同]tempestuous 狂暴的
enrage *vt.* 使发怒，激怒 [同]infuriate 激怒
outrage *n.* 暴行，残暴 ～ous *adj.* 残暴的 〈out＋rage〉

range,rank=to rank 排列

[range(排列)一词借自古法语 ranger，源自 rangier(put in order)，源自 rang(rank)]

range *n.* 范围，排列 [联]grange 农庄
derange *vt.* 扰乱 ～d *adj.* 疯狂的，混乱的 [联]frange 流苏
arrange *vt.* 整理，排列 ～ment *n.* 安排 [反]disarrange 扰乱
misarrange *vt.* 排错，做不适当的安排 [联]missarrangement 排错
rearrange *vt.* 重新安排 ～ment *n.* 重新整理 [联]prearrange 预先安排
rank *n.* 等级，军衔 *vt.* 把……列队 [联]ranker 现役士兵

rap,rapt,rav=to rob,enchant 抢走，着迷

[rape(掠夺)一词借自盎格鲁诺曼法语 raper，源自拉丁语 rapere(seize,abduct)]

rapacious *adj.* 掠夺的，贪婪的 ～ness *n.* 贪婪 [联]capacious 宽敞的
rape *vt.* 强奸，强夺 *n.* 油菜 [同]outrage 强奸，凌辱
rapine *n.* 劫掠，强夺 [同]robbery 明抢
rapid *adj.* 迅速的，险峻的 ～ity *n.* 迅速 [联]torpid 懒散的
rapt *adj.* 全神贯注的，着迷的 [联]raptor 猛禽，肉食鸟
rapture *n.* 狂喜 *vt.* 使着迷 [联]enrapture 使狂喜
rapturous *adj.* 狂喜的，着迷的，销魂的 〈-ous 有……性质的〉
ravage *vt.* 劫掠，蹂躏 [同]devastate 蹂躏
raven *vt.* 掠夺 ～ous *adj.* 贪婪的 [联]ravish 使狂喜，迷醉

rar=uncommon,thin 稀有的，罕见的

[rare(罕见的)一词借自古法语 rere，源自拉丁语 rarus(thinly sown)]

rare *adj.* 罕见的 ～ness *n.* 稀薄，珍奇 [同]scarce，sparse
rarefy *vt.* 使稀少，使纯化 [联]rarefaction(变)稀薄
rarity *n.* 稀有 [同]scarcity 稀少

rat,rod,ros=to gnaw or bite 啃，腐蚀

[rodent(嚼的)一词源自拉丁语 rodentem，源自 rodere(to gnaw)，源自史前印欧语词根 red(gnaw)]

ratty *adj.* 像老鼠的，破烂的 [同]tatty 破烂的，粗糙的
corrode *vt.* 腐蚀，侵蚀 [同]erode 腐蚀，侵蚀
corrodible *adj.* 会腐蚀的，可腐蚀的 〈-ible 可……的〉
erodent *adj.* 侵蚀的 [同]erosive，corrosive
rodent *adj.* 咬的 *n.* 啮齿动物 [联]mammal 哺乳动物

corrosion *n.* 腐蚀,侵蚀 [同]erosion 腐蚀,侵蚀
erose *adj.* 凹凸齿状的,不规则形状的 〈e-=out 出〉

rat,reason=to calculate,consider 计算,考虑

[rate(速度)一词借自古法语 reter, 源自拉丁语 reputare(to count)]

rate *n.* 速度,比率 [联]rating 等级,定级
ratify *vt.* 批准,认可 [联]ratification 认可
ratio *n.* 比,比率 [联]ration 定量
rational *adj.* 理性的 ~ity *n.* 合理性 [同]irrational 不合理的
arraign *vt.* 控告,责难,传审,提讯 〈raign=rat=account〉
reason *n.* 理由 *vi.* 推理 ~ing *n.* 推理 [同]sake,cause
reasonable *adj.* 合理的,适当的 [同]unreasonable 不合理的

real=actually existing 真正,现实

[real(真实的)借自古法语 reel,源自后期拉丁语 realis, 源自拉丁语 res(matter)]

real *adj.* 真实的 ~ly *adv.* 真正地,实际上 [反]unreal 不真实的
reality *n.* 现实,现实性 [同]actuality 现实
realist *n.* 现实主义者 [联]realism 现实主义
realistic *adj.* 现实的,现实主义的 [反]unrealistic 不现实的
realize *vt.* 实现 ~ation *n.* 领会,实现 [同]appreciate 领会

red,rud,rub,rouge=red 红

[red 一词源自日耳曼语,与德语 rot 有关,源自拉丁语 ruber 和希腊语 eruthros,源自梵文 rudhira(red)]

redden *vi.* 变红,脸变红 [同]blush,flush
reddish *adj.* 带红色的 [同]ruddy 红润的
ruby *n.* 红宝石 *adj.* 红宝石的 [联]sapphire 蓝宝石
rouge *n.* 口红,〈法〉胭脂 [联]roug 粗糙的
rusty *adj.* 生锈的 〈铁锈呈粉红色〉

reg(i),reign,rect,rig,rul=统治,规定,弄直

[reign(统治)一词借自古法语 regner, 源自拉丁语 regnare。该组词根的基本含义是 to rule,但在具体的派生词中可能具有三种意思:(1)划直线;(2)引导;(3)统治。]

regal *adj.* 君主的,皇家的,庄严的 [同]imperial 皇家的
reign *vi.* 当政,统治 [同]rule,prevail

realm *n.* 王国领土，领域 〈←[拉]regere＝to rule〉
royal *adj.* 王室的，高贵的 [同]royalism 君主主义
regime *n.* 政体，社会制度 [联]regiment *n.* 大量的人或物
region *n.* 地区，范围 ～al *adj.* 地区的 [联]religion 宗教
regionalize *vt.* 把……分成行政区 〈reg 统治→国界〉
regular *adj.* 有规律的 ～ity *n.* 规律性 [同]irregular 不规则的
regulate *vt.* 管理，控制 ～ion *n.* 管理 〈-ate＝make 使……〉
rectangle *adj.* 长方形 [联]rectangular 矩形的
rectify *vt.* 纠正，矫正 [联]rectification 矫正
rectitis *n.* 直肠炎 〈-itis 炎症〉
rectitude *n.* 正直，严正 〈-tude ……性质或状态〉
rector *n.* 院长，校长，主任，负责人 〈-or ……人〉
rectum *n.* 直肠 〈[单]-um→[复]-a〉
correct *adj.* 正确的 *vt.* 改正 ～ion *n.* 改正 [反]incorrect 错误的
arrect *adj.* 倾耳注意的，警戒严密的 〈ar-＝to，加强语气〉
direct *adj.* 直接的 ～ly *adv.* 直接地 [反]indirect 间接的
direction *n.* 方向，指南 ～al *adj.* 方向的 [同]trend，tendency
directive *n.* 命令，方针 *adj.* 指导的 〈-ive ……性质的〉
director *n.* 导演，主任 ～ial *adj.* 指挥者的 [联]directress 女导演
directory *n.* 姓名地址录 [同]catalogue 目录
erect *vt.* 建立 *adj.* 直立的 ～ion *n.* 建立 [同]upright 垂直的
erective *adj.* 直立的，建立的 〈-ive ……性质的〉
right *n.* 正当，权利 ～ful *adj.* 恰当的 [联]righteous 正直的
rightism *n.* 右派观点(言论) [反]leftism 左派观点
rightist *n.* 右派分子 [反]leftist 左派分子
outright *adj.* 直率的，彻底的 [同]downright 直率的
corrigent *adj.* 矫正的 〈cor-＝together 共同〉
corrigible *adj.* 可改正的 [反]incorrigible 无可救药的
rule *n.* 规则 *vt.* 统治 ～less *adj.* 无规则的 〈←straight stick〉
ruler *n.* 统治者，尺子 ～ship *n.* 统治权 [同]tyrant 专制统治者

rend，rent＝give 给予

[render(让与)一词借自古法语 rendre，源自通俗拉丁语 reddere (give back)的变体]

render *vt.* 提出，放弃，归还　　[联]rendering 表演，翻译
rendition *n.* 翻译，给予，演奏　　[同]translation 翻译
rendezvous *n.* 约会，公共场所　　[同]appointment 约会
rent *n.* 租金 *vt.* 租入 *vi.* 出租　　[联]hire 租用，聘用
surrender *vt.* 交出，放弃 *vi.* 投降　　[同]hand over 交出

rheo，rheum，rrh(e)＝stream，current，flow 流

[rheum(感冒)一词借自古法语 reume，源自拉丁语 rheuma，源自希腊语 rheuma，源自 rhein(to flow)]

rheology *n.* 流变学，流变能力　　[联]rheologist 流变学家
rheological *adj.* 流变学的　　〈-ical 属于……的〉
rheometer *n.* 电流计　　〈-meter 计〉
rheumatic *adj.* 风湿病的　　[同]rheumaticky 患风湿症
rheumatism *n.* 风湿病　　[同]arthrolithiasis 痛风
rheumatoid *adj.* 类风湿病的　　〈-oid 像……〉
diarrhea *n.* 腹泻 *adj.* 腹泻的　　[联]diabetes 糖尿病
hemorrhage *n.* 出血　　〈hemo 血〉

rhin＝nose 鼻子

[rhinoceros(犀牛)一词借自拉丁语 rhinoceros，源自希腊语 rhinokeros，由"rhin＋keras(horn)"构成]

rhinocerotic *adj.* (像)犀牛的　　[联]buffalo 水牛
rhinitis *n.* 鼻炎　　〈-itis ……炎症〉
rhinology *n.* 鼻科学　　〈-ology ……学科〉
rhinoscope *n.* 照鼻镜　　〈-scope 镜〉

rid，raid，road＝ride，road 骑，路

[road(道路)一词源自原始日耳曼语 raido，与 ride 有关，源自史前印欧语 reidh(to ride)]

ridable *adj.* 可骑的　　[联]drivable 可驾驶的
ride *vt.* 骑，搭乘 ～r *n.* 骑手　　[联]bride 新娘
raid *vt.* &*n.* 袭击　　‖ air raid 空袭
roadside *n.* 路边 *adj.* 路边的　　[同]wayside 路边
roadway *n.* 道路，路面　　[同]avenue，track
ridge *n.* 背脊，峰，山脉　　[联]ridgy 有脊的，隆起的

rid,ris=to laugh 笑

[ridicule(奚落)一词借自法语 ridicule,源自拉丁语 ridiculum, 源自 ridere(to laugh)]

ridicule *n.* &*vt.* 嘲笑,戏弄 [联]ridiculous 荒唐的
deride *vt.* 嘲笑,愚弄 ~r *n.* 嘲笑者 [联]derision 嘲笑,笑柄
derisive *adj.* 嘲笑的,嘲弄的 [同]jeering,taunting
risible *adj.* 可笑的,滑稽的 [同]comic 滑稽的

rig=stiff 刚,硬

[rigour(苛刻)一词借自古法语 rigor,源自拉丁语 rigorem,源自 rigere(stiff)]

rigid *adj.* 刚硬的,严格的 ~ity *n.* 死板 〈-id 有……特性的〉
rigorous *adj.* 严格的 ~ness *n.* 残酷,严厉 〈-ous 充满……的〉
rigorously *adv.* 严厉地,残酷地 〈-ly 以……方式〉

riv=river (banks)河,河岸

[derive(源于)一词借自古法语 deriver,源自拉丁语 derivare, 源自短语 de rivo]

river *n.* 河,江 [联]derive 得到,源于
rival *n.* 对手 *adj.* 竞争的 [联]rivalry *n.* 竞争,对抗
arrive *vi.* 到,到达(in/at) [联]arrival 到达,出现
derivate *n.* 派生词 *adj.* 引出的 [联]derivation 派生词
derivative *adj.* 派生的 *n.* 派生词 [联]derivable 可推论的

rog,rogat=to ask 询问,要求

[rogue(无赖)一词源自拉丁语 rogare(beg, ask), 与 roger(vagrant beggar)有关]

rogation *n.* 祈祷,祷告,法律草案 [联]interrogation 审问
prorogue *vi.* 休会,闭会 [联]rogue 无赖,流氓
interrogate *vt.* 提出问题,审问 [联]interrogative 疑问的
prerogative *n.* 特权,优先投票权 [联]derogative 毁损的
arrogate *vt.* 霸占,冒称 ~ion *n.* 诈称,篡夺 [联]abrogate 取消,废止
arrogant *adj.* 傲慢的,骄傲自大的 [联]arrogance 傲慢,自大
derogate *vt.* 减少,减损 [联]derogatory 贬低的,贬义的
surrogate *vt.* &*n.* 代理 ~ion *n.* 代理 [同]representative 代表

rol(l),rot,round=wheel 轮子→旋转,滚动

[control(控制)一词借自法语 contreroller, 源自中古拉丁语"contra-+rotulus(wheel)"]

role *n.* 角色,作用 ‖ role play 角色扮演
roll *vi.* 滚动,行驶 *n.* 卷,名册 [联]enroll 招收,参加

controllable *adj.* 可控制的 [同]uncontrollable 不可控的
rota *n.* 花名册,值班表 [同]roster 花名册
rotary *adj.* 旋转的 [同]rotatory 轮流的
dextrorotatory *adj.* 右旋性的 [反]levorotatory 左旋的
rotate *vi.* 旋转,交替 ~ion *n.* 循环 [同]revolve(使)旋转
rotund *adj.* 圆的,矮而胖的,洪亮的 [同]corpulent,orotund
round *n.* &*adj.* 圆形(的) ~about *adj.* 迂回的[联]around 在周围,大约

rupt,rout=to break 破裂,溃败

[rupture(断裂)一词借自古法语 rupture,源自拉丁语 ruptura, 源自 rumpere(to break)]

abrupt *adj.* 突然的 ~ly *adv.* 突然地 [同]precipitous 鲁莽的
bankrupt *adj.* 破产的 ~cy *n.* 破产 [联]insolvent 破产(者)
corrupt *adj.* 腐烂的 *vi.* 堕落 ~ion *n.* 贪污 [反]incorrupt 纯洁的
irrupt *vt.* 侵入,闯入 ~ion *n.* 侵入 [联]erupt 喷发,爆发
disrupt *vt.* 使分裂,扰乱 ~ion *n.* 中断 [同]interrupt 干涉,阻碍
rupture *n.* &*vi.* 破裂,断裂 [同]crack,fracture

rur,rust=country 农村,乡村

[rural(乡下的)一词借自古法语 rural,源自拉丁语 ruralis, 源自 rus(country)]

rural *n.* 农村的,田园的 ~ity *n.* 田园风光 [同]rustic 乡村的
rustical *adj.* 土气的,粗俗的 〈-al 有……特征的〉
rusticate *vt.* 下乡 ~ion *n.* 定居农村 〈-ate=make 使……〉

sacr,secr,sanct=holy 神圣,献祭

[sacred(神圣的)一词借自古法语 sacrer, 源自拉丁语 sacrare, 源自 sacer(holy)]

sacrament *n.* 圣礼,圣餐 *vt.* 使宣誓 [同]ceremonial 仪式的
sacrilege *n.* 渎圣罪,亵渎神圣 〈lege=take 拿走〉
sacrifice *vt.* 献祭,牺牲 〈fic=do 做〉
consecrate *vt.* 献祭,奉献 ~ion *n.* 献祭 [同]sanctify 使神圣(化)
desecrate *vt.* 亵渎,玷污 ~ion *n.* 亵渎神圣 [联]execrate 诅咒,憎恶
obsecrate *vt.* 恳求,请愿 [联]petition 祈求,请愿
sanction *n.* 批准,核准,制裁 [同]approval 批准
sanctuary *n.* 圣所,教会,庇护所 〈-ary ……地方〉

saf,sav,salv=safety,save 安全,挽救

[safe(安全的)一词借自古法语 sauf, 源自拉丁语 salvus,源自史前印欧语词根 solwos (whole)]

safety *n*. 安全,保险装置	[联]safetycode 安全法则
safeguard *vt*. 维护,捍卫 *n*. 安全装置	[反]assault 攻击,袭击
saving *n*. 节约 *adj*. 节约的 ~s *n*. 储蓄	[联]safekeeping 保护,保管
salvage *n*. 海上救助 *vt*. 抢救	[联]salve 油膏,药膏
salvor *n*. 救助人(船),打捞人员	[联]saviour 救星,救世主
salvation *n*. 救济,救助	〈-ation ……行为或状态〉
salutary *adj*. (对身心)有益的	[同]wholesome,salubrious

sal,sauc,saus=salt 盐

[sauce(酱油)一词借自古法语 sauce,源自拉丁语 salere(to salt), 源自 sal(salt)]

salt *n*. 盐 ~y *adj*. 咸的,含盐的	[联]salary 薪水
saline *adj*. 含盐的,咸的 ~ity *n*. 盐(浓)度	[联]salad 沙拉
salify *vt*. 使成盐,使变咸	〈-ify=make 使……〉
sauce *vt*. 调味 *n*. 调味汁 ~r *n*. 茶杯托	[联]saucy 粗俗的,不雅的
sausage *n*. 香肠,腊肠	[联]sage 圣人

sal(i),sault,sil(i),sult=to leap 跳跃

[assail(攻击)一词借自古法语 asaill, 源自通俗拉丁语 assilire, 由"ad-+salire(leap)"构成]

sally *n*. 突围,出击	[同]rally 重整旗鼓
saltant *adj*. 跳跃的 *n*. 突变型	[联]salient 突出的,显著的
assail *vt*. 攻击,袭击,指责	[同]assault 攻击
resile *vi*. 弹回,恢复原状 ~ient *adj*. 弹回的	〈sil=sali=lead 跳跃〉
consult *vt*. 商量,咨询 ~ant *n*. 顾问	[联]consultancy 咨询公司
insult *v*. &*n*. 侮辱,辱骂	[同]humiliate 羞辱
desultory *adj*. 散漫的,杂乱无章的	[同]discursive 离题的
result *n*. 结果 *vi*. 导致 ~ful *adj*. 有效果的	[联]resultant 因而发生的,结果
exult *vi*. 狂喜,欢跃 ~ant *adj*. 狂喜的	[联]exultancy 狂喜,大喜
exile *n*. &*vt*. 流放	〈xil=sali=lead 跳跃〉

sam,sem(bl),seem,simil,simul(t)=alike,same 类似,相同

[same(相同的)一词借自古斯堪的那维亚语 same, 源自原始日耳曼语 sama,源自史前印欧 samos]

sameness *n.* 相同,千篇一律 [同]monotony 单调乏味
samey *adj.* 无变化的,单调乏味的 [同]sesame 芝麻
semblance *n.* 外表,相似 [同]appearance 外貌
assemble *vt.* 集合,调集 ~r *n.* 装配工 [联]resemble 与……相像
assembly *n.* 装配,集会 ~man *n.* 议员 [同]congregation 集会
resemblance *n.* 类似,外观,肖像 [同]similarity 类似
dissemble *vt.* 掩饰,假装 [同]feign,sham
seem *v.* 好像,仿佛 ~ing *adj.* 表面上的 [联]seemingly 看来似乎
similar *adj.* 类似的 ~ly *adv.* 相似地 [反]dissimilar 不相似的
simile *n.* 明喻,直喻 [同]metaphor 隐喻
similitude *n.* 类似(物),同样,肖像 [反]dissimilitude 相异
assimilate *vt.* 同化,吸收 ~ion *n.* 同化 〈-ate=make 使……化〉
simulate *vt.* 假装,模仿 ~ion *n.* 模拟 [同]affect,pretend
simulacrum *n.* 像,幻影 [同]effigy,image
simultaneous *adj.* 同时发生的 [联]simultaneity 同时发生

san,sanat,sanit=sound,healthy 健康的

[sanitary(卫生的)一词借自法语 sanitaire,源自拉丁语 sanitas,源自 sanus(healthy)]

sanative *adj.* 治疗病症的,有益于健康的 [同]curative 医疗的
sanatorium *n.* 疗养院,休养所 〈-orium=place ……场所〉
sane *adj.* 神志正常的 ~ness *n.* 心智健全 [反]insane 疯狂的
sanity *n.* 清醒,明智,精神健全 [反]insanity 疯狂,精神病
sanitate *vt.* 使合卫生 ~ion *n.* 卫生设备 [联]sanitize 使清洁
sanitary *adj.* 卫生的,清洁的 [反]insanitary 不卫生的

sat,sati(s),satur=enough,full of food 满足,饱足

[satisfy(满足)一词借自古法语 satisfaire,源自拉丁语 satisfacere,由"satis + facere (make)"构成]

sate *vt.* 使吃饱,使心满意足 [同]satiate 充分满足
satiable *adj.* 可满足的 [反]insatiable 无法满足的
satiety *n.* 饱食,饱满,过多 [反]starvation 饥饿
satire *n.* 讽刺(文学作品) 〈吃饱→讽刺〉
satisfaction *n.* 满足,满意 〈fact=do 做〉
satisfactory *adj.* 令人满意的 [反]unsatisfactory 不满足的
satisfy *vt.* 满足,使满意 [反]dissatisfy 使不满意

satisfiable *adj*. 可以满足的　　[联]saturable 能饱和的
satisfying *adj*. 令人满意的　　[反]unsatisfying 不令人满意的
saturate *vt*. 使饱和,浸透 ～ion *n*. 饱和　　[联]saturated 饱和的

saw,sec(t),seg=to cut, divide 切,割

[section(切开)一词借自古法语 section,源自拉丁语 sectionem, 源自 secare,源自史前印欧语词根 sek(cut)]

saw *n*. 锯 *vi*. 用锯,拉锯 ～er *n*. 锯木匠　　‖ saw gourds 睡觉打鼾
section *n*. 部分 *vt*. 切开 ～al *adj*. 部分的　　[同]partition 分开
dissect *vt*. 解剖,切开,详细推究　　[联]dismember 肢解
sector *n*. 扇形;部门　　[同]department 部门
insect *n*. 昆虫,卑鄙的人　　[联]insecticide 杀虫剂
insectarium *n*. 昆虫馆,昆虫饲养室　　[联]aquarium 水族馆
insectology *n*. 昆虫学　　〈logy=science 科学〉
intersect *vi*. &*vt*. 横切,相交 ～ion *n*. 交叉线　　[联]transect 横断,横切
trisect *vt*. 三等分 ～ion *n*. 三分　　[联]bisect 两分,平分
vivisect *vt*. 活体解剖　　[联]autopsy 尸体解剖
insectivore *n*. 食虫动物,食虫植物　　[联]insectivorous 食虫的
secant *n*. [数]正割,割线 *adj*. 交叉的　　[联]cosecant 余割
sex *n*. 性别,性活动 ～y *adj*. 性感的　　[联]sexual 性的,生殖的
segment *vt*. 分割 ～ation *n*. 分割,分段　　[联]segmental 部分的

Exercise 7

Directions: *Study the following roots and example words, and then guess the meanings of the roots.*

Root	Word	Root Meaning
1. ped	expedition	________
2. pel	dispel	________
3. pul	impulse	________
4. pend	depend	________
5. pend	expend	________
pens	compensate	________
pond	ponderable	________
pound	pound	________

6. peri	experiment	____________
7. pess	pessimism	____________
8. pet	petition	____________
9. phon	phonetics	____________
10. photo	photograph	____________
11. pill	pillage	____________
12. pit	pitiful	____________
13. plain	explain	____________
plan	plane	____________
plank	plank	____________
14. plant	implant	____________
15. plaud	applaud	____________
16. pleas	pleasure	____________
plais	complaisant	____________
plac	complacent	____________
17. plen	plenty	____________
ple	complete	____________
pli	accomplish	____________
ply	supply	____________
18. plex	complex	____________
19. ply	reply	____________
plic	implicate	____________
20. point	appoint	____________
punct	punctuation	____________
21. polit	politics	____________
polis	metropolis	____________
22. pos	compose	____________
23. pound	compound	____________
24. popul	popular	____________
publ	public	____________
25. port	portable	____________
port	opportunity	____________
26. post	postgraduate	____________

27. poss	possible	
28. prehen	comprehend	
29. press	compress	
prim	reprimand	
print	printing	
30. pric	priceless	
priz	prize	
prais	overpraise	
preci	precious	
31. prim	primary	
prin	principal	
prem	premier	
32. priv	privilege	
33. pris	imprison	
34. proach	approach	
35. proper	improper	
propr	appropriate	
36. prov	approve	
prob	probable	
37. pur	purify	
38. pute	dispute	
39. quali	quality	
40. quest	question	
quir	acquire	
quis	acquisition	
quer	query	
41. radic	radicle	
42. range	arrange	
43. rat	rational	
44. rect	correct	
45. rog	arrogate	
46. rupt	bankrupt	
47. satis	satisfy	

satur	saturate	________
48. sav	saviour	________
salv	salvation	________
saf	safety	________
49. sail	assail	________
sult	insult	________
ult	exultation	________
50. san	sanitary	________

第七节 scal—tell

scal,escle=ladder 梯子→攀登

[scale(攀登)一词借自古法语 escale,借自拉丁语 scala,源自 scandere(climb)]

scaleboard *n.* 衬板,薄片 [联]scalebreaker 刮鳞机(者)
scale *n.* 规模,鱼鳞 ～d *adj.* 有鳞的 [联]scaly 多鳞的
escalate *vi.* 逐步上升 [联]escalator 自动扶梯
escalation *n.* 扩大，增加 [联]escalatory 使增多的

scans,scend,scens,scent=to climb 登高

[ascend(攀登)一词借自拉丁语 ascendere，由“ad-+scandere(to climb)”构成]

ascend *vi.* 上升,攀登 [联]ascent 上升,上坡
descend *vi.* 下降 ～able *adj.* 可遗传的 [联]descent 下降,血统
reascend *vi.* 再上降 [联]reascent 再上升
ascension *n.* 上升,升高 [反]descension 降下
assensive *adj.* 上升的 [反]descensive 下降的,向下的
ascendancy *n.* 优势,优越,支配地位 [联]descendance 后裔
ascending *adj.* 上升的,向上的 [反]descending 递减的
descendant *n.* 子孙，后裔，后代 [同]descendent 子孙
descension *n.* 降下,祖先 [联]condescension 屈尊,俯就
scansion *n.* 按节奏念 [联]rhythm 节奏
scansorial *adj.* 攀附的,适合于攀爬的 〈-ial 有……特性的〉

redescend *vi.* 再下降 [联]transcend 超越，胜过

scatter，shatter＝disperse 分散

[scatter(分散)一词出现于中古英语时期，是 shatter(disperse)一词的变体]

scatter *vt.* 撒播，驱散 ～ed *adj.* 分散的 [联]scattergood 大肆挥霍的人
scatterance *n.* 散布，散射 [联]scatterer 散射体
scatterbrain *n.* 注意力不集中的人 [联]scattergram 散点图
scattergun *n.* 猎枪，机关枪 [联]scatterload 散弹
scattering *n.* 散射 [联]scattershot 漫无目标的
shatter *vt.* 破灭，粉碎，损毁 [联]shattery 易粉碎的
shatterproof *adj.* 防碎的 [同]splinterproof 防弹片的

sci＝to know，knowledge 通晓

[science(科学)一词借自古法语 science，源自拉丁语 scientia，源自 scire(know)]

scient *adj.* 有知识的，有技巧的 [反]nescient 无知的
scientist *n.* 科学家 [联]expert 专家，行家
scientific *adj.* 科学的 [联]sciential 知识的
conscientious *adj.* 诚心诚意的 [反]unconscientious 不诚心
pseudoscientific *adj.* 伪科学的 [联]prescientific 科学以前的
conscious *adj.* 有意识的 ～ness *n.* 知觉 [反]unconscious 无意识的
conscionable *adj.* 凭良心的，正直的 [反]unconscionable 昧着良心的
conscience *n.* 良心，道德心 〈知道善恶之分〉
omniscience *n.* 全知，全知者，上帝 [联]nescience 无知
omniscient *adj.* 无所不知的 [联]nescient 无知的
geoscience *n.* 地球科学 〈geo＝earth 地〉
prescience *n.* 预知，先见 [联]prescient 预见的

scrap，scrup＝cut，rub 切，割，擦

[scrape(刮)一词借自古斯堪的那维亚语 skrapa，源自原始日耳曼语 skrapojan，源自史前印欧语词根 skerb(cut)]

scraper *n.* 刮刀，铲土机 [联]bulldozer 推土机
scruple *n.* 踌躇，犹豫 *vi.* 有顾忌 [反]confidence 自信
scrupulous *adj.* 小心的，严谨的 [同]meticulous 谨小慎微的
scythe *n.* 长柄镰刀 *vt.* 刈割 [联]scathe 伤害
sickle *n.* (小)镰刀 〈-le＝small 小〉

scrib,script=to write 写

[scribe(抄写员)一词借自拉丁语 scriba,源自拉丁语动词 scribere(to write)]

scriber *n.* 画线器,刻画者　[联]dividers 圆规
scribal *adj.* 抄写的,抄写(者)的　[联]scribble 胡写,乱写
scrip *n.* 证书,便条,纸片　[联]script 脚本,手迹
scripture *n.* 书写的文件,文稿,经典　〈-ure ……行为结果〉
ascribe *vt.* 把……归于,认为……具有　[联]ascription 归于,归属
ascribable *adj.* 可归于……的　〈-able 可……的〉
circumscribe *vt.* 限定,外切,定义　[联]circumscription 范围,限界
conscribe *vt.* 征募,招募　[联]conscript 壮丁,新兵
describe *vt.* 描写　[联]description 描写,叙述
inscribe *vt.* 写,雕刻　[联]inscription 铭刻,碑文
descriptive *adj.* 描写的　[联]inscriptive 碑文的
manuscript *n.* 原稿,抄本 *adj.* 手抄的　[联]postscript 附言,后记
proscribe *vt.* 使失去法律保护,禁止　[联]proscription 剥夺权利,禁止
prescribe *vi.* & *vt.* 开处方,指定,规定　[联]prescription 处方
subscribe *vt.* 签署,题词 ~r *n.* 订户　[联]subscription 签署,订阅
superscribe *vt.* 写在……上方　[联]superscription 题名,标题
subscript *adj.* 写在下方的 *n.* 下标　[联]superscript 上标
transcribe *vt.* 抄写,改编 ~r *n.* 抄写员　[联]transcript 抄本,誊本
rescript *n.* 重写,副本,答复书　〈re-=again 再〉

scuff,shov=shove 推,挤

[shove 一词源自原始日耳曼语 skeub,源自史前印欧语词根 skeubh(to shove),与 shuffle 有关]

scuff *vi.* 拖足而走,以足擦地　[联]cuff 袖口
scuffle *vi.* 扭打,混战　[联]shuffle 洗牌,曳脚走
shove *n.* & *vt.* 推,推开　[联]shovel 铲(子)

see,sight=see,vision 看,视力

[see 一词源自原始日耳曼语 sekhwan,源自史前印欧语词根 sekw(to see)]

seer *n.* 预言家,先知者　[同]vaticinator 预言家
seeable *adj.* 能被看见的　[同]visible 看得见的
foresee *vt.* 预见 ~able *adj.* 可预见的　[同]predict 预言,预测

sight *n.* 视力，景象 ～less *adj.* 盲的 [联]sightproof 无法透视的
sighthole *n.* 观察孔，窥视孔 [联]sightline 视线
sightly *adj.* 好看的 [反]unsightly 难看的
sightsee *vi.* 观光，游览 ～ing *n.* 观光 [联]sightseer 观光客
sightworthy *adj.* 值得一看的，值得参观的 〈worthy 值得的〉
insight *n.* 洞察力，眼光 ～ful *adj.* 有见解的 [联]oversight 疏忽，失察

semin＝seed 种子

[seminary(神学院)一词借自拉丁语 seminarium，源自 seminarius，源自 semen(seed)]

seminal *adj.* 精液的，种子的，有创意的 [同]original 独创的
seminar *n.* (大学)研究班，研讨会 [同]workshop 专题讨论会
seminiferous *adj.* 结子的，生精的 〈fer＝carry 带，生〉
seminate *vt.* 播种于，传播 [联]semination 播种，传播
disseminate *vt.* 散布，传播 [联]dissemination 宣传
inseminate *vt.* 播(种)，授精 [联]insemination 授精，播种

sen＝old or aged 老的

[senile(老年的)一词借自法语 senile，源自拉丁语 senilis，源自 senex(old man)，源自史前印欧语词根 sen(old)]

sir *n.* 先生，(用于姓名前)爵士 〈sire 的缩写〉
senate *n.* 参议院，评议会，立法机构 [联]senator 参议员
senility *n.* 衰老的状态 [同]weakness 虚弱
senescent *adj.* 变老的，显老的 [联]senescence 衰老，老年期
senior *adj.* 年长的，资深的 ～ity *n.* 资历 [反]junior 较年幼的
seneschal *n.* 管家，总管 [同]steward 管家

sens，sent＝feeling 感觉

[sense(官能)一词借自古法语 sens，源自拉丁语 sensus，源自 sentire(feel)，源自史前印欧语词根 sent(to go)]

sense *n.* 感觉 *vt.* 感到，理解 [反]nonsense 胡说，废话
sensible *adj.* 感觉得到的 [反]insensible 无感觉的
sensational *adj.* 轰动的，惊人的 [反]unsensational 不令人兴奋的
sensitive *adj.* 敏感的，易受影响的 [反]insensitive 无感觉的
sensitivity *n.* 敏感，感受性，灵敏性 [同]allergy 过敏，反感
sensor *n.* 传感器，灵敏元件 [联]prober 探测器

sensuous adj. 感官的，影响感觉的　　[联]sensual 肉感的
sentence n. 句子，判决　　〈=a way of thinking〉
sentiment n. 感情，情绪 ～al adj. 伤感的　　〈-ment=state ……状态〉
sentry n. 卫兵，步哨　　[同]sentinel 哨兵，看守
assent vi. 同意，赞成　　〈as-=towards〉
consent vi. 同意　　[反]dissent 不同意
consenter n. 同意者　　[反]dissenter 持异议者
consentient adj. 同意的，无异议的　　〈-ent 处于……状态〉
consensus n. 合意，一致　　〈-us 名词后缀〉
dissension n. 意见不合，纠纷　　[同]dispute 纠纷
extrasensory adj. 超感觉的　　〈extra-=beyond〉
insensate adj. 无感觉的，愚钝的　　〈in-=not 不〉
presentment n. 预感(觉)　　〈pre-=before 预先〉
resent vt. 愤恨 ～ment n. 怨恨，不满　　[同]begrudge 嫉妒
scent n. 嗅觉，气味　　[同]odor 气味

sequ，secu(t)，su，sue=to follow 跟随，继续

[sue(控告)一词借自盎格鲁诺曼法语 suer，源自通俗拉丁语 sequere，源自 sequi(follow)]

sequence n. 继续，连续，次序　　[联]sequacious 连贯的
sequester vt. 使离开，使隔离　　[同]isolate，seclude
sequent adj. 连续的，接续而来的　　[同]sequential 连续的
consequence n. 后果，结果　　[同]aftermath 后果
consequent adj. 随之发生的 n. 结果　　[反]inconsequent 不一致的
subsequent adj. 随后的 ～ly adv. 随后　　〈sub-=after 在后〉
second n. 第二名，秒 ～ary adj. 第二的　　〈second=sequ 跟随〉
consecutive adj. 连续的，始终如一的　　[反]alternate 轮流的
execute vt. 执行，将……处死　　[联]executive 总经理
obsequious adj. 谄媚的，奉承的　　[同]obedient 顺从的
prosecute vt. 控告，起诉 ～ion n. 检举　　[联]persecute 迫害
suit n. 恳求 vi. 适合 ～able adj. 适合的　　[联]suite 随从人员，套房
sue vt. 控诉，起诉　　[联]ensue 跟着发生
pursue vt. 追赶，追踪 ～r n. 追求者　　[联]pursuit 追赶，追踪
intrinsic adj. 内在的，本质的　　[反]extrinsic 非本质的

ser, sert=join, insert 连接,加入

[insert(插入)一词借自拉丁语 insert, 源自 inserere(to put in)]

serial *adj*. 连续的 *n*. 连载小说 [同]consecutive 连续的
series *n*. 连续,系列 [同]catena 连续,系列
assert *vt*. 维护,断言 ~ion *n*. 主张 [联]reassert 再断言,重申
assertive *adj*. 断言的,坚决主张的 [反]unassertive 谦虚的
desert *n*. 沙漠 *adj*. 荒芜的 [反]fertile 肥沃的
desert *vt*. 抛弃,逃走 ~ion *n*. 离弃 [联]dessert 餐后点心
exert *vt*. 发挥,运用 ~ion *n*. 行使 [联]ex 使突出
insert *n*. 插入物 *vt*. 插入 ~ion *n*. 插入(物) [联]inject 注射

serv=to serve 服务

[serve(服务)一词借自古法语 servir, 源自拉丁语 servire。另,词根 serf 是 serv 的变体]

serve *vt*. 招待 ~r *n*. 服务器,侍者 [联]servant 仆人,公务员
serf *n*. 农奴 [同]slave 奴隶
service *n*. 服务 ~able *adj*. 有用的 〈-ice ……情况或状态〉
servile *adj*. (似)仆人的,缺乏独立性的 [联]vile 卑鄙的
servility *n*. 屈从,奴性 [同]subservience 屈从
servitude *n*. 奴役,服役 [反]liberty 自由
subserve *vt*. 促进,推动(目标、行动等) [联]subservient 屈从的
deserve *vt*. 应受,值得,应得 [联]disserve 损害,伤害
deserving *adj*. 值得的,应得的,有功的 [同]meriting 应得的

serv=to keep, heed 保持,注意

[observe(观察)一词借自古法语 observer,源自拉丁语 observare(to watch)]

conserve *vt*. 保护,保存 [联]conservation 保存
conservance *n*. 保护,管理 [联]conservatism 保守主义
conservative *adj*. 保守的 *n*. 保守的人 [反]progressive 进步的
conservator *n*. 保护者,管理员 [联]conservatory 音乐学院
observe *vt*. 遵守,观察 ~r *n*. 观察员 [联]observation 遵守,观察
observance *n*. 遵守,奉行,惯例 [联]observatory 天文台
preserve *vt*. 保护,保持 ~r *n*. 保存人 [联]preservation 保存,保留
preservatory *n*. 防腐剂 [同]preservative 防腐剂
preservatize *vt*. 对……加以防腐处理 〈-ize=make 使成为〉

reserved *adj*. 预订的,矜持的　　[联]preserved 加工过的
reservoir *n*. 水库 *vt*. 贮藏　　〈-oir=place 场所〉

sign=mark 记号,签署

[sign(记号)一词借自古法语 signe,源自拉丁语 signum,源自史前印欧语词根 sekw(to follow)]

sign *n*. 记号,手势 *vi*. 签字　　[联]countersign 连署,会签
signal *n*. 信号,征象 ~ize *vt*. 向……发信号　　〈-al 具有……特征的〉
signature *n*. 签名,署名,签字　　[联]ensign 徽章,国旗
signet *n*. 印,图章 *vt*. 盖章于　　[同]insignia 证章
signatory *adj*. 签过名的 *n*. 签字人(国)　　〈-ory 与……有关的〉
signify *vt*. 表示,表明　　[联]signification 含义
significance *n*. 意义,重要(性)　　[反]insignificance 无意义
significant *adj*. 重要的,有意义的　　[反]insignificant 无意义的
consign *vt*. 把……委托给 ~ment *n*. 托运　　[联]assign 分配,分派
design *vt*. 设计,绘制 ~er *n*. 设计者　　[联]resign 放弃,辞职
designate *vt*. 指明,指出　　[联]designation 命名,选派
resignation *n*. 放弃,辞职(书),听从　　〈-ation ……状态或过程〉

sin=bend,curve 弯曲,弧线

[sine(正弦)一词借自拉丁语 sinus,是阿拉伯语 jiba(sine)一词的借译]

sine *n*. 正弦　　[联]tangent 正切
cosine *n*. 余弦　　[联]cotangent 余切
sinus *n*. 弯曲处,凹陷处,穴　　[联]sinuous 弯曲的
sinuate *adj*. 弯弯曲曲的,波状的　　[联]insinuate 暗示
sinuation *n*. 曲折　　[联]insinuation 影射

sist=to stand 站立

[insist 一词源自拉丁语 insistere(persist),由“in-(upon)+sistere”构成]

assist *vt*. 援助,参加 ~ance *n*. 援助　　〈as- 加强语气〉
consistent *adj*. 一致的,一贯的　　[反]inconsistent 不一致的
consistency *n*. 连贯,前后一致　　[反]inconsistency 不一致
desist *vi*. 停止　　[反]persist 坚持
exist *vi*. 存在,生存 ~ence *n*. 存在　　[联]consist 由……组成
insist *vt*. 坚持,强调 ~ence *n*. 坚持,强调　　[联]resist 抵抗,忍耐
resistible *adj*. 可抗拒的　　[反]irresistible 不可抗拒的

subsist *vi.* 维持生活 ～ence *n.* 生存，生计　〈sub-＝under 在下〉
sister *n.* 姐妹，护士 ～ly *adj.* 姐妹般的　[同]sibling 姐妹

sit＝food 食物

[parasite(寄生物)一词借自中古法语 parasite，源自拉丁语 parastus，源自希腊语 parasitos]

sitology *n.* 营养学，饮食学　[同]trophology 营养学
parasite *n.* 寄生虫，食客　[联]bloodsucker 水蛭
ectoparasite *n.* 外寄生物　[联]ectoparasitic 外寄生的
parasitosis *n.* 寄生虫病　〈-osis ……病态〉

sit，set，seat，sed，sess，sid＝sit，put 坐，放置

[sit 一词源自原始日耳曼语 setjan，源自拉丁语 sedere，源自史前印欧语词根 sed(to sit)]

situate *adj.* 位于……的 *vt.* 使位于　[同]locate 位于
inset *vi.* 插入 *n.* 插入物　[联]outset 开端，开始
overset *vt.* 翻转，推翻　[联]reset 重放，重排
set *vt.* 放，竖立，安排　[联]upset 弄翻
setback *n.* 挫折，失败，复发　[同]defeat 击败
settle *vt.* 解决，使定居 ～ment *n.* 解决　[反]unsettle 使不安，搅乱
settler *n.* 移民，移居者　[同]sitter 临时保姆
preset *vt.* 预先装置　〈pre-＝before 预先〉
seat *n.* 座，座位 *vt.* 使就座　[联]sit (使)坐
sedate *adj.* 文静的，稳重的　〈静坐的→文静〉
sedulous *adj.* 勤勉的，小心周到的　〈坐得住的！〉
supersede *vt.* 代替，取代，更换　〈super-＝above 在……上面〉
saddle *n.* 鞍子，鞍座　〈sad＝sed 坐〉
session *n.* 会议，会期　‖ in session 在开会
assess *vt.* 估价，评定 ～ment *n.* 评估　〈as- 加强语气〉
possess *vt.* 拥有，掌握 ～ion *n.* 财产　〈pos＝put，place 放〉
prepossessing *adj.* 有魅力的　〈pre- 先；-ing ……的〉
considerable *adj.* 值得考虑的，相当的　[联]considerate 体贴的
insidious *adj.* 隐险的，狡猾的　[同]treacherous 奸诈的
siege *n.* 围攻，围困　[联]besiege 包围
site *n.* 位置，场所，地点　[联]cite 引用
dissident *adj.* 意见不同的 *n.* 持异议者　[联]dissidence 意见不同

reside *vi*. 住,居留 ～nce *n*. 住处,住宅　〈re-＝again 再〉
residue *n*. 残余,余渣　[联]residual 剩余的
preside *vi*. 主持,作主席　[联]president 总统,校长
presidium *n*. 主席团　〈[单]-um→[复]-a〉
subside *vi*. 沉淀,平息,退出　〈sub-＝under 下〉
subsidiary *adj*. 辅助的,附属的　[联]subsidy 补助金,奖金
subsidize *vt*. 给补助金,给奖金　[同]finance 为……提供资金

soci＝companion 同伴→社团,社会

[society(社会)一词借自法语 societe, 源自拉丁语 societas, 源自 socius(companion)]

social *adj*. 社会的,社交的　[联]sociable 爱交际的
socialism *n*. 社会主义　[联]communism 共产主义
socialist *n*. 社会主义者　[联]communist 共产主义者
sociology *n*. 社会学　[联]sociologist 社会学家
associate *vt*. 联想,使联合 *n*. 同伴　[反]dissociate(使)分离
association *n*. 协会,社团,联合,联想　[同]coalition 结合体,同盟
consociate *vi*. &*vt*. (使)结合 ～ion *n*. 联合　〈con-＝together 共同〉

sol＝whole,unite 完全的,团结

[solid(固体的)一词借自古法语 solide,源自拉丁语 solidus,源自史前印欧语词根 sol (whole)]

consolidate *vt*. 巩固,合并 *n*. ～ion 巩固　〈-ate＝make 使成为〉
solid *adj*. 固体的,实心的 *n*. 固体　[反]liquid 液体
solidarity *n*. 团结(一致)　[同]union 团结
solidify *vt*. 使团结,固化　〈-ify＝make 使……〉
soldier *n*. 士兵,军人 ～y *n*. 军队(总称)　〈-er ……人〉
solemn *adj*. 庄严的 ～ity *n*. 庄严　[反]frivolous 轻率的

sol＝the sun 太阳

[solar(太阳的)一词借自拉丁语 solaris(of the sun), 源自 sol(sun)]

solar *adj*. 太阳的,日光的　[反]lunar 月亮的
solarium *n*. 日光浴室,日晷　〈-ium＝place 场所〉
solstice *n*. 至点,冬至　[联]solstitial 冬(夏)至的
circumsolar *adj*. 绕着太阳的　[联]circumlunar 绕着月亮的
insolation *n*. 曝晒,中暑　[同]sunstroke 中暑

parasol *n.* 阳伞 〈para- 超越→阻挡〉
turnsole *n.* 向日葵 [同]sunflower 向日葵

sol,sul=single,alone 单个,孤单

[sole(单独的)一词借自古法语 soul, 源自拉丁语 solus(alone,single)]

sole *adj.* 单独的 *n.* 鞋底 [联]solitary 孤独的,唯一的
solitude *n.* 孤独,荒野 〈-itude ……性质或状态〉
soliloquize *vi.* 自言自语,独白 [联]soliloquist 独语者
solo *n.* 独唱,独奏 ～ist *n.* 独奏者 [联]chorus 合唱
desolate *adj.* 荒芜的 *vt.* 使荒芜 [联]desolation 荒凉,凄凉
isolate *vt.* 隔离,孤立 ～ion *n.* 孤独 〈i=in 表示强调〉
insulate *vt.* 隔离,使孤立,使绝缘 [联]insulator 绝缘(物)
peninsula *n.* 半岛 〈pen-=almost 几乎〉
sullen *adj.* 郁郁不乐的,阴沉的 [同]gloomy 悲观的
island *n.* 岛 〈i(in)+sl(sul)+land〉
isle *n.* 岛,小岛 [联]islet 小岛

solu(t),solv=to loosen 松开→解决,溶解

[solve(解决)一词借自拉丁语 solvere(loosen, unfasten),源自史前印欧语词根 selu (loose)]

soluble *adj.* 可溶解的,可解决的 [反]insoluble 不能解决的
solvable *adj.* 可解,能解决的 [反]unsolvable 无法解决的
solve *vt.* 解决,解答 [联]solution 解决(办法)
solvency *n.* 溶解质,资力 [联]solvent 解释,溶剂
solute *n.* 溶解(物) [联]resolute 坚决的
absolve *vt.* 解除,免除,宣告无罪 [联]absolution 赦罪,解除
absolute *adj.* 绝对的 ～ly *adv.* 绝对地 〈ab=against 相反,不〉
dissolve *vt.* 分解,解散,使感动 [联]dissolution 溶解,解除
dissolute *adj.* 放荡的,淫乱的,风流的 [同]epicurean 享乐者
resolve *vt.* 解决,决心,消除 [联]resolution 解决,决心
resolutive *adj.* 使分解的 *n.* 消肿药 [同]discutient 消肿药

som,somat=body 身体

[soma(身体)一词出现于 19 世纪后期,借自希腊语 somatikos,源自梵文 soma(body)]

som *adj.* 肉体,身体,人体细胞 [联]somata 肉体[复数]

somatic *adj*. 肉体的，身体的 [同]fleshy，physical
psychosomatic *adj*. 精神身体相关的 〈psycho- 灵魂，精神〉
chromosome *n*. 染色体 〈chromo- 颜色〉
somatosensory *adj*.(耳、目、口等以外的)体觉 〈sensory 感觉的〉
somatization *n*. 躯体化 [联]embodiment 化身

somn＝sleep 睡眠

[insomnia(失眠)一词借自拉丁语 insomnia，源自 insomnis(sleepless)]

insomnious *adj*. 失眠的，患失眠症的 〈-ous 充满……的〉
somnambulate *vi*. 梦游 ～ion *n*. 梦游(症) 〈ambul＝walk 走〉
somnambule *n*. 梦游者 [同]sleepwalker 梦游者
somniferous *adj*. 催眠的，麻醉的 〈fer＝produce 生〉
somniloquy *n*. 说梦话 [联]somniloquist 梦呓者
somnipathy *n*. 睡眠症，失眠症 〈-pathy 病〉
somnolent *adj*. 瞌睡的，昏昏欲睡的 [同]sleepy 欲睡的

son，sound＝sound 声音

[resonant(洪亮的)一词借自法语 resonnant，源自拉丁语动词 resonare，由"re-＋sonare"构成]

sonar *n*. 声呐 [联]sonata 奏鸣曲
sonic *adj*. 声音的 ～s *n*. 声能学 〈-ic 与……有关的〉
subsonic *adj*. 亚音速的 [反]supersonic 超音速的
consonance *n*. 共鸣，调和 [反]dissonance 不和谐音
consonant *n*. 辅音 *adj*. 一致的 [反]dissonant 不和谐的
resonance *n*. 共振，回声 [联]resonant 洪亮的，共振的
unison *n*. 一致，协调，和谐 [同]consensus 一致
sound *n*. 声音 *vi*.(发)响 *adj*. 健康的 ‖ sound out 摸底细
resound *vi*. 产生回响，回荡 [同]reverberate 回响

soph＝wise 智慧，聪明

[sophist(诡辩家)一词借自拉丁语 sophista，源自希腊语 sophistes(a wise man)]

sophie *n*. 智慧 [联]Sophie 索菲娅
sophism *n*. 诡辩，谬论 [同]sophistry 诡辩术
sophisticate *n*. 见多识广的人 〈-ate ……的人〉
unsophisticated *adj*. 简单的，不懂世故的 [反]sophisticated 复杂的

philosopher *n.* 哲学家,贤人 〈philo-=love 爱〉
philosophy *n.* 哲学,原理 〈-y 充满……的〉
anthroposophy *n.* 人类智慧,人智学 [联]theosophy 通神学
sophomore *n.* 大学二年级的学生 〈moron 傻子〉

sorb,sorpt=to suck in 吸收

[absorb(吸收)一词借自法语 absorber,源自拉丁语 absorbere(suck in)]

absorbant *adj.* 能吸收的 *n.* 吸收剂 [联]sorbent 吸附剂
absorption *n.* 吸收,专注,合并 [联]sorption 吸附作用
resorb *vt.* 再吸收 [联]resorption 再吸收
absorptive *adj.* 吸收性的,有吸收力的 [联]resorptive 再吸收的

sort,sorc=lot,condition 签,阄,条件

[sorcery(巫术)一词借自古法语 sorcerie,源自拉丁语 sortitus (casting lots)]

sort *n.* 各类,样子,品质 *vt.* 把……分类 [联]consort 配偶,伙伴
assort *vt.* 把……分类 ~ment *n.* 分类 [联]assorted 混杂的
consortium *n.* 财团,组合,共同体 〈-ium ……集体〉
sorcerer *n.* 男巫,方士,施魔法者 [联]sorceress 女巫
sorcery *n.* 魔法,巫术 [联]sorcerous 巫术的
ensorcell *vt.* 使着迷 ~ment *n.* 迷惑 〈en-=make 使……〉
exorcise *vt.* 驱除(恶魔) [联]exorcism 驱邪

spair,sper=to hope 希望

[despair(绝望)一词借自古法语 desperer,源自拉丁语 desperare,由"de-+sperare(hope)"构成]

despair *vi.* &*n.* 绝望 ~ing *adj.* 无望的 [同]desperation 绝望
desperate *adj.* 绝望的,急切的 [联]desperado 亡命徒,暴徒
prosper *vi.* 繁荣,成功 ~ity *n.* 繁荣 [联]prosperous 繁荣的,兴旺的
asperity *n.* 粗暴,粗糙,艰苦 [联]prosperity 繁荣

spars,spers=to scatter 分散

[sparse(稀少的)一词借自拉丁语 sparsus,源自拉丁语 spargere(scatter)]

sparse *adj.* 稀少的 ~ly *adv.* 稀疏地 [同]scanty,meager
sparseness *n.* 稀疏,稀少 [同]sparsity 稀少
asperse *vt.* 诽谤,中伤 〈a-—bad ▸坏话散开〉
disperse *vi.* &*vt.* 散去,驱散 ~ion *n.* 驱散 〈di-=apart 分开〉
intersperse *vi.* &*vt.* 散布,点缀 ~ion *n.* 点缀 〈inter-=between〉

speci, spect, spy, spit=to see, look 看

[respect(尊重)一词借自中古法语 respecter,源自拉丁语 respectus,源自 respicere(regard)]

aspect *n.* 面貌,方面 [同]look, appearance
circumspect *adj.* 慎重的,精密的 〈circum-=around 周围〉
spectacular *adj.* 壮观的,惊人的 [同]dramatic, sensational
spectator *n.* 观众 [同]audience 听众
expect *vt.* 期待,预期 ~ation *n.* 期望 [联]unexpected 突然的
inspect *vt.* 检查 ~ion *n.* 检查,视察 [联]prospect 展望,勘探
perspective *n.* 前景 *adj.* 透视的 〈per-=thorough 完全〉
conspectus *n.* 一览表,大纲 〈con-=together 共同〉
respect *vt.* &*n.* 尊重,尊敬 [反]disrespect 不敬
respecting *prep.* 关于 [同]concerning 关于
respective *adj.* 各自的 ~ly *adv.* 分别地 [同]specific, particular
retrospect *n.* &*vi.* &*vt.* 回顾 ~ion *n.* 回顾 〈retro-=backward 向后〉
suspect *vt.* 怀疑 ~able *adj.* 可疑的 〈sus-(sub-)=under〉
spectacle *n.* 光景,奇观,[复]眼镜 〈-cle=small 小〉
specimen *n.* 样本,典型 [联]sample 样品
speculate *vt.* 投机,思索 [联]speculation 思考,投机
spectrum *n.* 光谱,幅度 [联]spectrometer 分光计
auspice *n.* 鸟卜,吉兆,保护,主办 〈au=bird 鸟〉
conspicuous *adj.* 明显的 ~ly *adv.* 显著地 〈con-=thoroughly 全部〉
despicable *adj.* 可憎的,可鄙的,卑劣的 〈de-=down 向下〉
despise *vt.* 轻视,看不起 [同]disdain 鄙视,轻蔑
frontispiece *n.* (书)扉页上的插图 〈fronti-=before〉
suspicion *n.* 怀疑,猜疑 [联]suspicious 可疑的
perspicacious *adj.* 有洞察力的,敏锐的 [同]judicious 明智的
spy *n.* 间谍,特务 *vi.* 侦察 [联]espy (偶然)看出
espial *n.* 探索,侦察 [同]detection 侦查,检查
espionage *n.* 间谍活动,侦察 〈-age ……身份或状态〉
spite *n.* 恶意,怨恨 ~ful *adj.* 恶意的 [联]despite 不管;怨恨
respite *vt.* 使延期,暂停 〈re-=back 回〉

spec(i),spic=look,kind 外观,种类,特别

[spice(香料)一词是古法语 espice 的简写形式，源自拉丁语 species(sort, kind)]

special *adj*. 特别的 *n*. 特别的人或物　[联]specialist 专家
speciality *n*. 专业,特性　[联]specialize 使专门化
especial *adj*. 特别的 ～ly *adv*. 尤其地　〈e-=beyond 超越〉
specify *vt*. 指定,详细说明　[联]specification 说明书
specific *adj*. 专门的 ～ally *adv*. 专门地　[反]general 总的
species *n*. 种类,种概念　[联]specie 硬币
specimen *n*. 样品,样本,标本　[同]sample 样品
conspecific *adj*. 同种的　[反]heterogenic 异种的
specious *adj*. 似是而非的,华而不实的　[同]spacious 宽敞的

spher=globe 球体

[sphere(球体)一词借自法语 sphere,源自拉丁语 sphaera,源自希腊语 sphaira(globe)]

spheric *adj*. 球的,球状的 ～ity *n*. 球形　[同]globose 球状的
aerosphere *n*. 大气层,气界　[同]atmosphere 大气层
hemisphere *n*. 半球　〈hemi=half 一半〉
lithosphere *n*. 岩石圈,陆界　[联]ionosphere 电离层
planisphere *n*. 平面球形图,星座图　〈plani=flat 平的〉
stratosphere *n*. 平流层,同温层　〈strato- 层云〉

spider,spin,spind=spin 纺纱,结网

[spin(纺线)一词源自原始日耳曼语 spenwan,源自史前印欧语词根 spen(draw,spin)]

spider *n*. 蜘蛛,十字叉 *adj*. ～ish 蜘蛛似的　[联]spiderlick 蛛螯
spidergram *n*. 蜘蛛网状说明　[联]spiderlike 蜘蛛似的
spiderling *n*. 小蜘蛛,幼蛛　[联]spiderman 蜘蛛人
spinner *n*. 纺纱机,纺纱工　[同]weaver 织工
spinnable *adj*. 可纺的　[联]unspinnable 不旋转的
spinster *n*. 未婚女人,老处女　[联]spinsterhood 独身
spinstry *n*. 纺织工作或职业　〈-ry=-ery ……职业或技术〉
spindle *n*. 纺锤,纱锭　[联]spindleful 一纺锤的线
spindlelegs *n*. 细长的腿　[同]spindleshanks
spindleage *n*. 纺锭设备,总锭数　〈-age ……集体〉

spir＝the soul 精神，呼吸

［spirit(精神)一词借于盎格鲁法语 spirit，源自拉丁语 spiritus(breath)］

spirited *adj*. 生机勃勃的 ～ness *n*. 活泼	［反］spiritless 无精打采的
spiritual *adj*. 精神的，心灵的，宗教的	［反］corporeal 肉体的
aspire *vi*. 热望，立志	［联］aspiration 抱负，渴望
conspire *vi*. 谋反，同谋，互相通气	［联］conspiration 密谋，合作
perspire *vi*. 排汗，流汗 ～ion *n*. 汗水	［联］perspiration 汗水
expire *vi*. 期满，断气，失效	［反］inspire 吸入，鼓舞
inspirit *vt*. 激励，鼓舞	〈in-＝en-＝make 使……〉
respire *vi*. 呼吸，休息，恢复精神	〈re-＝again 再〉
transpire *vi*. 蒸发，［医］发汗	〈trans-＝cross 跨越〉
spirograph *n*. 呼吸运动描记器	［联］spirogram 呼吸描记图
spirometer *n*. 肺活量计	［联］spiroscope 呼吸量检视器
spirophore *n*. 人工呼吸器	〈phore＝bear 携带〉

spond，spons＝to promise 允诺，诺言

［espouse(拥护)一词借自法语 espouser，源自拉丁语 sponsare。另，拉丁语中以 sp-，st-，sc-开头的词被古法语借用时通常要加上一个 e-］

despond *vi*. 丧气	〈de-＝away 离开〉
respond *vi*. 回答，应付，响应	［联］respondence 回答，一致
correspond *vi*. 符合，一致	［联］correspondence 通信，符合
response *n*. 作答，回答	〈re-＝back 回〉
responsible *adj*. 负责任的(for)	［联］responsibility 责任(心)
sponsor *n*. 发起者，资助者 *vt*. 赞助	［同］promotor 发起人
spontaneous *adj*. 自发的 ～ly *adv*. 自然地	［同］instinctive 天生的
spouse *n*. 配偶 *vt*. 和……结婚	［同］mate，bride

st，stat，sta(n)，stin，stant＝to stand 站，立

［词根 st 和 stat 源自拉丁动词 stare(stand)，与词根 sist，stit 和 stitut 同源］

stable *adj*. 稳定的，安定的 *n*. 马厩	［反］unstable 易变的
stand *vi*. 站立，忍受 ～ing *adj*. 直立的	［联］strand 触礁
standard *n*. 标准	［同］criterion 标准
standpoint *n*. 立场，观点	［同］perspective 观点
withstand *vt*. 抵抗，抵挡	〈with＝against 反对〉

stage *n.* 舞台，场所	[同]rostrum，podium
instate *vt.* 安置	〈in-=en-=make 使……〉
state *n.* 国家，状态，情况 *vt.* 陈述	[联]estate 财产
apostate *n.* 判教者 *adj.* 脱党的	[联]apostasy 背教，变节
apostatize *vi.* 放弃信仰，变节，脱党	〈-ize=make 使……化〉
restate *vt.* 重申 ～ment *n.* 再声明	〈re-=again 再〉
statistic *adj.* 统计的 ～s *n.* 统计(学)	[联]static 静止的；静电
stately *adj.* 雄伟的，庄严的，高贵的	[同]majestic 宏伟的
station *n.* 站，台，所，局	[同]depot 仓库
stationary *adj.* 不动的，静止的	[联]stationery 文具
statue *n.* 雕像	[联]statute 法令，法规
stature *n.* 身长，身材，才干，气量	[联]status 情况，状况
stay *vi.* 停留，暂住	‖ stay up 熬夜
steadfast *adj.* 坚定的，固定的	[同]staunch 坚定的
homestead *n.* 家园，有宅地的人	[同]dwelling 住处，处所
arrest *vt.* 阻止，逮捕	〈ar-加强语气〉
circumstance *n.* 环境，情况	[同]situation 处境
constant *adj.* 永恒的 ～ly *adv.* 不断地	[联]constancy 坚定，坚贞
instantaneous *adj.* 即时的，瞬时发生的	[同]expeditious 迅速的，敏捷的
substantiate *vt.* 证实，证明	[同]certify，ratify
contrast *vt.* &*n.* 对比，比较(to，with)	[同]compare 比较，对照
destination *n.* 目的地，目标，目的	[同]objective 目的，目标
distant *adj.* 远的，久远的	[联]distance 距离，间隔
extant *adj.* 现存的，残存的	[反]extinct 灭绝的
equidistance *n.* 等距离	[联]equidistant 等距离的
establish *vt.* 建立 ～ment *n.* 建立	[同]found 建立
instability *n.* 不稳定(性)，不安定	[反]stability 稳定性
instance *n.* 例子，实例 *vt.* 举……为例	[同]example 例子
instant *adj.* 紧迫的 *n.* 瞬间 ～ly *adv.* 立即	[联]instantograph 快照
obstacle *n.* 障碍(物)	[同]hindrance 障碍(物)
obstinate *adj.* 顽强的，顽固的	[联]obstinacy 顽强，顽固
substantial *adj.* 物质的，实质的	[联]substance 物质
substantiate *vt.* 使具体，证实	[联]substantive 本质的，真实的

stab *vt.* 刺，刺伤 [同]puncture，pierce
stack *vt.* 堆积 *n.* 堆，[复]裤子 [同]heap，load，pile
staff *n.* 全体职工，全体人员 [联]stuff 材料
stagger *vi.* 摇晃，蹒跚 [联]hobble 蹒跚
stagnate *vi.* &*vt.* (使)变萧条 ～ion *n.* 萧条 [联]stagnant 不动的，停滞的
staunch *adj.* 坚定忠实的，坚固的 〈一直站在一旁的〉
stair *n.* 楼梯 [联]staircase 楼梯间
stairhead *n.* 楼梯顶 [联]stairstep 阶梯

stak，stock＝trunk，stump 树干，树桩

[stock(树干)一词源自原始日耳曼语 stukkaz，与德语 stock 有关，源自史前印欧语 steu (stick)]

stake *n.* 赌本，赌注，桩，标语 [联]staker 桩支撑的植物
stakeholder *n.* 股东，赌金保管者 [联]stakeholding 参与制
stakeout *n.* 监视 [同]watchout 监视
stock *n.* 树干，存货，股票 [联]stockbroker 股票经纪人
stockholder *n.* 股东，股票持有者 [联]stockholding 持有股票
stocktaking *n.* 存货盘点，估计，反思 [联]stocktake 盘点
stockage *n.* 贮藏 [联]stocking 长筒袜

star＝star 星

[star 一词源自原始日尔曼语 sterron，源自史前印欧语 ster(star)，与德语 stern 有关]

starlet *n.* 小女明星 〈-let＝small 小〉
starlight *n.* 星光 [联]moonlight 月光
starry *adj.* 布满星星的，似星的 [反]starless 没有星星的
starryeyed *adj.* 不切实际的 [同]illusioned 充满幻想的

stal(l)＝place，put 放

[stall(货摊)一词源自原始日耳曼语 stalla，源自史前印欧语词根 stel(to put，stand)]

stall *n.* 货摊 *vi.* 停顿，拖延 [联]stallholder 摊贩
stallman *n.* 摊贩 [同]stallkeeper 摊贩
stallage *n.* 摆摊用地 〈-age ……动作或结果〉
forestall *vt.* 占先，先发制人 [同]preempt 先发制人
install *vt.* 安装 ～ment *n.* 分期付款 [反]demount 卸下
stalk *vi.* 踱，高视阔步 〈放脚大步走〉

stolid *adj*. 不易激动的，迟钝的　　[反]adroit 敏捷的

stil(l)＝small drop 小水滴→蒸馏

[still(静止的)一词源自原始日耳曼语 stilli，源自史前印欧语词根 stel(to put, stand)]

still *adj*. 静止的 *vi*. 安静，蒸馏　　[同]tranquil, placid

distil *vi*. 蒸馏，渗出 ～ating *adj*. 蒸馏的　　[联]distillate 馏出物，蒸馏液

instill *vt*. 逐渐灌输 ～ation *n*. 灌输　　[同]instillment 慢慢灌输

instillator *n*. 滴注器　　[联]inoculator 注射器

stitut, stit＝to set up, to place 确立，放 ←st

[institute(建立)一词借自拉丁语 institutus，源自史前印欧语词根 sta(to stand)]

institute *n*. 协会，学院 *vt*. 制定　　[联]constitute 构成，制定

destitute *adj*. 缺乏……的，贫穷的　　[同]deficient, devoid

prostitute *n*. 妓女，男妓　　[联]prostitution 卖淫

restitute *vt*. 复原，归还　　[联]substitute 代理(人)

superstition *n*. 迷信　　[联]superstitious 迷信的

sting, stinct, stimul＝prick 刺，刺激

[distinguish(区分)一词借自中古法语 distinguiss，源自拉丁语"dis-(apart)＋stinguere (prick)"]

distinct *adj*. 明显的 ～ly *adv*. 明显地　　[同]indistinct 模糊的

distinctive *adj*. 有特色的 ～ly *adv*. 区别地　　[联]distinction 区别，卓越

extinct *adj*. 灭绝的 ～ion *n*. 灭绝　　[联]instinct 本能，冲动

instinctive *adj*. 天生的，本能的　　[同]inherent 固有的

stick *vt*. 戳，刺，粘贴　　[联]stitch 缝，一针

stimulate *vt*. 刺激，鼓励 ～ion *n*. 激励　　[同]spur 鞭策

strain, string, strict, stringe, stig＝to draw tight 拉紧，绑紧

[strict(严格的)一词源自拉丁语动词 strictus，源自 stringere(tighten)]

strain *n*. 极度紧张，张力 *vt*. 拉紧　　[联]overstrain 过度紧张

constrain *vt*. 强迫，限制 ～t *n*. 限制　　[联]distrain 扣押(人、财物)

restrain *vt*. 制止，抑制，限定　　[联]restraint 抑制，限制

string *n*. 线，绳子，紧张　　‖ on the string 有希望

astringe *vt*. 使收缩，使收敛　　〈a-—to 加强语气〉

strict *adj*. 严格的 ～ly *adv*. 严格地　　[联]astrict 束缚，限制

constrict *vi*. &*vt*. 压缩 ～ion *n*. 压缩(物)　　[联]district 地区

stress *n.* 紧张，压力　［联］distress 苦恼，悲痛
restrict *vt.* 限制，约束 ～ion *n.* 束缚　［同］liberate 解放，释放
stringent *adj.* 紧急的，严厉的　［联］constringent 压缩的
constringe *vt.* 使收缩，压缩　［联］constringency 收缩，收敛
prestige *n.* 威信，名望　［联］prestigious 有声望的
strap *n.* 带，皮带 *vt.* 用带捆扎　［联］trap 陷阱，诱骗

streng，strong＝force，consolidate 力量，巩固

［strong(强壮的)一词源自原始日耳曼语 strangaz，源自史前印欧语 strenk(tight，narrow)］

stronghold *n.* 要塞，据点，根据地　［联］strongpoint 长处，优点
strongbox *n.* 保险箱　［联］strongroom 金库，保险库
strongman *n.* 大力士，铁腕人物　［同］Hercules 大力英雄
strongarm *adj.* 使用暴力的，强暴的　［联］strongish 稍强的
strength *n.* 力量 ～less *adj.* 无力量的　［同］impotence 阳痿，无力
strengthen *vt.* 加强，巩固 ～er *n.* 助力器　［反］weaken 削弱，(使)变弱

strid，strif，striv＝quarrel，contend 争吵，竞争

［stride(大步)一词源自原始日耳曼语 stridanan，与德语 strede(strive)同源］

stride *n.* 大步，进展 *vi.* 大踏步走　［同］stroll 散步，溜达
strident *adj.* 刺耳的 ～ly *adv.* 刺耳地　［联］stridence 刺耳，高呼
stridulous *adj.* 发出刺耳叫声的　［同］noisy 喧闹的
straddle *vt.* 跨骑　［同］bestride 骑，横跨
strive *vi.* 努力，力求，奋斗　［同］endeavour 努力
strife *n.* 竞争，斗争，冲突　［同］conflict 冲突，战斗

strike，stroke＝hit 打击

［strike(打击)一词源自原始日耳曼语 strikan，源自史前印欧语词根 streig(to stroke)］

striker *n.* 罢工者，打手　［联］strikeout 失败
strikethrough *vt.* 加删除线 *n.* 删除线　［联］underline 下画线
strike-off *n.* 整平，刮砂　［联］strikebreaker 破坏罢工(者)
striking *adj.* 显著的，引人注目的　［同］outstanding 显著的
stroke *n.* 一击 *vt.* 抚摸　［联］strokesman 后桨手

stru，struct＝to build 建造，堆积

［structure(结构)一词源自拉丁语 structura，源自 structus，源自 struere(to build)］

construct *vt.* 建造 ～ion*n.* 建造(物)　［联］reconstruct 重建，改造

construe *vt.* 解释，注释，分析 〈把理由堆积起来〉
destruct *vt.* 破坏，毁灭 ～ion*n.* 破坏 〈de-＝away 去掉〉
destructible *adj.* 可破坏的 [同]indestructible 不能破坏的
superstructure *n.* 上层建筑，上部结构 [联]substructure 基础，路基
structure *n.* 结构，建筑物 *vt.* 构成 [联]infrastructure 基础设施
instrument *n.* 工具，乐器 ～al *adj.* 乐器的 [同]appliance 装置
industrious *adj.* 勤劳的，努力的 [同]hardworking 刻苦的
instruct *vt.* 指导，命令 ～ion*n.* 授课，教诲 [联]instructor 指导者
obstruct *vt.* 阻塞，堵塞 ～ion*n.* 阻碍 [同]retard 妨碍，减慢
destroy *vt.* 破坏，毁灭 [同]devastate 破坏，毁灭

stud＝to be zealous 热心于

[study(学习)一词借自古法语 estudiier，源自拉丁语 studium，源自 studere(dilligent)]

student *n.* 学生～ship*n.* 学生身份，奖学金 [联]studenty 有学生气的
studio *n.* 工作室，播音室 〈-o＝place 地方〉
studious *adj.* 勤学的，刻苦的 [同]erudite 博学的

suad，suas＝to advise 劝告

[persuade(说服)一词中古法语 persuader，源自拉丁语 persuadere，由"per-＋suadere (advise)"构成]

dissuade *vt.* 劝阻，劝止 [反]persuade 说服
dissuasive *adj.* 劝阻的，劝诫的 [反]persuasive 有说服力的
dissuasion *n.* 劝阻，劝止 [反]persuasion 劝说
persuader *n.* 说服者，强制的工具 [同]inducer 引诱者
suasion *n.* 劝告，说服 [联]suasive 劝说的

sum，sumpt＝to take 取，从事

[consume(消费)一词借自古法语 consumer，源自拉丁语 consumere(to use up)]

assume *vt.* 假定，设想，承担，采用 [联]assumption 假设，设想
reassume *vt.* 再假定，再担任 [联]reassumption 再假定
consume *vt.* 消费，消耗 ～er *n.* 消费者 [联]consumption 消费，消耗
presume *vt.* 假设，敢于 [联]presumption 推测，设想
resume *vi.* & *vt.* 再开始，收回，恢复 [联]resumption 重新开始
sumptuary *adj.* 限制费用的，禁止奢侈的 [联]sumptuosity 奢侈(品)
sumptuous *adj.* 豪华的，奢侈的 [同]sumptuousness 奢侈，豪华

sum(m)=add up,highest 累加,最高的

[sum(总数)一词借自古法语 summe,源自拉丁语 summus,源自 summa(sum total)]

sum *n.* 总数,总结 *vi.* 总计,总结 [联]summing 合计,求和的
summary *adj.* 概括的 *n.* 概要 [同]conspectus 概要,大纲
summit *n.* 顶点 *adj.* 最高级的 〈it=go 走〉
summation *n.* 总和,累积 [同]conclusion 结论,总结
summarize *vt.* 概括,总结 ~ation *n.* 概括 [同]outline 梗概
consummate *vt.* 圆房,使完美 ~ion *n.* 圆满 [同]complete 完成
consummation *n.* 完成,圆满,完美 [同]completion 完成

super,sur=beyond,above 超过,优越

[superior(上级)一词借自古法语 superiour,源自拉丁语 superior,源自 super(above)]

super *adj.* 极好的,超级的 ‖ superstar 巨星
superior *adj.* 较高的 *n.* 优胜者 [反]inferior 下等的
superb *adj.* 壮丽的,极好的 [同]magnificent 华丽的
supreme *adj.* 最高(上)的,最主要的 [同]paramount 至上的
superficial *adj.* 肤浅的,浅薄的,表面的 [同]shallow 肤浅的
superimpose *vt.* 添上,附加 〈impose 把……加强给〉
supercilious *adj.* 目中无人的,傲慢的 〈cili=eyelid 眼睑〉
superfluous *adj.* 太多的,过剩的 〈flu=flow 流动〉
superlative *adj.* 最高的,无比的 〈lat=bear 携带〉
surplus *n.* 过剩,剩余 〈plus=more 更多〉
surround *vt.* 环绕,包围 [联]surroundings 环境

sur(e)=having no doubt 确信

[sure(确信的)一词借自古法语 sur,源自拉丁语 securus(free from care)]

sure *adj.* 确信的,必定的 ~ly *adv.* 无疑 [联]sureness 确实,安全
surety *n.* 保证人,担保 〈-ty ……性质或情况〉
surefire *adj.* 一定成功的 [联]surefooted 稳当的
assure *vt.* 使确信,向……保证 [联]reassure 使安心
assured *adj.* 确实的 ~ly *adv.* 确信地 [联]reassured 放心的
assurance *n.* 保证,担保,保险,确信 [反]diffidence 缺乏自信
insure *vt.* 保证,确保,为……保险 [同]warrant 保证
insurance *n.* 保险,保险业,预防措施 [同]warranty 担保

ensure *vt.* 确保，使安全 [同]guarantee 保证

surg，surrect＝rise 上升

[surge(激增)一词借自中古法语 sourge，源自拉丁语 surgere(to rise，ascend)]

surge *vi.* &*n.* 汹涌，飞涨 ～less *adj.* 平稳的 [同]swell，billow

assurgent *adj.* 上升的，浮起 [联]surgent 澎湃的，汹涌的

insurgent *adj.* 起义的，暴动的 [联]resurgent 复活的，复兴的

insurrection *n.* 起义，暴动 [同]rebellion 造反，叛乱

resurrect *vt.* 使复活，复苏，恢复 [联]Resurrection 耶稣复活

sym，syn＝with，together 与……一样，一起

[symbol(象征)一词源自后期拉丁语 symbolum，源自古希腊语 symbolon(token)]

symbolism *n.* 象征主义，象征手法 〈bol＝throw 扔，投掷〉

symbiosis *n.* 共生，共栖 〈bio＝life 生命〉

symptom *n.* 症状，征候 [同]omen 预兆，兆头

synthesis *n.* 综合 [同]synthesize 综合，合成

synchronal *adj.* 同时的，同步的 [同]synchronous 同步的

synchronism *n.* 并发，同时性 [同]synchronistic 同步的

synchronize *vi.* 同时发生 [同]coincide 与……一致

syndicate *v.* &*n.* 辛迪加(组织) [联]syndication 企业联合组织

syndic *n.* 长官，经理 [同]mayor 市长，镇长

tabl，tabul＝plank，list 木板，狭条

[table(桌子)一词借自古法语 table，源自拉丁语 tabula(plank，tablet)]

table *n.* 桌子，工作台 *vt.* 搁置 [联]tablet 小块，药片

tableau *n.* 生动的场面，画面 [同]landscape 风景画

tableware *n.* 餐具，食具 [联]silverware 银餐具

tabletop *n.* 桌面 [联]laptop 笔记本

tablecloth *n.* 桌布，台布 [联]tablemat 盘子垫

tableland *n.* 高原，台地 [同]plateau 高原

table-tennis *n.* 乒乓球 〈tennis 网球(运动)〉

tabloid *n.* 小报，文摘 *adj.* 摘要的 〈-oid 似……的〉

tabulate *vt.* 把……制成表 [联]tabulator 制表人(机)

tack，tach＝nail，fasten 钉子，接角，钉牢

[attach(贴上)一词借自法语 attacher，源自古法语 atachier(fasten，fix)]

tack *n.* 平头钉 *vt.* 钉住 [联]stack 垛
attack *vt.* 攻击，进攻 ～er *n.* 攻击者 [同]assault 攻击，袭击
attach *vi.* 系，附上 ～ment *n.* 附属物 [反]detach 分离，派遣
attachable *adj.* 可附上的，可连接的 [反]detachable 可拆开的
detachability *n.* 可拆卸性 [联]attainability 可达到

tact，tang，tag，tamin，tig，ting＝to touch 接触

[tact(触觉)一词借自法语 tact，源自拉丁语 tactus，源自 tangere(to touch)]

tact *n.* 机智，老练 ～ful *adj.* 机智的 [反]awkwardness 笨拙
tactic *n.* 战术，手段 [同]strategy 策略
contact *n.* 接触，联系 *vt.* 与……联系 [联]intact 完整的
tag *n.* 标签，附属物 [联]rag 破布
tangible *adj.* 可触知的，明确的 [反]intagible 触不到的
tangent *n.* 正切 *adj.* 相切的，离题的 [联]cotangent 余切
tangential *adj.* 次要的，间接相关的 [同]digressive 离题的
contagion *n.* (接触)传染，传染病 [联]infection 传染
contagious *adj.* (接触)传染的 [联]anticontagious 预防传染的
contaminate *vt.* 污染，沾染，弄脏 [同]defile 污染，弄脏
contingence *n.* 点接触，偶然之物 [同]contingent 小分队，代表团
contiguous *adj.* 接触着的，邻近的 [同]contactual 邻近的

tail＝to cut 裁剪，切割

[tailor(裁缝)一词借自法语 tailler，源自后期拉丁语 taliare(to cut，split)]

tailor *vt.* 定做 *n.* 裁缝 ～ing *n.* 裁剪法 [联]dressmaker(女装)裁缝
detail *n.* 细目，详细 *vt.* 详述 [同]elaborate(*vt.*)详述
curtail *v.* 缩短，剥夺，削减 〈cur＝short 短〉
entail *vt.* 牵涉，需要 ～ment *n.* 需要 〈en-＝into 进入〉
retail *vt.* 零售，转述 ～er *n.* 零售商 [反]wholesale 批发
tally *vt.* 记数，加标签于 〈tally＝tail〉
tail *n.* 尾巴，尾随者 ～ism *n.* 尾巴主义 ‖ tail after 跟踪
tailgate *n.* 后挡板 [联]tailgater 跟车近的司机

tain，ten，tin，tent＝to hold，endure 保持，持续，忍耐

[contain(容纳)一词借自古法语 contenir，源自拉丁语 continere(to hold together)]

container *n.* 容器，集装箱 ～ize *vt.* 装运 [同]vessel 容器

attain *v.* 达到,获得 ~able *adj.* 可得到的 [同]achieve,gain
detain *vt.* 拘留,留住 ~ee *n.* 被拘留者 [联]retain 保持,保留
detention *n.* 拘留,扣押 [同]constraint 限制
entertain *vt.* 热情款待 ~ment *n.* 娱乐 〈enter-=among〉
maintain *vt.* 维持,保养 ~able *adj.* 可维持的〈main 手,自己动手〉
maintenance *n.* 维持,保养 [同]upkeep 保养
obtain *vt.* 获得 ~able *adj.* 可获得的 〈ob- 加强动作〉
pertain *vi.* 从属,附属,关于(to) 〈per-=through 完全〉
pertinent *adj.* 恰当的,中肯的,相干的 [同]impertinent 不中肯的
retention *n.* 保留,记忆力 [同]memory 记忆力
rein *vt.* 控制 *n.* 僵化 〈retain 的缩写〉
sustain *vt.* 维持,支撑 [联]abstain 戒,避免
tenable *adj.* 守得住的,可以保持的 [联]defensible 能防御的
tenacious *adj.* 顽强的,坚决的,紧黏着的 [联]tenacity 坚持,顽强
tenant *n.* 房客,租户 [联]tenement 住宅,寓所
abstinence *n.* 戒除,节制,禁戒 〈abs-=away 离开〉
tennis *n.* 网球(运动) 〈-nis ……物〉
content *n.* 内容,含量 *adj.* 满意的,满足的 [同]discontent 不满意的
continent *n.* 大陆 ~al *adj.* 大陆的 [联]incontinent 失禁的
continual *adj.* 不断的,连续的(有间断的)[联]continuous 连续的
continue *vi.* 继续,连续 [反]discontinue 中断
continuance *n.* 连续,持续的时间 [反]discontinuance 废止
continuity *n.* 继续,连续性 [反]discontinuity 间断,不连续性

take=to get,take hold of 取,拿

[take 一词借自古斯堪的那维亚语 taka,源自原始日耳曼语 takan,源自日耳曼语词根 tak(to take)]

takeover *n.* 收购,接管 [同]coup d'etat 政变
intake *n.* 吸入,摄入 [反]outlet 发泄
partake *vt.* 分担,参加 [同]participate 参加
retake *vt.* 取回,夺回 [同]recapture 重新捕获
tackle *vt.* 着手处理 *n.* 索具 〈tack 是 take 的变体〉

tam,dam=tame 驯服

[tame(驯服)一词源自原始日耳曼语 tamjan,源自拉丁语 domare 和希腊语 daman 共享的印欧语词根 dam]

tamer *n*. 驯服手,驯养人 [联]trainer 驯兽师
tame *adj*. 驯服的 *vt*. 驯服 [反]tameless 野性的,难驯服的
tameness *n*. 驯熟,温顺 [反]wildness 野蛮
adamant *adj*. 坚决的 ~ly *adv*. 坚决地 [同]inexorable 不屈不挠的
adamantine *adj*. 坚硬的 *n*. 金刚砂 〈-ine ……物〉

tard=slow in action 缓慢

[tardy(行动缓慢的)一词借自法语 tardif, 源自拉丁语 tardus(slow,sluggish)]

tardily *adv*. 缓慢,慢慢地 [联]tardiness 缓慢,拖拉
tardive *adj*. 迟发的 [联]tardo 缓慢的
tardy *adj*. 行动缓慢的,迟的 [联]tardus 晚期的
retard *vt*. 延迟,放慢 ~er *n*. 减速器 [反]accelerate 加快,增速
retardant *adj*. 使缓慢的 *n*. 延缓剂 〈-ant 处于……状态〉

techn(o),tect=skill,ability 技术,能力

[technic(技术)一词借自拉丁语 technicus, 源自希腊语 tekhnikos, 源自 tekhne(art)]

technic *n*. 技术,工艺 *adj*. 技术的,工艺的 [同]technique 技巧
technician *n*. 技术员,技师 [同]technie 技术员,技师
technical *adj*. 技术的 ~lity *adv*. 技术性 [反]theoretical 理论的
technology *n*. 工艺学,工艺(技术) [联]technological 工艺的
technologist *n*. 技术专家 [同]specialist 专家,行家
technocracy *n*. 技术主义 〈cray=ruling 统治〉
architect *n*. 建筑师 ~ure *n*. 建筑学 [联]architectural 建筑(学)的
architectonics *n*. 建筑学,结构设计 [联]tectonics 构造学

teg,tect=to cover 掩护,覆盖

[detect(侦察)一词借自拉丁语 detect, 源自拉丁语 detegere(uncover,expose)]

tegument *n*. 皮,外皮 [同]cutis 表皮,真皮
tegula *n*. 装饰瓦 ~r *adj*. 瓦状 [联]tegulum 盾片
detect *vt*. 查明,侦察 ~or *n*. 探测器 [联]detection 侦查,察觉
detective *n*. 侦探 *adj*. 侦察的 [同]snoop 探听,管闲事
detectaphone *n*. 窃听器(电话机) [同]microphone 话筒

protect *vt.* 保护 ～ion *n.* 保护(政策) [同]defend, safeguard
protege *n.* 被保护人,门徒 ‖ special protege 特别宠儿
protector *n.* 保护者 ～ship *n.* 摄政任期 [联]protectorate 受保护国

Exercise 8

Directions: *Study the following roots and example words, and then guess the meanings of the roots.*

Root	Word	Root Meaning
1. scend	ascend	
scent	descent	
2. sci	science	
3. scrib	describe	
script	descriptive	
4. sect	section	
sec	dissection	
sic	sickle	
5. sen	sensitive	
sent	sentence	
6. sequ	sequent	
sue	pursue	
secu	persecutor	
7. sert	assert	
8. serve	server	
9. sess	possess	
sid	preside	
10. set	inset	
11. side	beside	
12. sign	signalize	
13. simi	similar	
sem	semblance	
sym	symbol	
sys	system	
14. sist	consist	

15. soci	socialize	________
16. sol	solitary	________
17. solv	solvable	________
solu	soluable	________
18. soph	sophist	________
19. sort	assort	________
20. speci	species	________
21. spect	circumspect	________
pect	expect	________
spi	despise	________
specul	speculate	________
22. sperse	disperse	________
23. spir	spirit	________
24. spond	respond	________
spons	responsible	________
25. sta	stabilize	________
stan	instance	________
stant	constant	________
stin	obstinate	________
26. still	distillation	________
27. stitut	constitute	________
stit	superstition	________
28. strain	constrain	________
strict	overstrict	________
stringe	stringent	________
stige	prestige	________
29. stratum	superstratum	________
30. summ	summary	________
31. sume	resume	________
super	superior	________
sur	surround	________
32. sur	surely	________
33. struct	construct	________

stru	instrument	______
story	destroy	______
34. stuff	stuffy	______
35. suade	persuade	______
36. sunder	asunder	______
37. tail	tailor	______
38. tain	contain	______
39. tect	detect	______
40. tele	telephone	______

第八节　tempo(r)—us

temp,tempor,tens=time 时间

[tempo(速度)一词借自意大利语 tempo,源自拉丁语 tempus(time),是一个虚构词]

tempo *n.* 速度,拍子,进度	[同]rhythm 节拍
temporal *adj.* 短暂的,时间的 *n.* 俗事	[联]temporary 暂时的,临时的
contemporaneous *adj.* 同时代的	[联]contemporary 当代的
contemporaneity *n.* 同时代,同一时期	[同]contemporaneousness
temporize *vi.* 敷衍,暂时同意	〈-ize=make 使……〉
extemporize *vt.* 即兴创作 ～ion *n.* 即兴之作	[联]extempore 即席的
extemporaneous *adj.* 临时的,无准备的	[同]extemporary 临时的
tempest *n.* 暴风雨,风波,骚动	[联]tempestuous 暴风雨的
tense *n.* 时态 *adj.* 紧张的	[联]voice 语态

temper=mood 情绪，回火

[temperature(温度)一词借自法语 temperature，源自拉丁语 temperatura,源自 temperare]

temper *n.* 脾气,性情,情绪 *vt.* 使回火	[联]tamper 篡改,干预
temperance *n.* 节制,戒酒	[反]sobriety 清醒
temperate *adj.* 有节制的 ～ly *adv.* 适度地	[反]intemperate 不温和的
temperament *n.* 性格,气质,暴躁	[同]character 性格

temn, tempt=despise 轻视

[contemn(蔑视)一词借自古法语 contemner，源自拉丁语 contemnere(despise,scorn)]

contemn *vt.* 轻视，藐视 [同]despise 鄙视

contempt *n.* 轻视，藐视 [联]contemptible 可轻蔑的

contemptuous *adj.* 轻视的，轻蔑的 [联]disdainful 蔑视的

tempt=to try 尝试

[tempt(引诱)一词借自古法语 tempter，源自拉丁语 temptare，是 tentare(test,try)的变体]

tempt *vt.* 引诱 ～able *adj.* 可诱惑的 [联]tempting 诱惑人的

temptation *n.* 诱惑，引诱，诱惑物 [联]temptability 可诱惑性

temptatious *adj.* 诱惑性的 [同]epigamic 诱惑性的

tempter *n.* 诱惑者，诱惑物 [联]temptress 诱惑男人的女性

attempt *vt.* 尝试，试图 ～er *n.* 实验者 [联]attemptable 可以尝试的

tend, tens, tent=to stretch 伸展，趋向

[tend(照顾)一词借自古法语 tendre，源自拉丁语动词 tendere(to stretch)]

tend *vi.* 照料，倾向 ～ence *n.* 趋向，倾向 [联]attend 出席，参加

tendance *n.* 照顾，侍候，看护 [联]attendance 出席，参加

tendentious 有倾向性的 [同]tendencious 宣传性的

attention *n.* 注意 [反]inattention 不注意

attentive 注意周到的 [反]inattentive 不注意的

attendant *adj.* 伴随的，出席的 *n.* 侍者 [同]companionate 同伴的

contend *vi.* 竞争，斗争 [联]contention 斗争，竞争

contentious *adj.* 好争论的 [同]bellicose, combative

distend *vt.* 使扩张，使膨胀 [联]distention 膨胀，延伸

extend *vt.* 伸出，延伸，扩大 [联]extension 伸展，扩大

extensible *adj.* 可扩大(张)的 [联]extensive 广泛的

ostensible *adj.* 可公开的，表面的，虚假的 [联]ostensive 清晰显示的

intend *vt.* 打算，想要 [联]intention 意图，打算

intent *n.* 意图 *adj.* 专心的 〈in-=into 进入〉

pretend *vt.* 假装，借口 [联]pretension 假装，借口

pretence *n.* 借口，托词，假装 [同]pretext 借口，托词

tense *adj.* 拉紧的，紧张的 [同]intense 紧张的

tensile *adj.* 张力的，拉力的 〈-ible 可……的〉

hypertension *n.* 高血压 〈hyper- 超过〉
tent *n.* 帐篷 〈tent 是 tens 的变体〉
tender *adj.* 嫩的，温柔的 ～ness *n.* 亲切 [反]cruel 残酷的，无情的

ter，tierce＝three 三

[terce(等于 42 加仑)一词借自古法语 terce，源自拉丁语 tertia(third)]

tierce *n.* 中号桶，三度音，同花顺 〈terce 的变体形式〉
tiercel *n.* 雄鹰，苍鹰 〈据说一窝蛋的第三个是公〉
tiercet *n.* 三行押韵诗句，三拍子 〈-et＝small 小〉
tercentenary *n.* 三百周年纪念的庆祝 〈cent＝hundred 百〉
terchloride *n.* 三氯化合物 〈chloride 氯化物〉

term，termin＝a boundary 期限，范围

[term(期限)一词借自古法语 terme，源自拉丁语 terminus(end，boundary)]

term *n.* 期限，学期，术语 [同]semester 学期
terminal *adj.* 末端的，终端的 [联]terminus 界限
terminate *vt.* 使终止，使结束 [联]interminate 无终止的
terminology *n.* 术语，术语学 [同]vocabulary 词汇
determine *vt.* 决定，确定 ～ation *n.* 决心 [联]predetermine 注定
determinative *adj.* 决定的，确定的 [同]conclusive 确凿的
exterminate *vt.* 根除，消灭 ～ion *n.* 消灭 [同]extirpate，dispose
interminable *adj.* 无终止的，冗长的 [反]terminable 可终止的

ter，terr＝to frighten 可怕，恐怖

[terror(恐怖)一词借自古法语 terreur，源自拉丁语 terrorem，源自 terrere(frighten)，源自史前印欧语词根 tres(tremble)]

deter *vt.* 拦住，阻止 ～ment *n.* 制止 [联]deterrent 制止的；制止物
terrorism *n.* 恐怖主义 [联]terrorist 恐怖分子
terrible *adj.* 可怕的 ～ness *n.* 可怕 [联]terribly 可怕地，十分
terrify *vt.* 使恐怖，威胁，吓唬 [联]terrific 极好的，可怕的

ter，terr＝the earth，land 地

[territory(领土)一词借自拉丁语 territorium，源自“terra＋-orium(place)”]

terrace *n.* 阳台，平台 〈-ce＝lace ……地方〉
terrain *n.* 地面，地形 〈-in＝lace ……地方〉
terraneous *adj.* 地上生长的 [同]marine 海产的

terramycin *n.* 土霉素 〈myc 菌→霉;-in 素〉
inter *vt.* 埋,葬 ～ment *n.* 埋葬 [反]excavate 挖掘
disinter *vt.* 掘出,发现 ～ment *n.* 挖掘 [同]exhume 发掘出
terrene *adj.* 土质的 *n.* 陆地 [同]telluric 地上的
territory *n.* 领土,版图,范围 [联]territorial 领土的
terrigenous *adj.* 陆生的 [联]thalassogenous 海生的
exterritorial *adj.* 治外法权的 [同]extraterritorial 不受管辖的
Mediterranean *n.* 地中海 *adj.* 地中海的 〈medi-=middle 中间〉
subterrane *n.* 下层,地下室(洞穴) [联]superterrene 地上的
terrestrial *adj.* 陆地上,地球上的 [反]celestial 天的,天空的

test=a trial 试验,证实

[test(试验)一词借自古法语 test,源自拉丁语 testum(earthen pot)]

test *vt.* &*n.* 证实,测验 [联]attest 证实
testify *vi.* 证明,证实 [联]testification 举证
testimony *n.* 证据,证明 [同]evidence 证据,证实
contest *vt.* 竞争,辩驳 ～ant *n.* 竞争者 [联]detest 嫌恶,憎恶
protest *vt.* 表示,抗议,反对 [联]protestant 新教教徒
intestate *adj.* 没有留下遗嘱的 [反]testate 留有遗嘱的
intestacy *n.* 未留遗嘱而死亡 〈-acy ……状态或事实〉

text,tissu=to weave 编织

[text(课文)一词借自古法语 texte,源自拉丁语 textus,源自 texere,源自史前印欧语词根 teks(weave)]

textbook *n.* 课本,教科书 [同]reader 读本
textile *n.* 纺织品,织物 [同]fabric 织物
texture *n.* 组织,结构 [同]structure 结构
context *n.* 上下文 ～ual *adj.* 上下文的 [联]pretext 借口,托词
tissue *n.* 织物,组织 [联]issue 问题;发行

the=god 神

[theology(神学)一词借自古法语 theologie,源自拉丁语 theologia,源自希腊语 theologia]

theist *n.* 有神论者,一神论者 [反]atheist 无神论者
theistic *adj.* 有神论的 [反]atheistic 无神论的
theism *n.* 有神论 [反]atheism 无神论

antitheism *n.* 无神论　[联]antitheist 无神论者
monotheist *n.* 一神论者 ~ic *adj.* 一神论的　[联]polytheist 多神论者
pantheism *n.* 泛神论　[联]pantheist 泛神论者
thearchy *n.* 神权政治，神权　[联]theocracy 神权政治
theocrat *n.* 神权统治者 ~ic *adj.* 神权的　〈crat=ruler 统治〉
theology *n.* 神学　[同]divinity 神，神学
hero *n.* 英雄，半神的勇士，神人　[联]heroine 女英雄

therm(o)=heat 热

[thermal(热的)一词借自法语 thermal，源自希腊语 therme(heat)]

thermion *n.* 热离子　〈ion 离子〉
thermalloy *n.* 热合金　[联]thermoelectron 热电子
thermos *n.* 热水瓶　〈-os ……物品〉
thermodynamic *adj.* 热力学的　[联]thermochemistry 热化学
thermophilic *adj.* 喜温的　〈phil=love 喜爱〉
thermosphere *n.* 热大气层，热电离层　〈sphere 球〉
thermoscope *n.* 测温器　[联]thermometer 温度计
thermonuclear *adj.* 热核的　[联]electrothermics 电热学
diathermic *adj.* 透热性的，电疗法的　〈dia-=through 透过〉
isotherm *n.* 等(恒)温线 ~al *adj.* 等温的　〈iso- 与……相等的〉
synthermal *adj.* 同温的　〈syn-=same 相同的〉
exothermic *adj.* 放出热量的，发热的　〈exo-=out 向外〉

thes，thet=to place or set 放置，安排

[thesis(论文)一词借自拉丁语 thesis，源自希腊语 thesis，源自史前印欧语词根 dhe(set，put)]

antithesis *n.* 对立物，对立面　[联]hypothesis 假设，前提
antithetic *adj.* 对照的，对立的　[联]hypothetic 假设的，假定的
hypothesize *vi.* 假设，假定　[联]synthesize 综合，合成
parenthesis *n.* 插入语　〈par-平行；en-=into〉
parenthesize *vt.* 加插入语于　[联]parentheses 圆括号
synthesis *n.* 综合(物)，合成法　[联]synthetic 人造的，合成的
theme *n.* 主题，题目　〈them=thet =set 安排〉

think, thought = think of, ponder over 想，思考

[think(思索)一词源自原始日耳曼语 thankjan，与德语 denken 一词有关]

thinker *n.* 思想家，思考者 [同]intellect 知识分子
thinkable *adj.* 能想到的，可相信的 [反]unthinkable 无法想象的
thinking *n.* 思想 *adj.* 有思想的 [反]unthinking 未经考虑的
thought-reader *n.* 善于揣摩别人心思的人 [联]thought-reading 测心术
thought *n.* 思想，思索 ～ful *adj.* 体贴的 [同]meditation 沉思
thoughtlet *n.* 思想片段 [联]thoughtway 思想方法
thoughtprovoking *adj.* 令人深思的 [联]thoughtout 思虑周到的

thorough, through = fully done 彻底

[through(通过)一词源自原始日耳曼语 thurkh，源自史前印欧语词根 tere，与德语 durch 同源]

thorough *adj.* 彻底的 ～ness *n.* 完全 [联]thoroughfare 大道，通行
thoroughgoing *adj.* 彻底的，完全的 [同]exhaustive 彻底的
thoroughpaced *adj.* 彻底的，十足的 [联]thoroughbrace 拉条皮带
throughout *prep.* 遍及，贯穿 *adv.* 处处 [联]throughput 生产量
throughtransit *n.* 全程运输，联运 [联]throughflow 通流，直流
throughway *n.* 快速道路 [同]thruway 高速公路

thrash, thresh = to beat 打谷

[thresh(打谷)一词源自原始日耳曼语 threskan，源自史前印欧语词根 tere(to rub)]

thrash *vt.* 打谷，(用棍)打 [联]thrashing 打谷；痛打
thresher *n.* 打谷机，打谷者 [联]flesh 肉体
threshold *n.* 门槛，入门，开端 [联]portal 入口

threat = frighten, menace 威胁，恐吓

[threat(威胁)一词源自原始日耳曼语 thrautam，源自史前印欧语 treud(to push)]

threaten *vt.* 恐吓，威胁 ～er *n.* 恐吓者 [同]menace 威胁，恐吓
threatening *adj.* 威胁的 ～ly *adv.* 险恶地 [同]sinister 危险的

three, thir, tri, tre = three 三

[three 一词源自原始日耳曼语 thrijiz，源自拉丁语 tres 和希腊语 treis 共享的印欧语词根 trei(three)]

three*n.* 三，三个 [联]third 第三
thirteen *num.* 十三 [联]thirteenth 第十三

thirty *num.* 三十 [联]thirtieth 第三十

triangle *n.* 三角形 [联]triangular 三角(形)的

triple *adj.* 三倍的 *n.* 三倍 [同]treble 三倍的

tree *n.* 树，木料 [联]dryad 树精(dry＝tree)

tribe *n.* 部落，宗族 [联]tricorn 三角帽

thriv，thrif＝prosper 繁荣，兴旺

[thrive(兴隆)一词借自古斯堪的那维亚语 thrifask，源自 thrifa(grasp，seize)]

thrive *vi.* 兴盛，兴隆，茁壮成长 [联]thriving 繁荣的

thrift *n.* 节约，繁茂 ～less *adj.* 浪费的 [联]thrifty 节约的，兴旺的

till，col＝to cultivate 耕作

[till 一词源自原始日耳曼语 tilojan，与荷兰语 telen(cultivate)和德语 zielen(strive)有关]

till *vt.* 耕作，耕种 ～er *n.* 耕种者(机) [同]tillable 可耕种的

tilth *n.* 耕地(的情况)，耕种 〈-th ……动作或过程〉

colony *n.* 侨民，聚居地 〈←拉丁语动词colere〉

colonial *adj.* 殖民地的，群体的 〈-ial 有……特征的〉

colonize *vt.* 殖民 ～ation *n.* 殖民 [同]decolonize 使非殖民化

colonist *n.* 殖民者，移民 [同]colonizer 殖民者

tir＝to pull，to draw 拉

[retire(退休)一词出现于 16 世纪中期，借自法语 retirer，由"re-＋tirer(draw)"构成]

tire *vi.* &*vt.* (使)厌烦 ～less *adj.* 不疲倦的 [反]refresh 使振作

tired *adj.* 疲倦的 ～ness *n.* 疲劳，倦怠 [联]tiresome 无聊的，烦人的

tirade *n.* 长篇议论，口头攻击 [同]diatribe 谩骂

tier *n.* 排列，层 *vi.* &*vt.* (使)层叠 [同]storey 楼层

entire *adj.* 整体的 ～ly *adv.* 完全地 [联]attire 打扮，穿着

toler＝to endure 忍受

[tolerance(容忍)一词出现于中古英语时期，通过古法语进入英语，源自拉丁语动词 tolerare]

tolerable *adj.* 可以忍受的，过得去的 [同]intolerable 无法容忍的

tolerant *adj.* 忍受的，容忍的 [反]intolerant 不能容忍的

tolerance *n.* 宽容，容忍 [反]intolerance 不能容忍

tolerate *vt.* 忍受，承认 ～ion *n.* 容忍 [同]endure 忍耐，容忍

tom＝to cut 切，割

［atom(原子)一词借自古法语 atome，源自拉丁语 atomus，源自希腊语 atomos(uncut)］

atomic *adj*. 原子的，极微的 ～s *n*. 原子学 ［联］subatomic 亚原子的
monoatomic *adj*. 单原子的 ［联］polyatomic 多原子的
tome *n*. 卷，册 ［联］tomb 坟墓
epitome *n*. 摘要，梗概，缩影 〈epi- 在外〉
anatomy *n*. 解剖(学) 〈ana-＝up 向上〉
anthropotomy *n*. 人体解剖(学) ［联］ophthalmotomy 眼球切开术
zootomy *n*. 动物解剖(学) ［联］phytotomy 植物解剖学
entomotomy *n*. 昆虫解剖(学) ［联］enterotomy 肠切开术
lithotomy *n*. 膀胱结石切除术 ［联］appendectomy 阑尾切除术
phlebotome *n*. 静脉刀，放血刀 ［联］phlebotomy 静脉切开，放血
bronchotome *n*. 支气管刀 ［联］bronchotomy 气管切开术

ton，tun＝sound，tone 声音，音调

［tone(声调)一词借自古法语 ton，源自拉丁语 tonus，源自希腊语 tonos (tone)］

tonal *adj*. 音调的 ～ity *n*. 音调，色调 ［反］atonal 无调的
tone *n*. 声调，语调 ～less *adj*. 单调的 ［联］tonetic 音调的，声调的
monotone *n*. 单调的语调 ～ous *adj*. 单调的 ［联］microtone 微分音，微音程
intonate *vi*. 吟唱，发音调 ～ion *n*. 语调 ［同］intone 吟诵
undertone *n*. 低音 ［联］baritone 男中音
diatonic *adj*. 全音阶的 ［反］semitone 半音
tune *n*. 曲调 ～ful *adj*. 声调优美的 ［同］melody 曲调
tongue *n*. 舌头，语言，演说 ‖ mother tongue 母语
tongued *adj*. 有说话派头的，说话……的 ［反］tongueless 哑的

tooth，dent＝tooth 牙齿

［tooth(牙齿)一词源自原始日耳曼语 tanthuz，源自拉丁语 dent 和希腊语 odont 共享的印欧语词根 dent］

toothy *adj*. 多齿的 ［反］parcidentate 少齿的
toothache *n*. 牙痛 ［联］stomachache 胃痛
toothcomb *n*. 细齿梳子 *vt*. 缜密调查 ［联］toothbrush 牙刷
toothful *n*. 微量，微小 ［联］mouthful 一口
toothless *adj*. 无齿的 ［反］toothed 有齿的

toothlet *n.* (贝壳等上的)小齿　[联]toothlike 如牙齿的
toothpaste *n.* 牙膏　[联]toothpick 牙签
toothsome *adj.* 可口的，美味的　[同]delicious 可口的
dentist *n.* 牙齿医生　[联]dentistry 牙医业(学)
dental *adj.* 牙齿的，牙科的　[联]ophthalmic 眼科的
bident *n.* 两叉矛，双齿工具　[联]trident 三叉戟

top(o)＝a place 地方

[topic(话题)一词出现于15世纪后期，借自拉丁语 topica，源自希腊语 topos(a place)]

topical *adj.* 论题的，题目的，局部的　[同]provincial 地方的
topectomy *n.* 脑皮质的部分切除　〈tomy＝cutting 切除〉
topography *n.* 地志，地形学　〈graphy 描写〉
topology *n.* 拓扑学，形势几何学　[联]topologist 地志学家
topological *adj.* 拓扑的 ～ly *adv.* 在拓扑上　[联]topographic 地形(学)的
toponym *n.* 地名 ～y *n.* 地名研究　[联]toponymic 地名(学)的

torp＝numb，sluggish 麻木的，行动迟缓的

[torpor(麻木)一词借自拉丁语 torpor，源自拉丁语 torpere(numb)，源自史前印欧语词根 ster(stiff)]

torpid *adj.* 不活泼的 ～ity *n.* 麻痹　[反]agile 灵巧的
torpify *vt.* 使麻痹，使迟钝　〈-fy＝make 使……〉
torporific *adj.* 引起麻木的，导致迟钝的　〈fic＝do 做，使……〉
torpescence *n.* 迟钝，不活泼　[联]torpescent 渐渐麻木的
torpedo *n.* 鱼雷 *vt.* 破坏　[联]torpedolike 鱼雷似的

torqu，tors，tort＝to twist 扭弯，扭伤，折磨

[distort(歪曲)一词借自拉丁语 distortus，源自 distorquere，由"dis-＋torquere(twist)"构成]

torque *n.* 扭矩，转矩　[联]tort 侵权(行为)
torsion *n.* 扭转，扭力　[联]torse 花环，花圈
torture *n.* & *vt.* 折磨　[同]torment 痛苦，折磨
contort *vt.* 扭弯，曲解 ～ion *n.* 歪曲　[联]distort 歪曲，扭曲
retort *vt.* 反驳 ～ion *n.* 报复，扭转　[联]extort 强取，敲诈
tortuous *adj.* 弯弯曲曲的，扭曲的　[同]tortile 弯曲的，扭转的
intort *vt.* 向内弯，内旋 ～ion *n.* 内旋　[联]intorted 内缠的

tox=poison 毒

[toxic(有毒的)一词借自后期拉丁语 toxicus，源自 toxicum，源自希腊语 toxikon，源自 toxon(bow)]

toxin *n*. 毒素 [联]antitoxin *n*. 抗毒素
toxication *n*. 中毒 [同]intoxication 中毒，陶醉
toxicology *n*. 毒理学，毒物学 [联]toxicologist 毒物学者
toxoid *n*. 类毒素 [联]toxicide 解毒药
toxic *adj*. 有毒的 ～ity *n*. 毒性，毒力 [联]antitoxic 抗毒素的
toxicomania *n*. 服毒癖 [联]toxicosis 中毒状态
intoxicate *vt*. 使陶醉，使喝醉 [联]intoxication 陶醉，醉酒
detoxify *vt*. 除去毒性，使解毒 [联]detoxification 戒毒，消毒
detoxicate *vt*. 解毒 [联]detoxication 解毒
neurotoxic *adj*. 毒害神经的 [联]toxicogenic 产生毒素的
pyrotoxin *n*. 酿热毒素，发热源 〈pyro-=fire，heat〉

tract，trace，trait，track，trail，train，treat=to draw 拖，拉

[tract(大片土地)一词借自中古拉丁语 tractus，源自 trahere，源自史前印欧语词根 tragh (drag)]

track *n*. 小路，痕迹 *vt*. 跟踪，监测 [同]vestige，spoor
tracker *n*. 追踪者，纤夫，追捕人 [同]tracer，trailer
traction *n*. 拖拉，牵引力 [同]tension 紧张，拉力
tractive *adj*. 牵引的，曳引的 [联]attractive 吸引人的，迷人的
tractor *n*. 拖拉机，牵引车 [联]protractor 量角器，分度规
abstract *adj*. 抽象的 *n*. 摘要 〈abs-=from 离开〉
attract *vt*. 吸引，诱惑 ～ion *n*. 魅力 [同]repel，repulse
contract *vi*. 签合同 *n*. 合同，收缩 [同]treaty 条约
detract *vi*. 贬低，减损 ～ion *n*. 诽谤 [联]protract 拖长，延长
distract *vt*. 使分心 ～ion *n*. 娱乐 [联]extract 提取，拨出
retract *vt*. 缩回，缩进 ～ion *n*. 收回，缩回 [联]subtract 减去，扣除
trace *n*. 踪迹 *vt*. 追踪 ～able *adj*. 可追踪的 [联]trail 痕迹
train *n*. 火车 *vt*. 训练 ～er *n*. 教练员 [同]truck 货车
portray *vt*. 描绘，描写，画 [联]portrait 肖像，画像
treat *vt*. 处理，医治 ～ment *n*. 治疗 [联]trait 特点，特性
entreat *vt*. 恳求，请求 [联]retreat 退却，撤退

trad＝to deliver 移交，传递

［tradition（传统）一词借自法语 tradicion，源自拉丁语 traditionem，源自 tradere（deliver）］

trade *n.* & *vi.* 贸易，交换 ～mark *n.* 商标 ［同］bargain 交易
tradition *n.* 传统，惯例，引渡 ［联］extradition 引渡
traditional *adj.* 传统的 ～ly *adv.* 传统上 ［同］customary 习惯的
traitor *n.* 叛徒，卖国贼 ［反］patriot 爱国者
treason *n.* 叛逆，通敌 ［联］reason 推理，争辩
betray *vt.* 背叛，出卖 ［反］support 支持
extradite *vt.* 引渡（外国的罪犯） ［联］extradition 引渡

tramp，trip＝walk，journey 步行，旅行

［trip（旅行）一词借自古法语 triper，与荷兰语 trippen（hop）和英语 trap 有关］

tramp *vt.* 徒步旅行，踩，踏 ［联］stamp 邮票
trample *vt.* 踩，践踏 ［同］tread 踩，踏
trip *vi.* 远足，绊倒 ～per *n.* 绊跌者 ［同］journey 旅行

travail，travel＝to journey 旅行

［travail（辛勤工作）一词借自古法语 travail，源自通俗拉丁语 tripaliare（to torture）］

travail *vi.* 艰苦劳动 *n.* 痛苦 ［同］toil 辛苦地工作
travel *n.* 旅行 ～er *n.* 旅客 ［同］journey，trip
travelling *adj.* 旅行的 *n.* 旅行 ［联］travelogue 游记

trem＝trembling 颤抖

［tremble（发抖）一词借自古法语 trembler，源自通俗拉丁语 tremulare，源自拉丁语 tremulus ］

tremble *vi.* 发抖，震动 ～r *n.* 蜂鸣器 ［同］buzzer 蜂鸣器
tremendous *adj.* 巨大的，惊人的 ［同］colossal 巨大的
tremor *n.* 震颤（声） ［同］quake 震动
tremulous *adj.* 颤抖的 ～ness *n.* 发抖，胆小 ［同］trembling 发抖的

tribut＝bestow，allot，assign 提供，献给，分派

［tribute（贡品）一词借自拉丁语 tribute，源自拉丁语 tribuere（assign），源自 tribus］

tribute *n.* 礼物，称赞 ［同］donation 捐赠
attribute *vt.* 把……归于 ～ion *n.* 归属 〈at-＝ad- 加强语气〉
contribute *vt.* 贡献 ～ion *n.* 贡献，捐赠 ［同］donate 捐献
contributory *adj.* 促进的，起作用的 ［联］tributary 进贡的

contributor *n.* 贡献者,捐助者,投稿者 [联]distributor 批发商
distribute *vt.* 分发,分配 ～ion *n.* 分配 [同]disperse,dispense
retributive *adj.* 报应的,惩罚的 [联]retribution 报复,报酬

triv,triev＝to find 发现,找到

[retrieve(取回)一词出现于中古英语后期,借自古法语动词 retrover(find again)的词干 retroeve]

contrive *vt.* 发明,设计,设法做到 [联]contrivance 发明,设计
retrieve *vt.* &*n.* 恢复,取得 [联]retriever 猎犬
retrieval *n.* 收回,挽回,检索 [联]retrievable 可挽救的

trop＝to turn 转

[trope(比喻)一词借自拉丁语 tropus,源自希腊语 tropos,源自史前印欧语词根 trep(turn)]

tropic *n.* 回归线 *adj.* 热带的 [同]tropical 热带的
trophy *n.* 胜利纪念碑,战利品,奖品 [同]keepsake 纪念品
geotropic *adj.* 向地性的 [联]heliotropic 向日性的
geotropism *n.* 向地性,趋地性 [联]heliotropism 向日性
subtropical *adj.* 亚热带的 [联]subtropic 副热带

trud,trus＝to push,to thrust 推

[intrude(闯入)一词借自拉丁语 intrusion,源自 intrudere,由"in-＋trudere(to thrust)"构成]

detrude *vt.* 推下,推落,扔掉 [联]detrusion 推出,推落
extrude *vt.* 挤出,冲出,撵出 [联]extrusion 挤出,推出
intrude *vt.* 分科,打扰 ～r *n.* 闯入者 [联]intrusion 闯入,干扰
obtrude *vi.* &*vt.* 强迫,闯入,插嘴 [联]obtrusion 强制,莽撞
protrude *vi.* 推出,突出,伸出 [联]protrusion 伸出,突出
protrusive *adj.* 伸出的,突出的 [联]intrusive 打扰的,侵入的
trudge *vi.* 跋涉,疲惫地走 [联]tramp 践踏
abstruse *adj.* 深奥的,奥妙的 [同]esoteric 深奥的

tru,trust＝true,believe 真实,相信

[true(真正的)一词源自原始日耳曼语 treuwaz,源自史前印欧语词根 dreu(firm,solid)]

truce *n.* &*vi.* 停战,休战 [同]recess 休息
truism *n.* 自明之理,不言而喻的话 [同]verity 真理

tryst *n.* 幽会，约会 〈try＝tru 忠诚〉
trust *n.* 信任，信托，照管 [联]trustee 受托人
entrust *vt.* 委托，委任 [联]distrust 不信，猜疑
truly *adv.* 真正地，确实地，正当地 [同]aboveboard 正大光明的
truth *n.* 真理，真相，事实 ‖ home truth 逆耳的忠言
truthful *adj.* 真实的 ～ly *adv.* 诚实地 [同]untruthful 不真实的

tum＝to swell 肿

[tumid(肿大的)一词出现于 16 世纪中期，借自拉丁语 tumidus，源自 tumere(to swell)]

tumefy *vi.* & *vt.* (使)肿大，肿 [同]intumesce 肿大
tumid *adj.* 肿大的，浮夸的 [联]tumidity 肿胀，肿起
tumour *n.* 肿块，瘤 [同]neoplasm 肿瘤
contumacy *n.* 抗拒，顽抗 [同]adamancy 固执
intumescence *n.* 膨胀(物)，扩大 〈in-＝en-＝make 使……〉

tun, tound, thund＝deep noise 大噪音，惊吓

[thunder(打雷)一词源自原始日耳曼语 thunraz，源自拉丁语 tonare，源自史前印欧语 tene(thunder)]

stun *vt.* 使震动，打昏 *n.* 打击 [联]stunt 惊人表演，绝技
stound *vt.* 使人惊奇 *n.* 惊奇 [同]surprise 使惊奇
stunning *adj.* 令人吃惊的，极好的 [同]astonishing 惊人的
astound *vt.* 使震惊 ～ment *n.* 震惊 [联]astounding 令人惊骇的
thunder *n.* 雷 *vi.* 打雷 ～er *n.* 怒喝的人 [联]storm 暴风雨
thunderbolt *n.* 霹雳，雷电 [同]thunderclap 雷声
thunderburst *n.* 雷声，霹雳 [联]thundercloud 雷雨云
thundery *adj.* 如雷的，打雷的 [联]thunderous 雷鸣般的
thundershower *n.* 雷阵雨 [联]thunderstrike 雷击
thunderstruck *adj.* 遭雷击的，震惊的 [同]dumbfounded 惊呆的

tund, tus＝beat, thump 打，重击

[contuse(使挫伤)一词借自拉丁语 contus，源自 contundere，由"con-＋tundere(beat)"构成]

obtund *vt.* 使缓和 ～ent *adj.* 止痛的 [同]torpify 使迟钝
obtuse *adj.* 迟钝的 *n.* ～ly *adv.* 钝地 [联]obtuseness 感觉迟钝
contund *n.* 挫伤，擦(撞)伤 [同]bruise 擦伤
contuse *vt.* 使(皮肉)挫伤 [联]contusion 挫伤，擦伤

contusive *adj*. 挫伤的 [同]contunding 挫伤的

tur(b),troub,tumult=stir 搅动→混乱

[disturb(打扰)一词借自古法语 destourber，源自拉丁语 disturbare]

turbid *adj*. 混浊的,混乱的 [同]chaotic 混沌的
turbine *n*. 涡轮机,汽轮机 [联]blender 搅拌机
turbulence *n*. 骚动,狂暴 [同]turmoil 混乱,焦虑
turbulent *adj*. 骚动的,狂暴的 [同]furious 暴怒的
disturb *vt*. 打扰,妨碍 [联]disturbance 骚动,打乱
perturb *vt*. 使紊乱,扰乱 [同]perturbance 扰动
perturbation *n*. 忧虑,不安 [联]perturbative 烦扰性的
imperturbable *adj*. 镇静的,沉着的 [同]equable 宁静的
trouble *n*. 烦恼 *vt*. 打扰,麻烦 [联]troublesome 令人讨厌的
tumult *n*. 骚乱,喧嚷 [联]tumultuous 骚乱的,激烈的

tut,tuit=to watch,protect 监护,指导

[tutor(家庭教师)一词借自古法语 tutor,源自拉丁语 tueri(watch,guard)]

tutor *n*. 导师 ～ial *adj*. 导师的 [联]tutee 被教导者,学生
tutelage *n*. 保护,教育,指导 [联]tutorship 教师职位,辅导
tutelary *n*. 守护神 *adj*. 保护(人)的 [同]tutelar 监护的
untutored *adj*. 未受教育的 [同]unschooled 未受教育的
intuition *n*. 直观,直觉 ～al *adj*. 直觉的 [同]intuitive 直觉的,直观的
tuition *n*. 讲授,学费 [同]instruction 授课
tuitional *adj*. 讲授的,学费的 [同]tuitionary 讲授的,学费的

turn,torn,tour=to turn 转动,转向

[turn(旋转)一词借自法语 tourner,源自拉丁语 tornare，源自 tornus(lathe)，源自希腊语 tornos,源自史前印欧语词根 tere(turn)]

tornado *n*. 龙卷风,大雷雨 [联]blizzard 暴风雪
attorney *n*. 代理人,律师 [同]proxy 代理人
turner *n*. 车工,车床工 [同]rammer 夯土机
turnaround *n*. 回车场,转向,(经济)突然好转 [联]turnover 弄翻
turnaway *n*. 离开，转变方向 [联]turnback 懦夫
turncoat *n*. 背叛者，变节者 [联]turncock 供水栓
turndown *adj*. 翻下的,翻折的 *n*. 谢绝 [同]turnup 翻起物

return *vi.* 返回，归还，复发 [联]returnee 回国人员，返回者
tour *n.* 旅游 *vi.* 游历 ～ism *n.* 旅游(业) [联]dour 顽强的
tourbillion *n.* 旋风，旋风涡 [同]cyclone 旋风
tourer *n.* 观光客，巡回演出者 [同]holidaymaker 假日游客
tourist *n.* 旅行者 ～y *adj.* 适宜浏览的 [联]touristry 旅游
tournament *n.* 比赛，锦标赛，联赛 [联]tourney 马上比武
contour *n.* 外形，轮廓 [联]detour 绕道，弯路

two，twel，twi＝two 二

[two 一词源自原始日耳曼语 twa，源自拉丁语和希腊语共享的印欧语词根 dwo(two)]

twelve *num.* 十二，十二个 [联]twelfth 第十二
twenty *num.* 二十，二十个 [联]twentieth 第二十
twice *adv.* 两倍，两次 [联]twin 孪生子(的)
twilight *n.* 黎明，黄昏 〈黑白光交替〉
twig *n.* 细枝，嫩枝 [联]branch(大)枝，分枝
twist *vt.* 搓，捻 ～y *adj.* 扭曲的 [联]wrist 手腕，腕关节
twiforked *adj.* 有两叉的 [联]bident 双齿工具
twifold *adj.* 两倍的 [同]twofold 两倍的
between *prep.* 在……之间 [联]go-between 媒人，中间人

typ，typo＝a mark or step 类型

[type(类型)一词借自拉丁语 typus，源自希腊语 tupos，源自 tuptein(strike，beat)]

type *vt.* 打字，归类 [联]typeface 字体，字样
typeset *vt.* 排版 *adj.* 已排字的 [联]typesetting 排版
typewrite *vi.* 打字 ～r *n.* 打字机 [联]typist 打字员
typical *adj.* 典型的，有代表性的 [同]distinctive 有特色的
typify *vt.* 代表，做典型 [同]represent 代表
typogenesis *n.* 典型发生 〈genesis 发生〉
typographer *n.* 印刷工人，印刷商 [同]typesetter 排字工人
typologic *adj.* 类型(学)的 [联]typologist 类型学家
typology *n.* 类型学，血型学，体型学 [联]typography 排印
typonym *n.* 类型名称，模式名称 〈nym＝name 名称〉
typoscript *n.* 打字原稿，打字文件 〈script 手稿，原本〉

ulter, ultim, ultra＝farther, beyond, the last 远的，超，最后

［ultimate(最后的)一词借自后期拉丁语 ultimatus，源自 ultimare，源自 ulter(beyond)］

ultimate *adj*. 首要的 ～ly *adv*. 最后　［联］ultimatum 最后通牒
penultimate *n*. 倒数第二 *adj*. 倒数第二的　〈pen- 半，近似〉
ulterior *adj*. 较远的，隐蔽的　［同］subterraneous 地下的
ultra *adj*. 极端的，过激的 *n*. 过激论者　［联］ultraism 极端主义
ultrarapid *adj*. 超速的　［联］ultrasonic 超声的
ultrared *adj*. 红外线的　［联］ultraviolet 紫外线的

umbr＝shade, shadow 阴，影

［umbrella(雨伞)一词借自意大利语 ombrella，源自后期拉丁语 umbrella，源自 umbra (shade)］

umbra *n*. 暗影，本影　［联］umbrage 树影，阴影
umbriferous *adj*. 成阴的，投影的　［联］adumbral 阴影的，遮日的
adumbrate *vt*. 画……的轮廓，遮阴　［联］penumbra 半影，外围

un, uni＝one 单一

［union(联合)一词借自古法语 union，源自拉丁语 unus(one)，源自史前印欧语 oino (one)］

unanimous *adj*. 全体一致的　［联］unanimity 一致同意
unicameral *adj*. 一院(制)的　〈camer＝chamber 室〉
unicellular *adj*. 单细胞的　［联］cellulous 多细胞的
unicycle *n*. 单轮车　［同］monocycle 独轮车
unifoliate *adj*. (有)单叶的　〈foli＝leaf 叶子〉
uniform *adj*. 相同的 *n*. 制服　［反］various 各个的
unify *vt*. 统一，使联合，使一致　［联］unification 统一
unilateral *adj*. 单方面的，片面的　〈later＝side 边〉
union *n*. 工会，联合，团结　［联］onion 洋葱
uniped *adj*. 独脚的　〈ped＝foot 脚〉
unique *adj*. 唯一的，独特的　［同］sole, only
unisexual *adj*. 单性的，雌雄异体的　〈sex＝gender 性〉
unison *n*. 协调，和谐　〈son＝sound 声音〉
unit *n*. 单位，单元，部件，元件，装置　［联］nit 糊涂虫
unitary *adj*. 唯一的，中央集权主义的　［联］unitarianism 集权制

unite *vt*. 联合,团结,兼备 [反]disunite 分离,分裂
unity *n*. 联合,统一 [同]solidarity 团结
universe *n*. 宇宙 ～al *adj*. 普遍的 [联]university 大学

up=upwards 向上

[up 一词源自原始日耳曼语 upp,源自史前印欧语词根 upo(up from below)]

upbraid *vt*. 叱骂,谴责 〈braid 扭,拉〉
upbound *adj*. 上行的,上水的 〈bound 向……方向走〉
upfront *adj*. 首要的 *adv*. 在最前面 〈front 前面,前线〉
upheavel *n*. 隆起,动乱 〈-al 具有……特征的〉
uphold *vt*. 支持,拥护,支撑 [联]uproot 连根拔,根除
upturn *vi*. (价格)上涨,(情况)好转 [联]turnup 卷起的部分
upper *adj*. 较高的,上面的 [反]lower 较低的
upgrade *vt*. 提升,升级 [反]downgrade 使降职
upstairs *adv*. 往(在)楼上 *adj*. 楼上的 [反]downstairs 在楼下
upstream *adv*. 在上游 *adj*. 逆流的 [反]downstream 在下游
upward *adj*. 向上的 *adv*. 向上 [反]downward 向下
upright *adj*. (垂)直的,正直的,高尚的 [同]erect,straight
backup *n*. 支持 *adj*. 备用的上 [同]sustain 维持,支持
setup *n*. 计划,组织 [联]upset 弄翻,搅乱

urin,ur=urine 尿

[urinate(撒尿)一词借自中古拉丁语 urinatus,源自 urinare,源自 urina]

urine *n*. 尿 [联]urinal 尿壶,小便池
urinate *vi*. 排尿,撒尿 [联]urination 撒尿
urinator *n*. 潜水员 [同]diver 潜水员
urinose *adj*. 尿的,尿质的,含尿的 [联]urinative 利尿的
urology *n*. 泌尿学 [联]urologist 泌尿学家
urological *adj*. 泌尿(学)的 [同]fecal 粪便的
uroscopy *n*. 验尿法 〈scopy=see 看〉
polyuria *n*. 尿多,多尿症 [反]oliguria 尿少,少尿症

urb=city 城市

[urban(都市的)一词借自拉丁语 urbanus,源自 urbs(city,walled town)]

urban *adj*. 都市的 ～ology *n*. 城市学 [联]urbanize 使都市化

urbane *adj.* 有礼貌的,都市化的 [反]inurbane 粗野的
urbanity *n.* 文雅,有礼貌 [反]rurality 乡村性
urbicidal *adj.* 对城市起毁灭作用的 〈cid=kill 杀死〉
urbiculture *n.* 城市特有的习俗与社会问题 [联]subculture 亚文化
conurbation *n.* 有卫星城的大都市 〈con-=together 一起〉
exurb *n.* 城外,市外 ~an *adj.* 城市远郊的 [联]interurban 城市间的
suburb *n.* 市郊,附近 ~an *adj.* 城郊的 〈sub-=near 靠近〉
suburbanite *n.* 郊区居民 [同]exurbanite 远郊居民

urg=drive 驱动

[urgent(急迫的)一词借自中古法语 urgent,源自拉丁语 urgentem,源自 urgere(drive)]

urge *vt.* 驱策,力劝 [同]prod 刺激
urgency *n.* 迫切,紧急 [同]gravity 严重性
urgent *adj.* 催促的 ~ly *adv.* 急迫地 [同]imperative 紧急的

us,util=to use 利用

[use(使用)一词借自古法语 user,源自拉丁语 usus,源自 uti(use,apply)]

usable *adj.* 可用的 [同]applicable 可应用的
usage *n.* 使用,用法,惯例 [同]practice 做法
use *vt.* 使用 *n.* 用途 ~d *adj.* 用过的 [反]disuse 不用
abuse *vt.* 滥用,谩骂 [联]misuse 错用,滥用
peruse *vt.* 细读,研读 〈per- 加强意义〉
usual *adj.* 通常的 ~ly *adv.* 通常,一般 [反]unusual 不平常的
usurp *n.* 篡夺,盗用 ~ation *n.* 篡夺 〈rp=rape 强夺〉
utilitarian *adj.* 功利的 ~ism *n.* 功利主义 [联]utility 效用,公用事业
utilize *vt.* 利用 ~ation *n.* 利用,效用 [同]make use of
inutile *adj.* 无用的,无益的 [同]futile 无用的
utensil *n.* 器皿,用具 [同]appliance 器具

Exercise 9

Directions: *Study the following roots and example words, and then guess the meanings of the roots.*

Root	Word	Root Meaning
1. tempo	temporary	______

2. tempt	attempt	______
3. ten	tenable	______
tin	continue	______
4. tend	extend	______
tent	extent	______
tens	intense	______
5. term	terminate	______
6. terr	territory	______
terra	Mediterranean	______
7. test	testify	______
8. toler	tolerable	______
9. tort	torture	______
tor	torment	______
10. touch	untouchable	______
11. tour	detour	______
12. tract	abstract	______
13. treat	maltreat	______
14. tribute	contribute	______
15. tru	true	______
trust	entrust	______
16. trude	intrude	______
17. twi	entwist	______
two	twenty	______
18. uni	unity	______
un	unanimous	______
19. urb	urban	______
20. us	usage	______
util	utilize	______

第九节 vac—zym

vac(u), van, vast, void=empty(空)

[vacant(空缺的)一词借自古法语 vacant, 源自拉丁语 vacantem,源自 vacare(be empty)]

vacancy *n.* 空虚,空房,空隙,空额 [同]interstice 缺口
vacant *adj.* 空虚的,空缺的 [同]devoid 无……的,缺……的
vacate *vt.* 弄空,退出,撤退 [同]evacuate 撤离
vacation *n.* 假期,休假 *vi.* 度假 [联]vocation 职业
vacuum *n.* 真空,真空吸尘器 〈-um ……物→器〉
vacuous *adj.* 空虚的,愚蠢的,没有意义的 [同]fatuous 愚蠢的
vacuity *n.* 茫然,失神,心的空虚 [同]vanity 虚荣
evacuee *n.* 撤退者,疏散者 〈-ee ……受动者,受益者〉
van *n.* 厢式货车,大篷货车,前锋 [联]fan 扇子,狂热者
vain *adj.* 空虚的,徒劳的 〈van 的变体〉
vainglory *n.* 自负,极度的虚荣心 [同]snobbery 势利
vanish *vi.* 突然消失,消散,绝灭 [同]evanish 消失,消灭
evanesce *vi.* 渐渐消失 ~nce *n.* 逐渐消失 [联]evanescent 渐渐消失的
vast *n.* 浩瀚 *adj.* 广阔的 ~y *n.* 巨大的 [同]huge,immense
devastate *vt.* 破坏 ~ion *n.* 毁坏,荒废 〈de- 加强语气〉
avoid *vt.* 回避,使无效 ~ance *n.* 逃避 [联]void 空的,无效的
avoidable *adj.* 能避免的,可回避的 [同]unavoidable 不可避免的
want *vt.* 缺乏,想要,打算 〈vast 的变体〉
wanting *adj.* 欠缺的,不足的 [同]deficient 不足的

vad,vas,wad=to go 走,前进

[evade(逃避)一词借自中古法语 evader, 源自拉丁语 evadere,由“e-+vadere(go)”构成]

evade *vt.* 逃避,躲避 ~r *n.* 逃避者 [联]evasion 逃避,借口
evasive *adj.* 逃避的 [同]elusive 逃避的
invade *vt.* 侵入,蜂拥而入 ~r *n.* 侵入者 [联]invasion 侵入,侵犯
invasive *adj.* 侵入的,侵犯的 [联]pervasive 普遍的,渗透的

pervade *vt.* 蔓延，渗透，普及　　[联]pervasion 蔓延，普及
wade *vi.* 跋涉 *n.* 跋涉 ～r *n.* 跋涉者　　[同]ford 涉水

vag，vagr＝to wander 徘徊，流浪，奇想

[vagrant(流浪者)一词借自古法语 vagaunt，源自拉丁语 vagarantem，源自 vagari(wander)]

vagrant *adj.* 流浪的 *n.* 流浪者　　[联]vagrancy 流浪，离题
extravagant *adj.* 浪费的，奢侈的　　[联]extravagance 过度，无节制
vagary *n.* 狂妄行为，妄想　　[同]whimsicality 异想天开
vagabond *n.* 流浪的人 *adj.* 流浪的　　[同]drifter，floater
vagile *adj.* 漫游的　　[联]agile 灵活的
divagate *v.* 漫游，离题 ～ion *n.* 流浪　　〈di-＝dis-＝away 离开〉
noctivagant *adj.* 夜游的，夜间徘徊的　　〈noct＝night 夜〉
vague *adj.* 不明确的，含糊的　　[反]distinct 清楚的，明显的

val，vail，valu＝strong，to be worth 强，价值

[valid(有效的)一词借自法语 valide，源自拉丁语 validus，源自 valere(be strong)]

valid *adj.* 有效的，正当的 ～ity *n.* 效力　　[反]invalid 病弱的，无效的
valor *n.* 英勇，勇猛　　[联]valiant 英勇的，勇敢的
prevalence *n.* 优势，盛行　　[同]popularity 普及，流行
avail *vt.* 有益于 ～able *adj.* 可用的，有效的　　[同]availability 有效，有益
prevail *vt.* 克服，压倒，流行　　[同]preponderate 胜过
prevalent *adj.* 流行的，普遍存在的　　[联]prevalence 流行，盛行
value *n.* 价值 *vt.* 估价，重视　　[联]revalue 重新估价
valuable *adj.* 贵重的，有价值的　　[同]invaluable 无价的
devalue *vt.* 使贬值　　[同]devaluate(使)贬值
evaluate *vt.* 评价，计算 ～ion *n.* 估价　　[同]apprize 评价
undervalue *vt.* 低估，轻视　　[反]overvalue 高估
unvalued *adj.* 不受重视的　　[同]unappreciated 不受重视的
equivalent *adj.* 相等的 *n.* 等同物　　[联]equivalence 相等，等价
wield *vt.* 挥舞 ～y *adj.* 易于使用的　　〈wiel＝val 强〉

van，vant＝forward 前卫，先锋

[advantage(有利条件)一词借自古法语 avantagc，源自拉丁语 avant，源自 avant(before)]

vanguard *adj.* 前卫，尖兵　　[同]avant-garde 先驱

advance *vt.* 促进，将……提前 *n.* 进展　[联]advanced 高等的，先进的
vantage *n.* 优势，利益　[同]preference 优先权
advantage *n.* 优利条件，益处　[反]disadvantage 不利
advantageous *adj.* 有利的　[反]disadvantageous 不利的

var＝change, diverse 变化

[vary(不同)一词借自古法语 variier，源自拉丁语 variare，源自 varius(different)]

vary *vi.* & *vt.* 变化，(使)不同　[同]change, alter
variable *adj.* 变化的，可变的 *n.* 变量　[反]invariable 不变的
variant *adj.* 变化的，相异的　[同]invariant 不变化的
variability *n.* 易变性，变化性　[同]adaptability 适用性
various *adj.* 不同的，多方面的　[反]uniform 一样的
varied *adj.* 各种各样的，多变的　[反]unvaried 未改变的
variform *adj.* 形状不同的，有多种形态的　[同]difform 不同形状的
variety *n.* 变化，多样化，变种　[联]vicissitude 变迁兴衰
variegatc *vt.* 使多样化 ～ion *n.* 彩色　[同]diversify 使多样化
unvarying *adj.* 不变的，一定的　[同]steady 不变的
prevaricate *vi.* 支吾，搪塞 ～ion *n.* 搪塞　[同]equivocate 推诿

vas, vess＝a container 容器

[vessel(容器)一词借自古法语 vessel，源自后期拉丁语 vascellum，源自 vas(vessel)]

vase *n.* 花瓶，装饰瓶　[联]lase 发激光
vascular *adj.* 脉管的，血管的　〈-ular 有……形状的〉
vasculum *n.* 小管，小脉管　〈-um ……物→管〉
vessel *n.* 容器，血管，船　[同]receptacle 容器

veget＝to grow 蔬菜，植物

[vegetable(蔬菜的)一词借自古法语 vegetable，源自中古拉丁语 vegetabilis，源自 vegetare(enliven)]

vegetative *adj.* 植物的 ～ly *adv.* 生长地　[同]vegetal 植物的
vegetarian *n.* 吃素的人 *adj.* 素食的　[同]veggie 素食者
vegetarianism *n.* 素食，素食主义　[联]vegetable 蔬菜
vegetate *vi.* 植物似地生长 ～ion *n.* 植物　[联]vegetant 使生长旺盛的

vel, veil, veal=covering 遮盖

[veil(面纱)一词借自盎格鲁诺曼法语 veil，源自拉丁语 velum，源自史前印欧语词根 weg(weave a web)]

velum *n.* 膜，缘膜 〈复数形式是 vela〉

veil *n.* 面纱，帐 *vi.* &*vt.* 遮盖，蒙上面纱 [反]unveil 除去……的面纱

reveal *vt.* 展现，揭露 ～ion *n.* 启示，暴露 [反]conceal 隐藏

vein, ven=blood veel 脉络，静脉

[vein(静脉)一词借自古法语 veine，源自拉丁语 vena(blood vessel)]

veinal *adj.* 静脉的，叶脉的，矿脉的 [同]veinous 静脉突出的

veining *n.* 叶脉的形成，饰以脉纹 [联]veinlet 细(叶)脉

veinule *n.* 小静脉 〈-ule=small 小〉

veiny *adj.* 纹理状的，多静脉的 [联]penny 便士

veinstone *n.* 脉石，矿石中的杂质 [联]calculus 结石

velop=to wrap up 包裹

[develop(发展)一词借自法语 developper，源自古法语 desveloper，由"des-＋veloper (wrap up)"构成]

develop *vi.* &*vt.* 发展 ～able *adj.* 可开发的 [联]developer 开发者，显像剂

development *n.* 发展 ～al *adj.* 发展的 [同]evolution 演变

envelop *vt.* 包围，笼罩 ～ment *n.* 包封 [联]envelope 信封，包裹物

venge=claim, punish 惩罚，报复

[revenge(报仇)一词借自古法语 revengier，源自后期拉丁语 revindicare，由"re-＋vindicare(avenge)"构成]

venge *vt.* 替……复仇 ～ful *adj.* 复仇的 [同]revenge 为……报仇

vengeance *n.* 报仇，复仇，报复 [同]retribution 报复

avenge *vi.* 报仇 ～r *n.* 复仇者 〈←to punish〉

revengeful *adj.* 报复的 ～ly *adv.* 报复心重地 〈-ful 充满……的〉

ven, vent=to come 来→风

[event(大事)一词借自中古法语 event，源自拉丁语 eventus，源自 evenire，由"e-＋venire (come)"构成]

venture *n.* 冒险，投机 *vi.* 冒险 [联]venturous 好冒险的，大胆的

adventure *n.* 冒险经历 ～r *n.* 冒险家 [联]adventurous 爱冒险的

advent *n.* 到来，出现 [联]adventitious 外来的，偶然的

convent *n.* 女修道院　　[同]nunnery 尼姑庵
convention *n.* 集合，惯例　　[同]institution 惯例
event *n.* 事件，大事 ～ful *adj.* 重要的　　[同]incident 事件
invent *vt.* 发明，创造 ～ion *n.* 发明(物)　　[同]contrive 创造，发明
prevent *vt.* 妨碍，阻止 ～ion *n.* 预防　　[同]preclude 排除
convene *n.* 召集，召唤　　[反]adjourn 休会
contravene *vt.* 违反，反驳　　[联]intervene 插入，干涉
convenience *n.* 便利，便利品，(复)设备　　[联]convenient 便利的，不远的
revenue *n.* 收入，岁入　　[联]avenue 大路，林荫路
venue *n.* 集合地点，犯罪地点，审判地　　[同]locale 事发地
vent *n.* 通风孔 *vi.* 发泄 ～age *n.* 小孔　　[联]ventage 小口，小孔
ventiduct *n.* 地下通风管(道)　　〈duct＝lead 引导〉
ventilate *vt.* 使通风，使换气　　[同]aerate 使通风，使换气

ver＝true 真实的

[very 一词借自古法语 verai，源自通俗拉丁语 veracus，源自 verus(true)]

very *adj.* 非常，正是　　[联]verify 核实，证明
veracious *adj.* 诚实的 ～ly *adv.* 诚实地　　[同]honest 诚实的
veracity *n.* 诚实，真实性，准确性　　[反]mendacity 虚伪
verisimilar *adj.* 似乎是真的　　[联]verisimilitude 逼真(的事物)
revere *vt.* 尊敬，崇敬 *n.* ～nce 尊敬　　[同]venerate 崇敬
reverend *adj.* 可尊敬的　　[联]reverent 恭敬的

verb＝word or talk 言，谈

[verb(动词)一词借自古法语 verbe，源自拉丁语 verbum，源自史前印欧语词根 were (speak)]

verbal *adj.* 词语的 ～ly *adv.* 照字面地　　[同]oral 口头的
verbatim *adv.* 逐字地 *adj.* 逐字的　　[同]literal 逐字的
verbiage *n.* 冗词，赘语　　[同]phraseology 措辞
verbose *adj.* 冗长的，噜苏的　　[联]verbosity 冗长，赘言
adverb *n.* 副词　　[联]adjective 形容词
adverbial *adj.* 副词的 *n.* 状语　　[联]conjunctive 连接的
proverb *n.* 谚语，格言 ～ial *adj.* 谚语的　　[同]adage，byword
hyperverbal *adj.* 说话太多的　　〈hyper- 过多〉

verg=to incline or turn 趋向，转向

[diverge(偏离)一词借自近代拉丁语 divergere，由"dis-(apart)+verger(turn)构成"]

converge *vi.* 会聚，集中 [反]diverge 叉开

convergent *adj.* 会合的，趋同的 [反]divergent 叉开的

convergence *n.* 集合，会聚，集收敛 [反]divergence 分叉

diverger *n.* 富有幻想力的人 [同]mastermind 智多星

verm，worm=worm 蠕虫

[worm(虫)一词源自原始日耳曼语 wurmiz，与德语 wurm 同源，源自史印欧语 wrmi (worm)]

vermian *adj.* 蠕虫的 [联]vermicelli 粉条，挂面

vermifuge *n.* 杀虫药 *adj.* 驱虫的 [联]vermicidal 杀蠕虫的

vermivorous *adj.* 食虫的 〈vor=eat 吃〉

vermiculate *adj.* 蠕虫状的，蠕动的 [联]vermiform 蠕虫状的

vermin *n.* 害虫，害兽 [联]verminous 虫害的

wormy *adj.* 多虫的，生虫的 [联]worm-hole 虫眼儿

vers，vert=to turn around 旋转

[verse(诗节)一词借自拉丁语 versus，源自拉丁语动词 vertere(to turn)]

versify *vi.* &*vt.* 作诗，用诗表达 [联]versification 作诗，诗律

versed *adj.* 熟练的，精通的 [反]unversed 不熟练的

version *n.* 翻译，译文，意见 [同]rendition 翻译

versatile *adj.* 多才多艺的，多功能的 [同]competent 能胜任的

vertigo *n.* 眩晕 〈go around→转晕〉

vertex *n.* 顶点 〈-ex=place 地方〉

vertical *adj.* 垂直的，顶点的 [联]horizontal 水平的

avert *vt.* 避开 [联]advert 留意，谈到

advertise *vi.* 做广告 ～ment *n.* 广告 [联]advertising 广告业

convert *vt.* 变换，改装，兑换 [联]conversion 变换，转化

divert *vt.* 使转移，娱乐 [联]diversion 转移，消遣

convertible *adj.* 可转换的 [反]inconvertible 不能变换的

unconverted *adj.* 不变的，不悔改的 [同]unpersuaded 未被说服的

controvert *vt.* 攻击，辩驳 [联]controversy 争论，议论

controvertible *adj.* 可争论的 [反]incontrovertible 无可争辩

pervert *vt.* 使反常 *n.* 误入邪路者 [联]pervertible 易误解的
perverse *adj.* 不正当的，堕落的，刚愎的 [联]perversity 性情别扭，邪恶
perversive *adj.* 颠倒的，曲解的，带坏的 [联]perversiveness 无处不在，遍布
revert *vi.* &*vt.* 恢复 ～ible *adj.* 可恢复的 [联]subvert 推翻，破坏
reverse *vi.* &*vt.* 颠倒，倒退 [联]reversal 颠倒，反复
reversible *adj.* 可逆的，可医治的 [反]irreversible 不可逆的
traverse *vt.* 横过，横断，通过 [联]transverse 横断的
universe *n.* 宇宙，天地万物 [联]university 大学
universal *adj.* 普遍的 ～ity *n.* 普遍性 〈-al 具有……特征的〉
averse *adj.* 反对的，反感的 [联]adverse 逆的，不利的
anniversary *n.* 周年纪念日 *adj.* 周年的 〈ann＝year 年〉
converse *vi.* 谈话，交际 *adj.* 相反的 [联]diverse 变化多的
conversant *adj.* 了解的，熟悉的 [同]familiar 熟悉的
invert *vt.* 翻过来，倒转 [联]inversion 倒置，转化
inverse *adj.* 反的，倒转的 *n.* 相反 〈in-＝inwards 向内〉
malversation *n.* 渎职，贪污 〈mal-＝ill 坏〉
introvert *n.* 性格内向的人 [联]extrovert 性格外向的人
vice versa 反过来也一样 [←拉丁语]

vest＝to clothe，clothes 穿衣，衣服

[vest(马甲)一词借自法语 veste，源自意大利语 vesta，源自拉丁语 vestire(to clothe)]

vestment *n.* 礼仪服装，外衣 [联]vesture 衣服，覆盖物
invest *vt.* 投资 ～ment *n.* 投资 [反]divest 脱衣，剥夺
revest *vt.* 重新投资，再赋予 [联]travesty 嘲弄，歪曲

vestig＝a trace 痕迹

[investigate(调查)一词借自拉丁语 investigatus，源自 investigare，由"in-＋vestigare(track)"构成]

vestige *n.* 痕迹，残余，证据 [联]vestigial 残留的，退化的
vestigium *n.* 剩余，遗迹 〈vestigia[复数]〉
vestigiofossil *n.* 遗迹化石，足迹化石 〈fossil 化石〉
investigation *n.* 调查，研究 [联]investigator 调查者
investigative *adj.* 调查性质的，研究的 [联]investigable 可调查研究的

vet,veter=old,an experienced person 老,老手

[veteran(经验丰富的人)一词借自法语 veteran,源自拉丁语 veteranus,源自 vetus (old)]

vet *n.* 老兵 *vi.* 当兽医 〈veterinary 的缩写词〉
veteran *n.* 老兵 *adj.* 老练的,老兵的 [同]sophisticated 富有经验的
inveterate *adj.* 根深蒂固的 ~ly *adv.* 根深地 [联]inveteracy 根深蒂固

vi,voy,vey,way=way 道路

[convey(传递)一词借自古法语 convoier,源自通俗拉丁语 conviare,由"con-+via (way)"构成]

via *prep.* 经由,途经,通过 *n.* 道路 ‖ via media 中庸之道
viable *adj.* 切实可行的,有望实现的 [同]practical
viaduct *n.* 栈道,高架桥 〈duct=lead 引导〉
deviate *vi.* 背离,离开 [联]obviate 避免,预防
devious *adj.* 迂回的,曲折的,狡猾的 [联]obvious 明显的
pervious *adj.* 可被渗透的,可通行的 [反]impervious 不可渗透的
previous *adj.* 先前的 ~ly *adv.* 以前 [反]following 随后的
trivial *adj.* 琐碎的,无价值的,平凡的 〈tri-=three 三〉
voyage *vi.* 航海 *n.* 远行 ~r *n.* 航行者 [同]navigate 航行于,驾驶
envoy *n.* 使者 [联]convoy 护送,护航
convey *vt.* 传达,输送 ~or *n.* 输送机 [联]conveyance 传送,表达
subway *n.* 地铁,地下通道 [联]underway 在进行中的

vibr=to shake 振动

[vibrate(振动)一词借自拉丁语 vibratus,源自 vibrare(shake,quiver)]

vibrate *vi.* &*vt.* (使)振动 ~ion *n.* 摆动 [联]revibrate 再振动
vibraphone *n.* 电颤琴 [同]vibraharp 电颤琴
vibratile *adj.* 能振动的 〈-ile 能……的〉
vibrative *adj.* 振动的,颤动的 [同]vibratory 振动的
vibrator *n.* 振荡器 ~y *adj.* 振动的 [联]vibrograph 振动计
vibrant *adj.* 振动的,响亮的,有活力的 [联]vibrancy 振动,活跃

vic,vit=fault,crime 邪恶

[vicious(恶毒的)一词借自古法语 vicios,源自拉丁语 vicious,源自 vitium(fault)]

vice *n.* 邪恶,罪恶,缺点 ‖ virtue and vice 善与恶

vitiate *vt*. 损害 ～ion *n*. 破坏 [联]vitiator 破坏者
vituperate *vt*. 谩骂，辱骂 [联]vituperator 谩骂者
vituperative *adj*. 责骂的，充满辱骂的 [同]censorious 苛评的

vicin＝neighbouring 邻近

[vicinage(邻居)一词借自古法语 visenage，源自拉丁语 vicinus(neighbour)的变体]

vicinage *n*. 附近的地区 [同]environs 近郊
vicinal *adj*. 附近的 [同]contiguous 邻近的
vicinism *n*. 邻交变异性，偶发杂交 [联]vicinity 附近，邻近

vict，vinc＝to conquer 征服

[victor(胜利者)一词借自古法语 victor，源自拉丁语 victorem，源自 vincere(conquer)]

victor *n*. 胜利者 ～ious *adj*. 胜利的 [联]victory 胜利，克服
vincible *adj*. 容易征服的 [反]invincible 无敌的
vincibility *n*. 容易征服 [反]invincibility 无敌
convince *vt*. 使相信，说服 [联]evince 表明，标示
convincing *adj*. 使人信服的，有力的 [反]unconvincing 不可信的
convincible *adj*. 可说服的，可使信服的 [反]inconvincible 难以说服的
convict *vt*. 宣判……有罪 ～ion *n*. 定罪 [联]evict 依法驱逐

vid，vis，view，vey＝see，view 看，显示

video *adj*. 视频的 *n*. 电视，录像机 〈-o 乐器具后缀〉
evidence *n*. 明显，证据 [联]evident 明显的，明白的
invidious *adj*. 招嫉妒的，惹人讨厌的 [同]discriminatory 歧视的
provide *vt*. &*vi*. 提供，做准备 [联]provided 假如，如果
providence *n*. 远见，远虑 [反]improvidence 目光短浅
provision *n*. 设备，准备 ～al *adj*. 临时的 [同]supplying 供给
improvise *vt*. 即兴创作(演奏) 〈im-＝not 不〉
prudence *n*. 谨慎的 〈providence 的缩写〉
prudent *adj*. 谨慎的，慎重的 [反]imprudent 不谨慎的
vise *n*. 夹钳，老虎钳 *vt*. 钳住 [联]viselike 牢固的
advise *vt*. 忠告，通知 [联]advisor 顾问，劝告者
previse *vt*. 警告 [联]prevision 预知，告知
revise *vt*. 修正，改变 [联]revision 修改，修订
supervise *vt*. 管理，监督 [联]supervision 监督，管理

visible *adj.* 看得见的，有形的 ［反］invisible 看不见的
vision *n.* 视力，想象力，幻影 ［同］eyesight 视力
visit *vt.* &*n.* 参观 ～or *n.* 游客 ［联］revisit 再访，重访
visiting *n.* 访问，探望 ［联］revisiting 再访，重访
visual *adj.* 视觉的 ～ly *adv.* 视觉上 ［同］optical 视力的
view *n.* 观点，风景 *vt.* 观看 ［联］review 复习
interview *n.* 会见，接见 ～er *n.* 面试者 ［联］interviewee 被接见者
survey *vt.* 勘测，测量 ～or *n.* 测量员 〈sur-＝over 在上〉
envy *n.* 妒忌，嫉妒，羡慕 ［联］envious 嫉妒的，羡慕的

vin，win＝vine 藤，葡萄树

［vine(藤本植物)一词借自古法语 vigne，源自拉丁语 vinea］

viny *adj.* 葡萄树的 ［联］grape 葡萄
vinegar *n.* 醋 ［联］soy sauce 酱油
vino *n.* 葡萄酒 ［联］vinous 葡萄酒的
vinosity *n.* 酒质，酒味 ［联］vintage 葡萄产量
wine *n.* 葡萄酒 *vi.* 喝酒 ～y *adj.* 酒 ［联］liquer 白酒

viol＝vehement；to harm 激烈的；侵犯

［violence(暴力)一词借自古法语 violence，源自拉丁语 violentia，源自 violentus(forceful)］

violate *vt.* 违反，妨碍 ～ion *n.* 犯规 ［同］infringe 违反
violent *adj.* 猛烈的 ～ly *adv.* 激烈地 ［反］placid 平和的
violable *adj.* 易受侵犯的 ［反］inviolable 不可侵犯的
inviolate *adj.* 未亵渎的 ［联］inviolacy 无污点，未受侵犯

vir，virt＝man，male 人，男人→美德

［world(世界)一词由“wor(vir)＋old(nutrition)”构成，意思是“age of man”］

virile *adj.* 男性的，强壮的 ［反］feminine 女子气的
virility *n.* 男性生殖力，男子气概 ［联］virilism 男性化现象
virago *n.* 悍妇，泼妇 〈不像女人〉
triumvir *n.* 三执政官之一人 〈tri-＝three〉
virtue *adj.* 美德，德行，价值，长处 ［联］virtual 实质上的
virtu *n.* 艺术品爱好，古董 ［联］virtuoso 艺术大师
virtuosity *n.* 精湛技艺 〈-ity ……性质或状态〉
virtuous *adj.* 有道德的 ～ness *n.* 贞德 ［联］moral 道德的

viv(i), vit, vig=live, life 活，生命

[vivid(生动的)一词借自法语 vivide，源自拉丁语 vividus，源自 vivere(to live)]

vivid *adj*. 生动的 ～ness *n*. 生动，逼真　[同]flamboyant 艳丽的
vivacious *adj*. 活泼的，有生气的　[联]vivacity 活泼，有生气
vivify *vt*. 鼓励，给……以生气　[联]vivification 苏醒，生活化
vivisect *vt*. 活生生解剖　〈sect=cut 切〉
revive *vi*. & *vt*. (使)复活，(使)恢复　[联]revival 复活，再生
convive *n*. 同桌用餐的人　[联]convivial 活跃的，欢乐的
survive *vt*. 幸免比……活得长　[同]survival 幸存
vital *adj*. 有活力的 ～ity *n*. 生命力　[联]vitalize 激发，赋予生命
devitalize *vt*. 使伤元气，损精力　[联]revitalize 使复兴
vitamin *n*. 维生素　〈-in ……素〉
vitaphone *n*. 有声电影　[联]vitascope 电影放映机
viable *adj*. 能养活的，能生活的　[联]viand 菜肴，一件食品
vigor *n*. 活力，精力 ～ous *adj*. 有活力的　[同]spryness 活跃的，敏捷的
vigilance *n*. 警戒，警惕，警觉　[联]vigilant 警惕的，警觉的
invigorate *vt*. 使健壮 ～ion *n*. 精力充沛　[同]fortify 增强，鼓励

voc, vok, voic, vouch, vox, vow=to call 出声

[voice(嗓音)一词借自古法语 voiz，源自拉丁语 vox，源自史前印欧语 wekw(speak)]

voice *n*. 嗓音 *vt*. 发音，表达　[同]vox 嗓音，声音
vocabulary *n*. 词汇(量)，词汇表　[同]thesaurus 分类词典
vocable *n*. 字，单字　〈-able 具有……特性的〉
vocal *adj*. 有声音的，嗓音的　[联]vocalize 成为有声
vocative *adj*. 呼唤的，称呼的　〈-ative 做……的〉
vocation *n*. 天命，职业　[联]avocation 业余爱好
vociferous *adj*. 大声的，叫喊的　[同]clamorous 吵闹的
advocate *vt*. 提倡，鼓吹　[联]advocation 拥护，捍卫
convoke *vt*. 召集(会议)　[联]convocation 召集，集会
evoke *vt*. 引起，唤起　[联]evocation 引起，唤起
provoke *vt*. 对……挑衅，挑拨　[联]provocation 挑衅，激烈
provocative *adj*. 挑衅的，挑拨的　[联]provoking 让人烦的
equivoke *n*. 双关语，模棱两可的话　〈equi=equal 相同〉

equivocal *adj.* 模棱两可的，双关的　[反]unequivocal 明确的
equivocate *vi.* 说话支吾　[同]prevaricate 搪塞
multivocal *adj.* 多义的，暧昧的　〈multi-=many 多〉
invoke *vt.* 祈求，控诉，引用　[联]invocation 祈祷，乞求
revoke *vt.* 撤回，撤销　[联]revocation 废止，撤回
invocatory *adj.* 祈求的　[联]revocatory 废止的，取消的
revocable *adj.* 可撤回的　[反]irrevocable 不能挽回的
vowel *n.* 元音 *adj.* 元音的　[联]semivowel 半元音

vol，volunt＝wish 自愿，自由意志

[volunteer(志愿者)一词借自法语 volontaire，源自拉丁语 voluntarius，源自 voluntas(will)]

benevolence *n.* 仁慈，善行　[联]malevolence 恶意，怨恨
volition *n.* 意志，决心　[联]volitive(表示)意志的
voluntary *adj.* 志愿的，故意的　[反]involuntary 非自愿的

volu，volut，volt，volv＝to roll or turn 卷，旋转

[revolution(旋转)一词借自古法语 revolucion，源自后期拉丁语 revolutionem，源自 revolvere(turn]

voluble *adj.* 流畅的，会旋转的　[反]taciturn 无言的
volume *n.* 卷，体积，音量　[联]volumetric 测定体积的
convolve *vi.* 盘旋，缠绕　[联]convolution 盘旋
devolve *vi.* &*vt.* 转让，委任　[联]devolution 移交，授权
evolve *vi.* &*vt.* 开展，引申出　[联]evolution 演变，进化
revolve *vi.* &*vt.* (使)旋转 ～er *n.* 左轮手枪　[联]revolution 革命
circumvolve *vi.* 旋转　[联]circumvolution 旋转，盘绕
involve *vt.* 包含 ～ment *n.* 牵连　[联]intervolve 互相牵连
volt *n.* 环骑，闪避，伏特　[联]archivolt 拱门饰，穹窿形
revolt *vt.* (使)厌恶，反叛 *n.* 造反　[联]mutiny 叛变，反抗

vor＝swallow，eat 吞食→吃

[devour(吞没)一词借自古法语 devorer，源自拉丁语 devorare，由"de-＋vorare(swallow)"构成]

devour *vt.* 吞没，毁灭 ～er *n.* 吞噬者　[联]devout 虔诚的
voracious *adj.* 贪吃的，渴求的　[联]voracity 贪食，暴食
omnivorous *adj.* 杂食性的　[联]granivorous 食谷的

herbivore *n.* 食草动物 [联]herbivorous 食草的
carnivore *n.* 食肉动物 [联]carnivorous 食肉的
frugivorous *adj.* 以果实为食的 [联]piscivorous 食鱼的
insectivorous *adj.* 食虫的,以虫为食的 [同]vermivorous 食虫的

vot,vow=to vow or promise 立誓→许愿

[vote(投票)一词借自拉丁语 votum, 源自 vovere(to promise,dedicate)]

votary *adj.* 誓约的 *n.* 信徒 [联]votive 奉献的,还原
vote *n.* &*vt.* 投票 ~r *n.* 投票人,选民 [联]mote 尘埃
devote *vt.* 把……奉献给,奉献 [联]devotion 献身,忠诚
vow *n.* 誓言 *vt.* 立誓 [同]pledge 保证,使发誓
avow *vt.* 公开承认 ~al *n.* 公开宣布 [反]disavow 不承认

war(e)=watch,care 注视→小心,谨慎

[aware(意识到的)一词源自原始日耳曼语 gawaraz,与德语 gewah 有关,源自"ga-+waraz(wary,cautions)"]

ware *vt.* 当心 *adj.* 知道的,意识到的(of) [联]beware 当心,提防
awareness *n.* 意识,觉察 [反]unawareness 无觉察
wariness *n.* 谨防,注意,小心 [反]unwariness 疏忽
wary *adj.* 小心的,警戒的 [反]unwary 粗心的
warily *adv.* 小心地,谨慎地 [反]unwarily 没注意地

ward,guard=to watch,care or protect 看→监护,保卫

[ward(监视)一词源自史前日耳曼语 wardaz,源自史前印欧语 waro(perceive, watch out)]

ward *n.* 病房 *vt.* 监护 ~er *n.* 监狱看守 [同]warden 看守人
award *vt.* 授予 *n.* 奖品 ~er *n.* 授奖者 [联]reward 报答酬金
awarder *n.* 授奖者 [联]awardee 受奖者
guard *n.* 警卫 *vt.* 保卫,警惕 [联]guardsman 卫兵
guardroom *n.* 守候室,卫兵室,守卫室 [联]guardship 警戒船,哨舰
safeguard *n.* 保护,安全设施 *vt.* 保护 [联]rearguard 后卫
garrison *n.* 卫戍部队 〈garr=guard 保卫〉
garage *n.* 汽车修理厂 〈-age=place 地方〉
regard *n.* 注意 *vt.* 尊敬 ~less *adj.* 不重视的 [反]disregard 理,漠视
regardful *adj.* 留心的,表示敬意的 [同]respectful 恭敬的

water, wet, winter = water, moist 水，湿润

[water(水)一词源自原始日耳曼语 watar，源自史前印欧语 wodor，源自词根 wed(water, wet)]

waterage *n.* 水运费，水路运输 [联]waterdrainage 放水，排水
waterdrain *n.* 排水沟 [联]waterborne 水上的，水运的
watercolor *n.* 水彩画 [联]waterculture 溶液栽培
watercourse *n.* 水道，河道 [联]watercraft 船只，船舶
waterer *n.* 饮水器，供给饮水的人 [同]waterbowl 饮水器
waterfall *n.* 瀑布，瀑布似的东西 [联]waterfowl 水鸟，水禽
waterline *n.* (船的)吃水线，水线 [联]waterhead 水源，水头
waterman *n.* 船夫，桨手，云水人 [联]watermanship 水性，划船技术
watermark *n.* 水印 [联]trademark 商标
waterpower *n.* 水力 *adj.* 水力的 [联]waterpress 水压机
watertight *adj.* 不漏水的，水密的 [联]waterproof 防水的
waterside *n.* 水边，河畔 *adj.* 水边的 [联]watershed 分水岭
waterflood *vt.* 给……注水 *n.* 洪水 [联]watersick 受涝的
waterworks *n.* 自来水厂，泌尿系统 [联]watersupply 供水设备
waterwheel *n.* 水车，吊水机 [联]watercart 卖(洒)水车
wet *adj.* 湿的，下雨的 *vt.* 把……弄湿 [同]watery 含水的，湿的
winter *n.* 冬天 ～y *adj.* 如冬天的 [联]winterness 冬(种)生

weather, wither = weather, wither 天气，枯萎

[weather(天气)一词源自原始日耳曼语 wedram，源自史前印欧语 wedhro(weather)]

weather *n.* 天气 ～ing *n.* 侵蚀，风化 [联]weatherman 气象员
weatherology *n.* 气象学，气象状态 [联]uranology 天体学
weatherproof *adj.* 防风雨的 [同]weathertight 防风雨的
wither *vi.* 枯萎，凋谢 [联]withering 使干枯的

weal, wel(l) = wish, welfare 愿望，福利

[welfare(福利)一词由“well+fare(get along)”构成，古英语写作 wel faran(condition of being well)]

welfare *n.* 福利，幸福 [联]welfarism 福利制度
wealth *n.* 财富，财产 [联]wealthy 富有的
welcome *vt.* 欢迎 *adj.* 受欢迎的 [联]welcoming 友好的

farewell *n.* 再见　　[同]cheerio 再见，干杯

whirl＝to turn round，rotate 旋转

[whirl(旋转)一词源自古斯堪的那维亚语 hvirfla(go round)，与 hvirfill(circle)有关]

whir *vi.* 呼呼作声地转　　[联]whirly 旋转的
whirlaway *n.* 急速的旋转，飞速的发展　　[联]whirlabout 旋转，盘旋
whirlblast *n.* 旋风，旋流　　[联]hurricane 飓风
whirlybird *n.* [口]直升机　　[同]helicopter 直升机
whirligig *n.* 陀螺　　[同]teetotum 手转陀螺

wind＝movement of air 风

[window(窗户)一词来源于古斯堪的纳维亚语 vindauge，vindauge＝vindr(wind)＋auga(eye)]

windage *n.* 偏差，空气摩擦　　〈-age ……动作或结果〉
windbag *n.* 风囊，饶舌之人　　[联]windbaggary 空谈，夸夸其谈
windbell *n.* 风铃　　[联]dumbbell 哑铃
windblower *n.* 吹送器，通风机　　[联]windpipe 气管
windbreak *n.* 防风林，防风物　　[联]windshield 挡风玻璃
windfall *n.* 被风吹落的果子，横财　　[联]windowful 满窗(的量)
windproof *adj.* 防风的，御风的　　[同]windtight 不透风的
windspout *n.* 旋风　　[联]windstorm 暴风
windsurf *vi.* 风帆冲浪　　[联]windsurfing 帆板运动
windy *adj.* 有风的，刮风的，多风的　　[同]blowy 风大的
windowlight *n.* 窗玻璃　　[同]windowpane 窗玻璃
windowy *adj.* 窗多的，洞多的　　[联]windowless 无窗的

wind，wand＝to wrap or roll 绕

[wind(缠绕)一词源自原始日耳曼语 windan，源自史前印欧语 wendh(to turn，weave)]

winder *n.* 卷线机，会缠绕的植物　　[联]winderman 卷纸工
winding *n.* 绕，缠，绕组，线圈　　[联]winding-up 终结，清理
wander *vi.* 漫游，闲逛 ～er *n.* 流浪汉　　[联]wonder 奇迹
wandering *n.* 流浪 *adj.* 漫游的　　[同]adrift 漂泊的

wis，wit，wiz＝wisdom，observe 智慧，观察

[wizard(男巫)源自 wise，指"a wise man"，最初指"philosopher，sage"，后来词义扩展为"巫师"]

wisdom *n.* 智慧，才智，名言　〈-dom ……状况或状态〉
wise *adj.* 有智慧的 ～ly *adv.* 明智地　[联]overwise 过分聪明的
wisecrack *n.* 俏皮话 *vi.* 说俏皮话　[同]sally，quip
wit *n.* 智慧，才智 ～ty *adj.* 机智的　[联]witness 目击人；见证
outwit *vt.* 智胜，哄骗　[同]outsmart 智胜
witting *adj.* 知道的，自觉的　[反]unwitting 不知道的

with＝back or against 向后，相反

[withstand(承受)一词源自拉丁语，是拉丁语动词 resistere(to resist)的翻译借词]

withdraw *vt.* 拿走，撤退 ～al *n.* 撤回　[联]withdrawn 孤僻的，离群的
withhold *vt.* 制止，扣留，克制　[同]disallow 不准
withstand *vt.* 经受，耐得住　[同]undergo 经历
notwithstanding *adv.* 尽管如此　[同]nonetheless 虽然如此

work＝effort used to do something 工作，劳动

[work 一词源自日耳曼语，与荷兰语 werk 和德语 werk 有关，源自印欧语词根 worg-(do，work)]

workable *adj.* 可经营的，可使用的　[同]executable 可执行
workaday *adj.* 普通的，平凡的　[联]commonplace 平凡的
workaround *n.* 工作区　[联]workshop 车间
workbasket *n.* 工具袋，针线袋　[联]workholder 工件夹具
workbook *n.* 练习本，作业本　[同]exercise-book 练习本
workfellow *n.* 同事，工友　[同]workmate 同事，工作伙伴
workforce *n.* 劳动力，全体员工　[联]workload 工作量，工作负担
workman *n.* 工人，工匠 ～ship *n.* 技艺　[联]workmanlike 技术熟练的
workout *n.* 试验，锻炼　[同]experiment 实验
worksheet *n.* 工作表，学习单　[联]workpiece 工件，加工件
workplace *n.* 工作场所，车间　[联]worksite 工地
workstand *n.* 工作台　[同]workbench 工作台
workstudy *n.* 工作效率的研究　〈study 研究〉
worktheropes *n.* 暗中操纵　〈该词源于木偶戏〉

wrench，wring＝to twist or pull violently 拧，扭

[wring(拧)一词源自原始日耳曼语 wreng，源自史前印欧语 wrengh，源自 wer(turn，bend)]

wrench *n.* 板子 *vt.* 拧,扭 [联]sprain 扭伤
wrenching *n.* 修截苗根,苗木铲根 〈-ing ……行为的产物〉
wringing *adj.* 湿透的,能绞出水来的 〈-ing 构成形容词〉

xer＝dry 干燥

[xeroderma(干皮病)一词借自近代拉丁语 xeroderma,由拉丁语"xero＋derma(skin)"构成]

xeric *adj.* 缺乏水分的,干旱的 [反]hydric 水生的
xeroderma *n.* 皮肤干燥症,干皮病 [联]xerasia 毛发干燥症
xerography *n.* 静电复印术 〈graphy＝writing 写→复印〉
xeroma *n.* 干性眼炎,干眼病 [联]xerosis 干燥病
xerophyte *n.* 旱生植物 〈-phyte＝plant 植物〉
xerophobous *adj.* (植物)嫌旱的,避旱的 〈phobia 恐惧,厌恶〉
xerothermic *adj.* 干热的,适应于干热环境的 〈therm- 热,热电〉

xylo＝wood 木头

[xylophone(木琴)一词出现于 19 世纪中期,由希腊语词根"xylo-＋phone"构成]

xylocarp *n.* 硬木质果(树) 〈carp＝hard 硬〉
xylogen *n.* 木质,木纤维 〈gen＝bear 生〉
xylograph *n.* 木刻 ～y *n.* 木版印刷法 [联]lithoglyph 石刻
xylophagan *n.* 蚀木虫 *adj.* 蚀木虫的 〈phag-＝eat 吃〉
xylophagous *adj.* 蚀木的,蚀木穿孔的 [联]xylotomous 能蛀木的
xylophone *n.* 木琴 ～ist *n.* 木琴演奏家 [联]harmonica 口琴
xylose *n.* 木糖 [联]xyloid(似)木质的
xylotomy *n.* 木材截片术 〈tom＝cut 切〉
chromoxylograph *n.* 彩色木版画 〈chromo-颜色〉

zeal,jeal＝ardor,strong feeling 热情

[zealot(热心者)一词借自拉丁语 zelotes,源自希腊语 zelotes,源自 zelos(zeal)]

zeal *n.* 热心,热情 [联]zealot 热心者,狂热者
zealous *adj.* 热情的,热心的 [同]earnest 热心的
jealous *adj.* 妒忌的 ～ness *n.* 嫉妒 [联]jealousy 嫉妒

zo,zoo＝animal 动物

[zoo(动物园)一词源自希腊语 zoion(animal),源自印欧语词根 gwei(animal)]

zoology *n.* 动物学(课程) [联]arboretum 植物园
zoanthropy *n.* 变兽妄想 〈anthrop＝man 人〉

zoic *adj*. 动物的，有生物的	[联]zooid 像动物的
anthozoan *n*. 珊瑚虫 *adj*. 珊瑚虫的	〈anth 花，像花一样的动物〉
saprozoic *n*. 食腐动物	〈sapro-＝rotten 腐败的〉
zoophyte *n*. 似植物的动物	[联]zooparasite 寄生动物
zoolatry *n*. 动物崇拜	〈-latry 崇拜〉
zoolite *n*. 动物化石	〈lite＝stone 石〉
zoophobia *n*. 动物恐惧(症)	〈phobia 恐惧，厌恶〉
zoography *n*. 动物志学	〈graphy＝writing 描写〉
zootomy *n*. 动物解剖(学)	〈-tomy 切开术〉
zoophilist *n*. 爱护动物者	〈phil＝love 爱〉
zoopsychology *n*. 动物心理学	[联]zooecology 动物生态学
zootoxin *n*. 动物性毒素	〈tox 毒；-in 素〉
phytozoon *n*. 植物形动物	[联]protozoon 原生动物

zym＝leaven 酵，酵母

[zymurgy(酿造学)一词源自希腊语 zymo，是“zyme(a leaven)＋ourgia(work)”的合成词]

zyme *n*. 酶，病菌	[联]azyme 不发酵面包
zymology *n*. 发酵学	[联]zymometer 发酵计
zymogen *n*. 发酵菌	〈gen＝bear 生〉
zymosis *n*. 发酵，酵性病	[联]zymolysis 酵素作用

Exercise 10

Directions: *Study the following roots and example words, and then guess the meanings of the roots.*

Root	Word	Root Meaning
1. vac	vacuum	________
van	vanity	________
void	devoid	________
2. vade	invade	________
3. vagr	vagrant	________
vaga	vagabond	________
4. vail	available	________
value	valuable	________
5. vary	unvarying	________

var	variation	______
6. venge	avenge	______
7. ven	venue	______
veni	convenient	______
vent	event	______
ven	revenue	______
8. vers	universe	______
vert	convert	______
9. vi	obvious	______
voy	convoy	______
via	viaduct	______
10. vict	victor	______
vinc	convince	______
11. vis	visible	______
vid	evident	______
vey	survey	______
12. viv	vivid	______
vit	vital	______
vig	vigour	______
13. voc	vocabulary	______
vok	convoke	______
14. vol	volition	______
volunt	volunteer	______
15. volve	revolve	______
volue	revolution	______
volt	revolt	______
16. wan	wanting	______
17. wis	wisdom	______
wit	outwit	______
18. xylo	xylophone	______
19. zeal	zealous	______
20. zoo	zooid	______

索　引

[注]以下按字母顺序收集了本书第二章介绍的全部词根,后面的数字为其所在的页码。

Key to the Exercises

Exercise 1

(omitted)

Exercise 2

1. 能力	2. 酸	3. 尖锐	4. 做
5. 空气	6. 比赛，争夺	7. 农田，土地	8. 高
9. 其他，改变	10. 角	11. 生命，呼吸	12. 年
13. 环	14. 过去，从前，古旧	15. 前，以前，事先	16. 与……相对
17. 适用，适合	18. 水	19. 蒸汽	20. 古旧的
21. 主要的	22. 武器，武装	23. 技巧	24. 听
25. 独自，自己	26. 球	27. 低，基础	28. 敲，战斗
29. 战斗，战争	30. 好	31. 生命	32. 落
33. 场地，平原	34. 头	35. 夺，抓	36. 肉
37. 走	38. 热	39. 心脏	40. 空

Exercise 3

1. 中心	2. 确信	3. 时间	4. 切，杀
5. 圆，环	6. 喊	7. 市民	8. 喊，声称
9. 转，斜	10. 煤，炭	11. 关闭	12. 心
13. 身体	14. 统治	15. 相信	16. 生长，做
17. 判断	18. 跑，流	19. 神，上帝	20. 人民

Exercise 4

1.牙齿	2.通过,二	3.说	4.分,分开
5.教,说教	6.二	7.引导,带来	8.引导
9.忍耐,持续	10.自我	11.控制,统治	12.相等
13.失误,漫游	14.年代	15.外部,末端	16.讲话,说
17.制造,做	18.面,面对	19.做	20.犯错,欺骗
21.说话,讲	22.携带,运输	23.宴会	24.信任
25.末尾,界限	26.坚定的	27.固定	28.火焰
29.弯曲	30.打击	31.花	32.流
33.强壮	34.形状	35.分开,折	36.逃避
37.倾倒	38.生	39.地,地球	40.带,送

Exercise 5

1.走	2.写	3.重	4.走
5.怀有,保持	6.排水,流汗	7.继承	8.黏着
9.荣誉	10.恐惧	11.土	12.思想,想法
13.辨认	14.偶像	15.扔	16.一天
17.法律,判断	18.点	19.体力	20.边
21.松开	22.放松	23.挑选	24.法律
25.文字,识字	26.图书	27.自由	28.允许
29.捆,绑	30.石头	31.地方	32.说,言
33. ……学	34.长的,长度	35.说	36.大,宏伟
37.坏	38.手	39.保留	40.命令

Exercise 6

1.买卖	2.海	3.标记	4.母亲
5.及时的,成熟的	6.医药	7.中间	8.记忆
9.修补	10.大脑	11.测量	12.浸,浸水
13.派送	14.迁徙	15.军用的	16.小
17.警告	18.一	19.道德,规范	20.死
21.方式,模式	22.登高	23.运动	24.城市
25.缪斯	26.变化	27.名字	28.生
29.船	30.连接	31.不	32.管理
33.规范	34.注意	35.说	36.说
37.营养	38.新的	39.全部	40.操作
41.口	42.原始,最早	43.秩序	44.装饰
45.痛苦,惩罚	46.一对	47.遮挡	48.旁边

49. 准备	50. 父亲		

Exercise 7

1. 脚,走	2. 驱赶	3. 推	4. 悬挂
5. 称重量,权衡	6. 尝试,试验	7. 最坏	8. 恳求
9. 声音	10. 光	11. 掠夺	12. 虔诚
13. 平坦	14. 向内,插入	15. 拍手	16. 取乐
17. 满,填满	18. 折叠	19. 折叠	20. 点
21. 城市	22. 放	23. 放	24. 人民
25. 携带	26. ……之后	27. 有能力,能够	28. 抓住
29. 挤压	30. 价值,估价	31. 第一,主要的	32. 单个
33. 拿住,抓住	34. 接近	35. 拥有,恰当的	36. 测试,证明
37. 纯洁	38. 认为,思考	39. 资格,某一种类	40. 寻求,寻问
41. 根	42. 排列,顺序	43. 计算,考虑	44. 正,直
45. 要求,问	46. 断裂	47. 足够	48. 救助,安全
49. 跳	50. 健康的		

Exercise 8

1. 攀,爬	2. 知道	3. 写	4. 切
5. 感觉	6. 跟随,追	7. 插入,加入	8. 服务
9. 拥有,握住	10. 放	11. 旁边	12. 记号,标记
13. 类似,一样	14. 站立	15. 社团	16. 单个,孤单
17. 解决,溶解	18. 智慧,学问	19. 各类,分类	20. 种类
21. 看	22. 分散	23. 精神,呼吸	24. 允诺,诺言
25. 站立	26. 蒸馏	27. 建立,放	28. 拉紧,绑紧
29. 层	30. 总计,加	31. 取,拿	32. 确信
33. 建立,结构	34. 充满,塞满	35. 说	36. 走开,离开
37. 裁剪,切	38. 拿住,握住	39. 掩盖,覆盖	40. 远

Exercise 9

1. 时间	2. 尝试	3. 抓,保持	4. 伸展
5. 期限,范围	6. 土地	7. 试验,证实	8. 忍受
9. 折磨,扭弯	10. 摸,碰	11. 转,周转	12. 拖,拉
13. 处理	14. 给予	15. 真实,相信	16. 推
17. 二	18. 一	19. 城市	20. 利用

Exercise 10

1.空，空白	2.走	3.流浪	4.价值
5.变化，改变	6.惩罚，报复	7.来	8.旋转
9.道路	10.征服	11.看	12.活，生命
13.出声	14.自愿，自由意志	15.卷，旋转	16.缺乏
17.智慧，观察	18.木头	19.热情	20.动物

参考文献

[1]陈胥华、史美洲编著:《英语超级词汇量速成手册》,湖北教育出版社1986年版。

[2]崔校平编著:《英语考试词汇速记手册》,上海交通大学出版社1999年版。

[3]崔校平编著:《英语四六级词汇魔术记忆》,石油大学出版社2003年版。

[4]崔校平等主编:《实用英语用法精粹》,南海出版公司1996年版。

[5]大学英语教学大纲词汇表调整工作组编:《大学英语教学大纲通用词汇》(1～4级),上海外语教育出版社1993年版。

[6]大学英语教学大纲词汇表调整工作组编:《大学英语教学大纲通用词汇表》(5～6级),上海外语教育出版社1993年版。

[7]高名凯、刘正琰编著:《学习英语单词的基本知识》,商务印书馆1964年版。

[8]何乘材:《最新托福650分词汇超速记忆》,宇航出版社1993年版。

[9]蒋争:《英语词汇的奥秘》,中国国际广播出版社1986年版。

[10]黎学智:《英语词汇逻辑记忆法》,吉林科学技术出版社1995年版。

[11]李平武:《英语词缀与英语派生词》,外语教学与研究出版社2003年版。

[12]李平武:《英语词根与单词的说文解字》(修订版),外语教学与研究出版社2008年版。

[13]刘洁君、蔡新玉编:《7000科技英语基本单词速记法》,湖南科学技术出版社1981年版。

[14]陆谷孙主编:《英汉大词典》,上海译文出版社1993年版。

[15]齐振海主编:《最新英汉双解CET·EPT词汇记忆捷径》,现代出版社1994年版。

[16]秦秀白编著:《英语简史》,湖南教育出版社 1983 年版。

[17]任知芳编著:《大学英语词汇分析记忆法》,辽宁人民出版社 1986 年版。

[18]陶南编著:《高级英语考试词汇突破》,浙江大学出版社 1991 年版。

[19][日]梶木隆一:《英语同义词、反义词、派生词词典》,李炳炎编译,中国翻译出版公司 1988 年版。

[20]《英汉医学剖析词典》编委会编:《英汉医学剖析词典》,齐鲁书社 1996 年版。

[21]张伯棣、施大鹏、林志诚编:《英语分解式词汇表》,商务印书馆 1960 年版。

[22]张勇先:《英语发展史》,外语教学与研究出版社 2014 年版。

[23]Judy Pearsall. *The New Oxford Dictionary of English*. London: Oxford University Press, 1998.

[24]Marvin S. Zuckerman. *An English Vocabulary Builder and Anthology*. Collier Macmillan Canda, LTD., 1980.

[25] Norman Lewis. *Word Power Made Easy*. New York: Doubleday&Company, INC., 1978.